KB045575

비토리아누 브라가, 〈페르난두 페소아〉(1914)

페소아가 동료들과 들르던 카페 브라질레이라 앞 그의 동상.

아줄레주(Azulejo)라고 불리는 독특한 타일로 표현한 포르투갈 항구.

THE MAP OF PESSOA

페소아 생애와 문학의 공간

포르투갈의 리스본은 페소아 문학의 산실이자 배경이다. 일곱 개 혹은 더 많은 언덕으로 이루어진 리스본은 그 자체로도 높낮이가 고르지 않고 울룩불룩한 지형이지만, 시인 페소아가 만들어낸 그만의 리스본은 그보다 더 다양한 차원들이 복잡하게 가로지르며 구축된 또 다른 도시였 리스본이라는 도시 속에서 페소아를 뒤쫓으려면, 관광 안내소에서 나눠 지도만으로는 부족할 것이다. 그 지도의 평면과 긴밀히 연관되면서도 때로는 무관한, 또 하나의 문학적 지도를 찾아내야 한다.

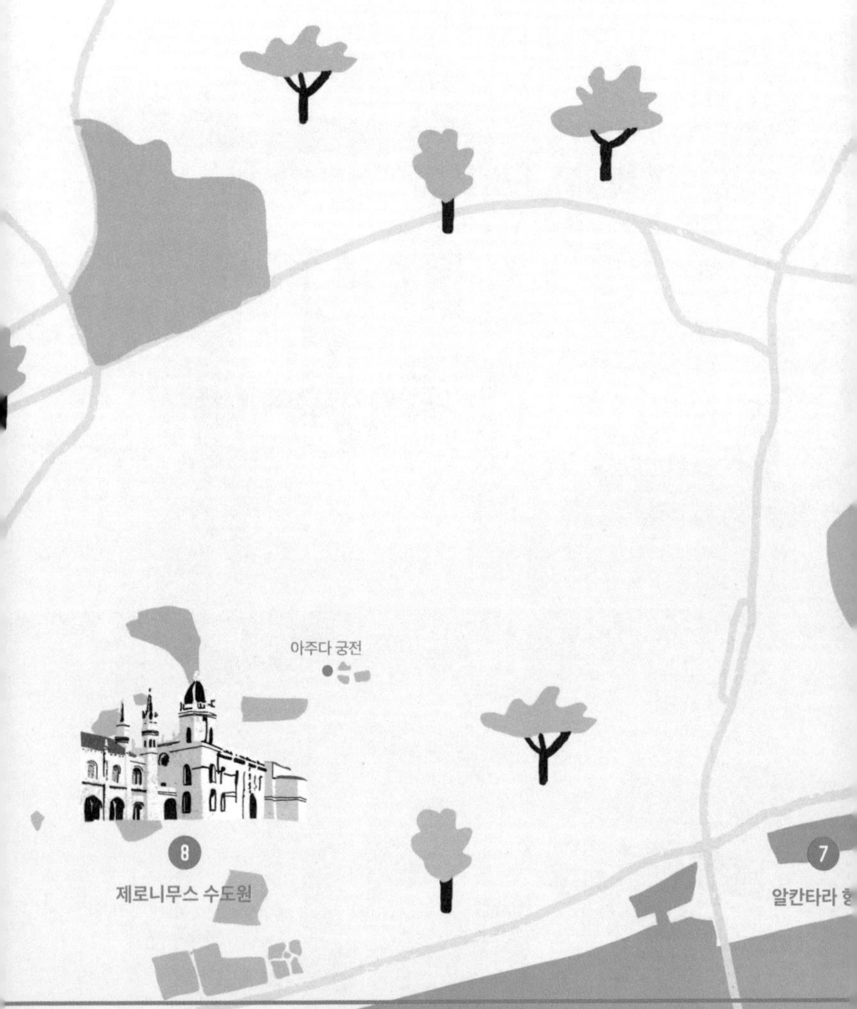

을 것이다.
는

1
리스본 인문대학

에두아르두 7세 공원
2
알미란트 레이스 대로

3
페소아의 집

A BRASILEIRA
카페 브라질레이라
4

에스트렐라 성당

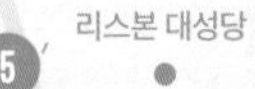
리스본 대성당

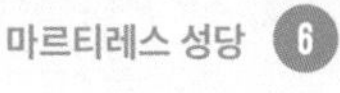
마르티레스 성당 6

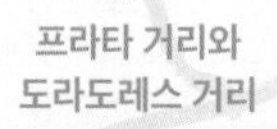
5
프라타 거리와
도라도레스 거리

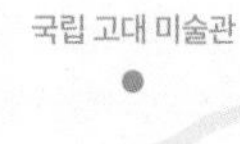
국립 고대 미술관

FERNANDO PESSOA
LIVRO DO
DESASSOSSEGO

구

❶ 리스본 인문대학

페소아의 이명 작가들을 만날 수 있는 곳

남아프리카공화국의 더반에서 유년 시절을 보내고 1905년 리스본으로 다시 돌아온 페소아는 리스본 인문대학에서 철학과 문학을 공부하다 1907년에 학업을 중단한다. 이곳 입구에는 페소아의 대표적인 이명 삼인방인 카에이루, 레이스, 캄푸스의 모습이 부조되어 있다. 『오르페우』를 함께 만든 알마다 네그레이루스의 작품이다.

❷ 알미란트 레이스 대로

페소아가 한때 살았던 거리

페소아가 지나가면서 'A. 카에이루' 간판의 약국을 우연히 봤다고 말한 적이 있는 거리. 그는 이 거리에 살았던 적이 있는데, 시 「담배 가게」의 모델이 된 리스본 특유의 작은 구멍가게 겸 카페들이 이곳에도 있었다. 과거와 비교하면 현재 인구 구성 및 거리의 풍경이 많이 변모했으며, 다문화적이고 활기찬 거리이다.

❸ 페소아의 집

페소아의 책들을 만나는 곳

페소아가 말년을 보낸 집을 개조해 만든 작은 박물관. 전 세계에서 출간된 페소아와 관련된 책들이 총망라된 도서관이 있고, 근처에는 페소아가 사망한 뒤 묻힌 프라제레스 공동묘지가 있다. 페소아가 살아 있었을 당시의 모습과 가장 가깝게 연출된 페소아의 방에는 방대한 미출간 원고들이 잔뜩 들어 있었던 트렁크의 모조품이 놓여 있다.

❹ 카페 브라질레이라

페소아와 친구들의 창작실

페소아는 『오르페우』 창간을 위해 예술가 친구들과 교류하며 카페 마르티뉴 다 아르카다와 카페 브라질레이라를 찾곤 했다. 시내 한복판에 자리 잡은 카페 브라질레이라의 본점은 한때 페소아도 왕래했었다. 페소아가 주로 찾았던 분점은 로시우 광장에 있었으나 현재는 사라지고 없다.

❺ 프라타 거리와 도라도레스 거리

『불안의 책』이 탄생한 공간

『불안의 책』의 배경인 도라도레스 거리의 사무실은 실제 그 옆에 있었던 프라타 거리 71번지 2층이었다. 페소아가 번역 일을 하던 회사의 책임자 모이티뉴 씨는 『불안의 책』에 등장하는 바스케스 사장의 모델로, 페소아가 사무실을 마음껏 쓸 수 있도록 배려했다고 한다. 『불안의 책』의 상당 부분과 유명한 시 「담배 가게」가 바로 이곳에서 쓰였다.

❻ 마르티레스 성당

「내 마을의 종소리」가 시작된 장소

페소아가 주앙 가스파르 시몽이스에게 자신의 시 「내 마을의 종소리」의 모델이 되었다고 말한 성당. 포르투갈의 목가적인 서정시의 계보를 잇는다고 할 만한 이 작품을 읽으면, 그가 어느 마을에서 종소리를 듣고 영감을 얻었는지 궁금해진다. 페소아는 이 시를 쓸 때 영감을 준 것은 자신이 살았던 시아두 근처의 성당이라고 밝혔다.

❼ 알칸타라 항구

「해상 송시」의 배경이 된 항구

20세기 초에 해외에서 리스본으로 들어오는 큰 선박들은 대부분 이곳을 통과했다. 과거 리스본 교통의 중심지 중 하나이다. 페소아도 이 항구에서 헤르조그호를 타고 리스본과 남아프리카공화국을 오갔다. 그의 이명 알바루 드 캄푸스가 아침 부두를 서성이며 「해상 송시」를 읊은 장소도 이 항구일 것으로 추정된다.

❽ 제로니무스 수도원

페소아가 잠들어 있는 곳

1935년 11월 30일에 사망한 페소아는, 12월 2일 프라제르스 공동묘지에 묻혔다. 이후 1985년 그의 묘지는 이곳 제로니무스 수도원으로 이장되었다. 포르투갈이 번영했던 대항해 시기를 대표하는 제로니무스 수도원은 근처의 벨렝 탑과 함께 1983년 유네스코 세계문화유산으로 지정되었다.

일러두기

포르투갈어 표기의 경우 현재 한국에서 통용되는 포르투갈어 표기법을 최대한 따랐으나, 부분적으로는 포르투갈 현지 발음을 살려 브라질식 포르투갈어와 구별하였다. 가령 '알베르투'에서 '투'의 경우 실제로는 '우'와 '오' 사이의 발음이고 앞 음절에 강세가 있기 때문에 '우'가 덜 분명하게 발음되지만 기존 표기법을 그대로 따른 반면, '리카르두 레이스'는 표기법상으로는 '히카르두 헤이스'이지만 이는 브라질식 발음이기 때문에 'ㄹ' 발음에 조금 더 가까운 포르투갈 현지 발음을 유지하면서, 동시에 이중 r 발음(rr=[ㅎ])과 구별하였다. 마찬가지로 '수아르스'도 현행 표기법상으로는 '소아르스'이지만 리스본 현지 발음을 따랐다. (참고: www.portaldalinguaportuguesa.org)

클래식 클라우드 | 004

페소아

×

김한민

리스본에서 만난 복수 複數의 화신

arte

로드리게즈 카스타네, 〈페르난두 페소아〉(1912)

CONTENTS

PROLOGUE

나의 동시대인, 페소아

대학 시절부터 지금까지 10여 년간 20세기의 러시아 기호학자 유리 로트만Yuri M. Lotman을 연구해온 김수환 형이 대화 중에 흥미로운 소회를 밝혔다. 이제 그에게는 로트만이 마치 '동시대인'처럼 느껴진다는 것. 속한 시대도 공간도 다른 죽은 사람이 동시대인이라니 대체 무슨 뜻인가? 한 번도 누군가를 오랫동안 붙잡고 연구해본 경험이 없었던 나는 그 말의 의미를 정확히 이해할 수 없었다. 물론 한 명의 학자나 작가를 평생의 전공으로 삼아 그에 관한 전문가가 되는 일이 잦은 학계 풍토를 떠올리면 대강의 뜻은 짐작이 갔다. 상상해보라, 한 사람이 쓴 온갖 종류의 글들을 섭렵하고, 매일같이 그의 시각을 이해해보려고 부단히 애쓰고, 그가 살던 시대상을 집중적으로 탐구하면서 십수 년을 보낸다면, 아닌 게 아니라 인생의 상당량을 그 대상과의 무수한 '만남'과 '대화'에 할애하는 셈이니 적어도 그 시간 동안만큼은 다른 시대로 일종의 시간 이동을 하는 것이라 해도 과장이 아니리라. 게다가 그 연구 대상이 일생을 바쳐도 모자란 대학자나 대문호일 때는 그런 '시대착오적 동시대인과의 동거'가 기약 없이 연장되기 십상일 것이다.

솔깃한 얘기이긴 했지만 나와는 무관하게 느껴졌다. 내게 동시대인이라고 부를 만한 누군가가 있을까? 아니, 동시대인의 존재가 과연 필요하긴 한 것일까? 그렇지 않다는 쪽으로 기울었다. 인류 역사상 흥미로운 인물들이 이렇게나 많은데 누구 한 명을 콕 집어 지적 청춘을 몽땅 바친다는 것 자체가 아깝게 여겨졌거니와, 무엇보다 그렇게까지 집중해서 '파보고' 싶거나, 파볼 만한 가치가 있다고 생각되는 사람도 딱히 떠오르지 않았다. 그럴 열정이나 시간이 있다면 차라리 내 책을 하나 더 쓰는 편이 낫겠다 싶었다.

계절이 수차례 바뀌면서 내 생각도 바뀌었다. 세상에 넘쳐나는 창작물의 더미에 무언가 하나 더 **얹는** 것보다, 이미 존재하는 것들 중에 안 읽히거나 덜 읽히는 것을 찾아 잘 **읽는** 일이 점점 더 가치 있어 보이기 시작했다. 일찍이 호르헤 루이스 보르헤스가 보여준 것처럼, 남의 작품을 독창적으로 읽어내는 행위만으로도 얼마든지 창작이 가능하지 않은가? 그런 창조야말로 이 창작물 포화의 시대에 가장 적합하고 또 필요한 방식인지도 모른다. 이런 생각과 더불어, 한 번쯤 타인의 세계에 깊이 빠져보고 싶다는 욕구, 그 타인을 내 나라가 아닌 타지에서 직접 살면서 그 나라의 언어를 통해 제대로 알고 싶다는 열망이 점점 강해지고 있음을 느꼈다. 이런 소망을 실현시키는 일은 언제나 갖가지 현실적인 문제들을 처리해야 하는 골치 아픈 과정을 동반하지만, 나는 최대한 행복하고 낭만적인 고민에 집중하려고 노력했다. 이를테면 이런 상상에 빠져들곤 했다.

자, 나는 어느 식당에 앉아 한가롭게 메뉴를 고르고 있다. 메뉴판에는 이탈로 칼비노, 세사르 바예호, 그리고 페르난두 페소아 등이 있다. 언제 읽어도 새로운 칼비노의 도시들 속에서 기꺼이 길을 잃어볼까? 아니면 절망의 시간들에 나를 달래준 바예호의 시에 기대어보나? 아니면 이 수수께끼 같은 복수형複數形 포르투갈 시인을 파보나? 이 중에서 왜 페소아를 골랐을까? 나처럼 좀체 한 가지를 고르지 못하고 늘 주저하는 만성 판단 유보자에게는 페소아가 가장 안전한 선택지처럼 느껴졌을 수도 있다. 페소아라는 메뉴는, 마치 메뉴판에 '여러 메뉴를 포함하는 메뉴'라는 기묘한 옵션이 주어지는 것과 같기 때문이다(단, 그 밑에 깨알 같은 글씨로, 어떤 맛이 나올지는 주방장도 보장할 수 없다는 각주가 달린).

페르난두 안토니우 노게이라 페소아Fernando António Nogueira Pessoa는 포르투갈, 나아가 20세기 유럽 문학을 대표하는 시인 중 한 명이다. 1888년 리스본에서 태어나 다섯 살에 아버지를 여의고, 외교관과 재혼한 어머니를 따라 남아공으로 건너가 영국식 교육을 받으며 성장했다. 열일곱에 리스본에 돌아온 후 한 번도 나라 밖을 떠난 적 없이 독신으로 살았고, 20대에 동료들과 『오르페우*Orpheu*』라는 문예지를 창간하여, 침체되어 있던 포르투갈 문학에 새로운 전기를 마련했다. 1918년과 1922년에는 직접 운영하는 출판사에서 자신의 영어 시집을 펴내기도 했으나, 정작 모국어로는 사망하기 전 해인

1934년 국가공보처에서 주관한 문학상에 응모해 입상한 『메시지*Mensagem*』가 생전에 유일하게 출판된 책이다. 1935년 마흔일곱 살 나이에 세상을 등진 후, 엄청난 양의 미발표 원고들이 담긴 트렁크가 발견되고, 이 원고들이 대표작 『불안의 책*Livro do Desassossego*』 등 여러 권의 책으로 묶여 출간되면서 뒤늦게 '국민 시인'의 반열에 오른다.

문학 비평의 세계적 권위자 해럴드 블룸Harold Bloom이 저서 『서양 문학의 정전*The Western Canon*』(1994)에서 유구한 문학사 가운데 단 26명의 작가를 엄선한 명단에 셰익스피어, 괴테, 조이스, 네루다 등과 나란히 페소아의 이름을 포함시키면서, 페소아는 더 이상 세계 문학계에 낯선 인물이 아니게 되었다. 카몽이스*와 더불어 포르투갈을 대표하는 작가로 주저없이 손꼽히는 그의 작품들은, 이미 유럽과 서구 문화권을 넘어 베트남어, 스와힐리어, 우르드어 등 40여 개국 이상의 언어로 번역되어 전 세계 독자들을 매료시키고 있다.

모르겠다. 단순히 포르투갈이라는 나라를 한 번도 가본 적이 없어서, 혹은 비행기표와 물가가 싸서 페소아의 도시 리스본으로 떠나기로 결정한 것일 수도 있다. 인생의 어느 갈림길에서 내린, 우연

* 루이스 바스 드 카몽이스Luís Vaz de Camões는 포르투갈의 시인으로, 대항해 시대의 일원으로서 직접 모험을 떠나기도 했다. 바스코 다 가마를 필두로 한 포르투갈 민족의 항해 영웅담을 유려한 문체와 풍부한 상상력으로 웅장하게 그려낸 대서사시 『루지아다스*Os Lusíadas*』를 남겨 포르투갈 역사상 가장 위대한 시인 중 한 명으로 손꼽힌다.

과 필연을 동반하는 결심을 회고로써 설명하기란 힘든 일이다. 인간의 기억이란 늘 그럴싸한 이야기를 만들어내려고 하거나, 반대로 그것에 필요 이상으로 저항하기 마련이기 때문이다. 그래서 그저 이렇게 말할 수밖에 없겠다. 그러던 어느 날, 긴 고민을 마무리할 시간이 되자 페소아의 시에 가장 먼저 손이 가더라고.

어느 정도 결심이 섰을 때만 해도 '아, 나도 결국(또는 드디어) 누군가를 동시대인으로 맞는구나'라는 감회보다는 그저 흠모하는 작가의 아직 번역되지 않은 글들을 원어로 실컷 읽을 수 있겠다는 기대가 컸다. 결정적으로 페소아가 몇몇 동료들과 함께 발간한 잡지 『오르페우』의 존재에서도 동기 부여가 되었다. "『오르페우』를 읽기 위해서라도 포르투갈어를 배울 가치가 있다"는 페소아의 말을 한번 믿어보기로 하고, 나는 큰맘을 먹고 리스본행 비행기표를 끊었다. 출국 날, 나의 짐 속에 개인 작업을 위한 물건이라고는 생일 선물로 받은, 필통보다 작은 휴대용 수채화 키트가 전부였다.

포르투갈에 사는 동안 나는 전기포트를 사지 않았다. 서울에서 나를 방문하러 온 한 친구는 내가 궁핍해서인 줄 알고 적선을 베풀려고 했으나 나는 정중히 사양했다. 빠듯한 생활이었지만 전기포트 하나 장만 못할 정도는 아니었고, 다른 이유가 있었다. 불에 찻물을 올려놓고 시 한 수 읽는 그 시간이 좋았다. 물이 늦게 끓을수록 더 좋았다. 번역이나 연구를 떠나, 온전히 시를 즐긴 유일한 시간이었다.

리스본의 골목길

포르투갈에 있는 동안 사지 않은 것이 또 하나 있다. 나는 핸드폰 없이 살았다. "누구는 좋아서 사나? 내가 아니라 남들을 배려하기 위해 어쩔 수 없이 쓰는 거지"라고 말하는 사람들, 내가 핸드폰이 없는 것이 불만인 사람들, 바로 그런 사람들을 거르고 싶어서, 또 그들에게 걸러지고 싶어서였다. 다행히 대부분의 포르투갈 친구들은 나를 흔쾌히 이해해주었고, 이메일로 연락했고, 미리 약속을 잡았고, 제시간에 나타났다. 실은, 왜 핸드폰을 안 쓰는지 묻지도 않았다.

한 가지 더, 포르투갈에서 하지 않은 것이 있다. 나는 짬시간을 활용하려고 애쓰지 않았다. 버스에서, 기차에서, 지하철에서, 그 정류장들에서 이동하고 기다리는 동안 아무것도 하지 않았다. 책도 읽지 않았고 노래도 듣지 않았다. 가능한 한 머리를 비우면서, 도시의 소리들에 감각을 열어두고 싶었다. 심지어는 소음까지도.

그렇게 몇 년의 시간이 흘러 이제는 김수환 형이 말하던 동시대인의 의미를 알 것 같다. 최소한 맛보기는 했다. 한 나라와 한 언어를 한 사람(물론 엄밀히 말해 페소아가 딱 한 명은 아니지만)을 통해 알아가는 것이 동시대인을 의미한다면 말이다. 아직 페소아를 전문적으로 논하기에는 부족한 시간이었지만, 내 동시대인의 의미를 되새겨보기에는 적절한 시점 같다.

동시대인을 둔다는 것은 단순히 그를 파악하기 위해 내 시간과 에너지의 대부분을 쏟아붓는 것만을 의미하지 않는다. 타인, 그것도 나라와 언어와 시대가 다른 누군가의 생각과 창조물을 폭넓게 읽고, 다시 읽고, 보고, 듣고, 음미하고, 또 번역하면서 단어 하나, 문장 하나, 작품 하나의 의미에 천착하는 것, 그를 잘 안다는 사람들과 접촉하여 그에 관해 묻고 또 답하고, 그와 관련된 출판물이라면 무엇이든, 그와 관련된 행사라면 어떤 것이든 촉각을 곤두세우고 쫓아다니는 것이다. 이는 어떤 화두나 주제에 집중하는 것과는 또 다른 경험이다. 한 사람이 가졌을 법한 시선들에 익숙해지고, 나도 모르게 그를 대변하고 변호하며, 그에 관해 사람들이 어떤 생각을 갖고 있는지에 예민하게 반응하고, 때로는 지나칠 정도로 자주 그의 입장에서 생각하는 나를 발견하고 놀라는 일이다. 그러면서 어느 순간부터는 그라는 세계를 어느 정도 알겠다고 여기기 시작하고, 바로 그런 이유로 나머지 세상에는 좀 더 무관심하고 무지해도 괜찮을 것이라고 합리화하는 위험한 착각이기도 하다.

이쯤 되면 거의 아무것도 공유하지 못하면서 물리적인 신체만 덩그러니 같은 시간대에 속해 있어 동시대인으로 분류되는 대다수의 사람들보다 그가 훨씬 더 동시대적이라는 게 정말로 맞는 말이다. 동시대인은 은근히 요구한다, 그전까지 나의 관심사, 나의 작품, 내가 구축한 세계 안으로만 파고들던 습관을 버릴 것을. 나를 양보해 잠시 옆으로 제쳐놔야 하는 변화를 받아들이는 동시에, 타인의 지배적인 영향을 기꺼이 받아들이겠다고 결심할 것을. 철학자 슬라보예 지젝은 『신체 없는 기관』에서 생물체라는 개념의 난해함을 논하며 이런 말을 한다.

> 자유란 단순히 물질적인 원인들을 보충하는 어떤 원인을 의미하는 것이 아니라, 내가 나를 결정지을 원인들을 결정하는 성찰적인 원

인을 의미한다. 자유란, 내가 절대로 완전히 환경의 피해자는 아니라는 것, 나는 언제나, 어떤 환경이 나를 결정할 것인지에 대한 최소한의 자유를 내게 허용하는 것이다.

우리에게는 '영향을 선택할 권리', 좋은 영향을 받을 권리가 있다. 그 선택의 폭은 늘 우리가 원하는 만큼 넓지 않고, 그 선택권은 전적인 것이 아니라 반드시 타협을 거쳐야 하는 것이지만, 적어도 우리는 태어난 곳에 고정되어 살아가는 식물이 아니라 움직일 수 있는 동물이기에, 우리가 받는 영향들을 선택하는 데 참여할 수 있고, 이미 참여하고 있다. 환경 결정론자들도 인간이 최소한의 범위 내에서 환경을 택할 수 있는 존재라는 사실을 부정하지는 못한다.

나는 내가 영향받을 사람과 환경을 최대한 능동적으로 택하고 싶었고, 고민과 타협 끝에 포르투갈과 페소아를 선택했다. 다행히 그 선택을 후회하지 않는다. 물론 우리가 결정하는 것은 영향의 초기 인자들일 뿐, 그 결정의 의미와 결과는 예측할 수 없다. 페소아의 마지막 말처럼, 우리는 내일이 무엇을 가져다줄지 전혀 모른다. 나도 한때 나와 무관하다고 생각했던 인물을 이만큼 내 삶에 깊숙이 받아들이게 될 줄 몰랐다.

단, 여기서 '어떤' 동시대인인가를 질문할 필요가 있다. 그를 이 시간과 공간으로 호출하는 것인가, 내가 그쪽으로 호출당하는 것인가? 그도 아니면 사이좋게 중간쯤 어딘가에서 만나는 것인가? 그래서 전혀 다른 새로운 중간 세계가 열리는 것인가? 쉽게 말해, 누가 주도권을 쥐는 것인가? 아니, 이런 타협이 가능하긴 할까? 솔직히 말하자면 나는 늘 페소아에게 끌려다니며 살아서 잘 모르겠다. 그에게 압도되어서는 아니고, 단지 그가 그의 자리에 최대한 온전하게 있는 상태에서 내가 접근하는 것이 가장 정확히 그를 이해하는 방법이라고 여겼기 때문이다. 죽은 당신은 거기에 가만히 계세요, 제가 그쪽으로 갈 테니……. 나의 접근은 이랬지만, 거꾸로 동시대인을 자기 쪽으로 끌어당기는 사람들도 있다. 그것은 또 다른 여행이 되리라.

사람들을 통해, 나는 페소아를 만났다. 우리가 현재 페르난두 페소아라는 인간에 대해 아는 거의 모든 것은 그가 죽은 뒤 그의 방에서 발견된 트렁크 속에 들어 있던 약 3만 장의 문서들에 의존하고 있다. 그 트렁크는 그러나, 종이로만 가득 차 있지 않았다. 그 안에는 수많은 사람들이 있었다. 그래서 페소아의 대표적인 '전도사' 중 한 명인 안토니오 타부키Antonio Tabucchi는 이를 "사람들이 가득한 트렁크"라고 부르기도 했다. 페소아가 만들어놓은 무대에 단 한 번이라도 등장한 배우의 신상은, 그가 아무리 단역이었더라도 이 강박적인 수집가의 손에 의해 죽는 날까지 고이 보관되었다. 그가 그토록 열성적으로 자신의 상상 극장을 사람들로 채워나간 이유는 뭘까? 세익스피어가 "인생이란 (…) 주어진 시간 동안 무대에서 활개치는 가련한 배우 같은 것"이라고 표현한 생의 허무를 극복하기 위해서였을까? 분명한 것은 이 트렁크 속 모든 배우가 적어도 시인에게는 생생하게 살아 있는 인물들이었다는 점이다.

페소아에게 다가가고자 들어선 거대한 텍스트의 미로 속에서 길을 잃을 때마다, 나는 누군가를 붙잡았다. 정확한 길을 안내해주리라고 기대하진 않았다. 그저 한 명 한 명에게서 얻은 작은 이야기 조각들을 잘 맞추면 어렴풋하게나마 한눈에 들어오는 지도를 그릴 수 있으리라는 기대를 품고 사람에서 사람으로 흘러 다녔을 뿐이다. 그 사람들 중에는 실존한 인물도 있고 가공의 인물도 있었으나, 페소아라는 회로를 통과할 때마다 그 경계는 점점 흐려졌다. 그가 만들어낸 사람, 그가 읽던 사람, 그가 알던 사람, 그가 섬기던, 그가 무시하던, 그가 질투하던, 그가 모방하던, 그가 흠모하던, 그가 흠집내던, 그가 그리워하던, 그가 사랑하던 사람…….

책 바깥에서도 물론, 나는 수많은 사람들을 만났다. 그중에서 자타 공인 현존하는 가장 뛰어난 페소아 연구자이자 번역가 중 한 사람인 리처드 제니스Richard Zenith와의 우정은 특별했다. 포르투갈어를 배우기 전부터 그의 뛰어난 영어 번역으로 페소아를 접했던 나에게 그는 늘 경외와 부러움의 대상이었고, 그를 개인적으로 알게 되는 날이 오리라고는 기대도 하지 않았다. 포르투갈에 온 지 한 해가 지나갈 즈음 나의 논문 지도 교수가 어렵사리 다리를 놔주었지만, 첫 만남은 한동안 성사되지 않았다. 워낙 바쁜 데다가, 페소아상*을 수상하고 나서는 너무 많은 인터뷰와 청탁들이 쏟아지는 데 지쳐 여

* 1987년 제정된 '페소아상Prémio Pessoa'은 그해 과학, 예술, 문학 분야에서 가장 두각을 나타낸 포르투갈인에게 수여되는, 포르투갈에서 가장 권위 있는 상 중 하나이다. 리처드 제니스는 페소아를 세계 무대에 널리 알린 공로를 인정받아 2012년에 수상했다.

간해서는 새로운 만남에 응하지 않고 있던 그였다. 그러다 어느 날 우연한 기회가 찾아와 짧지만 즐거운 대화를 나누었고, 이를 계기로 점점 친분이 쌓여 어느새 각별한 친구 사이가 되었다.

리처드의 배려로 지난 여름과 겨울 동안 그의 서재에 거의 출근하다시피 하며 보냈다. 그의 집은 페소아가 한때 지나가면서 'A. 카에이루'라는 간판의 약국을 우연히 봤다고 말한 적이 있는 알미란트 레이스Almirante Reis 대로 근방으로, 중국어, 네팔어, 인도어, 우크라이나어 등이 포르투갈어보다 더 많이 들리는, 다문화적이고 활기찬 거리이다. 페소아도 이 근처에서 산 적이 있는데, 그 시절의 리스본과 비교해 인구 구성이 가장 많이 변한 동네 중 하나이다. 그의 유명한 시 「담배 가게Tabacaria」의 모델이 된 리스본 특유의 작은 구멍 가게 겸 카페들도 이곳에서는 네팔, 방글라데시, 파키스탄에서 온 사람들이 연 구멍가게들에 자리를 내줬다. 아마 그가 지금 「담배 가게」를 다시 쓴다면, 제목도 바뀌었을 테고 '에스테베스 씨'(「담배 가게」의 마지막 행에 등장하는 인물) 대신 '타망Tamang 씨'(네팔에서 흔한 성)가 등장했을지도 모른다. 이 번잡한 도심 한복판에 자리한 리처드의 집은 별세계 같았다. 그곳에는 내가 필요로 하는 거의 모든 페소아 관련 책들이 있고, 페소아에 관한 한 최고의 전문가가 바로 옆방 서재에 있으니, 이 시인을 연구하기에는 천국과도 같은 곳이었다. 리처드의 해박함과 진지한 접근, 몸에 밴 직업윤리를 접하는 것은 배움의 시간이었고, 커피 타임이나 식사 도중의 대화들은 지금도 잊을 수 없다.

이런 보기 드문 친절을 베푼 사람에게 누를 끼치지 않기 위해 나도 노력했다. 조금만 찾아보면 혼자서도 알아낼 수 있는 뻔한 것들을 묻지 말자는 원칙에 따라, 하루당 질문 수를 정해놓고 그 이상은 하지 않았다. 이미 다 발표하고 출판한 내용을 읽어보지도 않고 무성의하게 질문을 던지는 게 얼마나 게으른 일이고, 남의 귀중한 시간을 빼앗는 무례인지 잘 알기 때문이다.

마침 리처드는 페소아의 전기를 집필하는 중이었다. 사실 한동안 제대로 된 전기가 나오지 않은 터였다.* 최근에 달라지거나 새로 알게 된 사실들이 적지 않은데 업데이트가 안 되고 있어 많은 연구자와 애호가들이 아쉬워하던 차였는데, 드디어 몇 해 전 리처드가 그 일에 착수하기로 마음먹은 것이었다. 반면, 나는 전기도, 여행기도, 수필도, 작가론도 아닌, 그러면서 그 모든 것이기도 한 종잡을 수 없는 책을 쓰고 있었지만, 페소아라는 세계 속으로 가능한 한 깊숙이 침투하려 한다는 점에서 비슷한 작업을 하고 있던 셈이다. 우리의 매일 인사는 이런 식이었다.

"오늘은 몇 년?"

"1915년."

"몇 월?"

"6월 초……."

"한창 정신없겠군. 아직 캄푸스가 폭탄 터뜨리기 전?"

* 대표적인 페소아의 전기로는 주로 다음 세 사람이 쓴 책을 꼽는다. 주앙 가스파르 시몽이스(1950), 앙헬 크레스포(1988), 로베르 브레숑(1996). 그리고 리처드 제니스가 조아킹 비에이라와 함께 낸 『페르난두 페소아의 사진 전기*Fotobiografia de Fernando Pessoa*』(2009)도 있다.

"하하, 응 아직은. 내일쯤 터지지 않을까 해."

"오, 기대되는데? 1915년 고비만 잘 넘기면 어디 가서 아구아르덴트aguardente(브랜디)나 한잔 걸치자고."

"그거 좋지, 페소아 스타일로 말이야."

몇 개월 후.

"지금은 어디쯤?"

"아직도 1919년이야."

"아직? 19년에서 정체되고 있네?"

"응, 이렇다 할 중심 사건은 없는데 잡다한 일들만 많아서 이야기 구성이 까다로워. 이제 겨우 8월이네."

"조금만 더 힘내. 곧 순풍이 불 거야, 귀인이 찾아오잖아."

"그러게, 그러고 보니 10월이면 오펠리아(페소아의 애인)를 만나겠군!"

리처드는 페소아 번역자 중에서도 시인에게 이입하기를 가장 자주 반복한 사람 중 한 명이다. 페소아가 만든 미로는 한번 들어가기는 쉽지만 그 안에 함몰되지 않고 무언가를 발견해 나오기는 어렵다. 그 누구보다도 그곳에 깊이, 오래 들어갔다 나온 그만의 '아리아드네의 실'은 무엇이었을까. 이렇게 '추상적인 동시대인'을 한 명, 그리고 그를 열정적으로 추적하고 있는 '구체적인 동시대인' 한 명을 동시에 곁에 둘 수 있었던 것은 크나큰 행운이었다. 이 책의 많은 부분은 리처드와 함께 보낸 기간에 집중적으로 썼고, 당연히 그는 이 책에서도 주요 인물 중 하나로 등장한다. 이 자리를 빌려 말로는

다 표현할 수 없는 감사를 표한다.

다른 페소아 연구자와 관련 전문가들도 많이 만났다. 그들도 물론 큰 도움이 되었지만, 비전문가들에게서도 그에 못지않게 많은 것을 배웠다. 그들은 나를 만날 때마다 곧잘 페소아를 화제에 올렸고, 이전에는 생각해보지 못한 신선한 관점들을 제공해줬다. 그렇게 나는 페소아를 통해 사람들을 만났다.

세상 모든 일에 양면성이 있듯이, 전문가들의 관점이 연구에 방해가 될 때도 있었다. 그들은 때때로 강력한 자장을 형성해, 그 안에 있으면 나만의 생각을 펼치기가 힘들었다. 내 주관이 대단히 중요해서 하는 얘기는 아니다. 이미 페소아에 관한 훌륭한 연구들이 많이 나와 있어 일일이 찾아 읽기도 바빴기에, 내가 더 보탬이 될 수 있는 부분은 한국에 소개하거나 주요 작품을 번역하는 정도라고 일찌감치 결론을 내리고 있던 터였다. 그렇지만 넘치는 정보 사이에서 내 나름의 객관적이고 균형 잡힌 시각은 유지할 필요가 있었는데, 너무 많은 이야기를 듣다 보니 맨 눈과 맨 귀로 페소아에게 직접 다가가기보다 나도 모르게 자꾸 해설자를 통해 '한 다리 건너서 듣기'를 선호하는 안일한 습관이 생기고 있었다. 어느새 내 책상에는 페소아의 책보다 페소아에 관한 책이 더 많이 쌓이고 있었다.

실제로 『율리시스』 『파우스트』 『잃어버린 시간을 찾아서』 『특성 없는 남자』 같은 두꺼운 고전들은 끝까지 제대로 읽는 경우보다는, 관련 해설서를 보거나 '족집게'식으로 읽어놓고 읽은 척을 하는 경우가 허다하다. 어쩌면 페소아도 그런 작가 중 한 명이 되어가고 있는지도 모른다. 회자되는 것에 반비례해서 실제로 읽는 독자가 줄어들고 있는……. (8장 '누구나 알지만 아무도 모르는 시인'을 보면 페소아도 이를 예견한 듯하다!) 타인을 통해 책 이야기를 간추려 듣는 것은 너무 쉽고 편한 일이기에 우리는 점점 그것에 익숙해지면서 누군가의 해석을 무비판적으로 취하는 버릇을 들인다. 그리고 거기에 만족해버린다. 그렇게 우리 주변은 '읽지 않은 책에 대해 말하는 법'을 터득한 요령꾼들로 가득 찬다. 심지어 읽지도 않고 얘기하는 사람이 바로 그러한 세태를 비판하는 진풍경까지 봤다. 책을 제대로 읽는 사람이라면 먼저 자기부터 점검할 줄 안다고 나는 믿는다.

그런 면에서 나는 이미 잘 알려진 페소아에 관한 고정된 이미지들을 지워내고, 페소아가 만들어낸 시인 알베르투 카에이루의 표현처럼 '안 배워'내면서 페소아와 가능한 한 직접 대면할 필요가 있었다. 좀 더 핵심에 다가가기 위해. 그렇게 나는 페소아의 주변을 가득 둘러싼 사람들의 벽을 **뚫고 헤쳐나가며** 페소아를 만나려고 했다. 때로는 자꾸만 다른 가면을 쓰고 등장해 혼란을 일으키는 페소아 본인에게조차 "잠깐 비켜봐"라고 말해야 했다.

결국은 이 책 또한 페소아에 '관해서' 이야기하고 있는 게 사실이다. 사실 페소아에 관해 얘기하는 것은, 그 작품 세계의 풍부함 덕분에 그리 어려운 일도 아니다. 할 이야기가 하도 많아 고르고 편집하는 데 품이 들 뿐. 이 책은 페소아를 찾아 떠난 기행문이라기보다 '체류문'에 가깝다. 나 스스로 여행이 아닌 체류를 하면서 페소아를 번역하고 연구하며 이곳 포르투갈에 살고 있기 때문이다. 또한 페소아 본인이 여행 및 여행기의 의미에 대해 잦은 회의감을 표한 점도 어느 정도 의식하지 않을 수 없었다. 내가 좋아하고 공감하는 작가에 관한 책을 쓰면서 그의 여행에 대한 비판들을 못 들은 척하고 일반적인 기행문을 쓸 수는 없었다. '3장 여행 없이 여행하는 자'를 보면 이 말을 좀 더 이해할 수 있을 것이다. 이런 이유들로 이 책이 반쯤은 페소아에 관한 에세이 혹은 연구서처럼 느껴질 수도 있으리라 예상하지만, 그 역시 의미가 있다고 생각한다. 이는 페소아에 관한 전문성 있는 책이 국내에 전무한 실정에서 그에 관한 지식을 접하기 힘든 한국 독자들을 위해 가능한 한 많은 정보를 담으려는 의지가 반영된 결과이기 때문이다.

내게 바람이 있다면, 이 이야기들이 누군가의 움직임을 촉발하는 것이다. 그래서 처음에는 이 책이 다음과 같은 책이 되었으면 했다. 이 책 한 권을 들고 포르투갈로 떠날 수 있는, 그래서 여행이 좀 더 풍부해지고, 페소아가 좀 더 잘 이해되는. 지금 다시 생각해보니, 이 책을 읽고 페소아가 읽고 싶어져서 페소아의 책을 들고 여행을 떠나게 되면 더 좋을 것 같다. 그게 몸으로 하는 여행이든 머리로 하는 여행이든 말이다. 그렇게만 된다면 더 바랄 게 없겠다. 리스본의 어느 골목에서 페소아를 읽고 있는 여행객을 마주치는 것은 언제나 반가운 일이다.

01

FERNANDO PESSOA

다시
리스본으로

페소아의 처음,

그리고 마지막 도시

내 영혼은 덜 보이는 것과 함께한다

가까운 사람들이 어쩌다 리스본을 방문할 때면, 나는 이 도시에서 내가 가장 아끼는 풍경을 보여주곤 했다. 여행 일정의 중반이 넘어가면서 화제가 줄어들고 침묵의 시간이 길어질 때쯤, 아무런 사전 예고 없이 또 하나의 평범한 산책길인 것처럼 완만한 오르막길로, 오르는 줄도 모르고 어느새 올라 있는 언덕으로 동행을 인도한다. 그리고 갑자기 걸음을 멈추고 앞을 가리키며 말한다. 자, 여기가 어디냐면 내가 이 도시에서 가장 좋아하는 곳이야. 그리고 아무 설명 없이 입을 다물어본다. 10초의 침묵은 생각보다 길다. 갸우뚱거리는 고개 혹은 심드렁한 반응 앞에 거창한 소개는 마치 실패한 깜짝 선물처럼 초라하게 사그라든다. 어쩌면 당연한 일이다. 내가 이 풍경을 알아본 것도 포르투갈에 온 지 1년이 넘는 시점이었으니 상당한 시간이 걸린 셈이다. 그보다 일찍 발견하지 못한 것을 나는 다행으로 여긴다. 봤다 해도 알아보지 못했을 테니.

이 언덕, 아니 이 풍경에 유독 애착을 느끼는 이유는, 내가 이 먼 땅까지 와서 페소아를 좀 더 이해하게 되었다고 느끼게 해준 얼마 안 되는 장소 중 하나이기 때문이다. 뒤에서 더 자세히 얘기하겠지만, 페소아는 어떤 장소를 물리적으로 경험하는 것 또는 여행의 가치에 대해 상당히 삐딱한 태도를 취했던 작가라, 공간 답사를 통해 그를 더 이해하게 되는 일은 그리 흔하지 않다. 이 언덕에 서면 알칸타라 항구Doca de Alcântara가 내려다보인다. 지금은 한산하지만, 약 반세기 전만 해도 리스본에서 가장 번잡한 교통의 중심지 중 하나였다. 파두Fado의 여왕이 되기 전의 아말리아 로드리게스, 그녀도 열다섯 살쯤에는 저곳에서 노래를 부르며 사과를 팔곤 했다. 독일제 정기선 헤르조그호를 타고 페소아가 리스본과 남아공을 오간 곳도, 그의 이명 알바루 드 캄푸스가 아침 부두를 서성이며 「해상 송시Ode Marítima」를 읊은 장소도 이 항구였다, 아니 이 항구였을 것이다. 아쉽게도 확실한 기록은 끝내 발견되지 않았다. 그러나 20세기 초 해외에서 리스본으로 들어오는 큰 선박들은 대부분 이곳을 통과했기에 다른 항구일 가능성은 적다고 많은 이들이 추측하고 있다.

어느덧 배를 타고 리스본에 입성하던 시대는 훌쩍 지나가버리고, 이제는 유람선 관광객을 제외하면 대부분의 외국인들은 알칸타라 항의 존재도 모른 채 비행기나 기차 또는 자동차를 타고 입출국한다. 시내 로시우 광장Praça do Rossio에서 15번 전차를 타고 벨렘Belém 지구까지 찾아가는 관광객들도, 제로니무스 수도원Mosteiro dos Jerónimos과 대항해 시대 기념탑을 방문하는 일, 또는 파스텔 드 나타(에그 타르트)를 맛보는 일은 놓치지 않아도 이 항구는 하나같이

알칸타라 항의 약 100년 전 모습
페소아가 살던 당시 알칸타라 항은 큰 선박들이 드나드는 리스본 교통의 중심지였다. 페소아도 어린 시절 남아공 더반으로 떠날 때 알칸타라 항에서 헤르조그호를 탔으며, 1905년 리스본으로 돌아올 때도 이곳을 통해 들어왔다.

스쳐 지나가기만 한다. 그도 그럴 것이 관광객에게는 이렇다 할 볼거리가 없어 보이기 때문이다. 지난여름 아침, 저 아래 부둣가를 서성이던 나를 회고한다. 페소아의 시와 씨름하면서, 도저히 풀리지 않는 번역 때문에 답답한 마음을 안고 이곳까지 찾아왔었다. 그래, 바로 저기 부두 사이를 오가며 페소아, 아니 캄푸스 흉내를 내며, 산책을 하며, 그의 시와 나의 번역을 번갈아 읽으며, 한숨을 쉬며.

이 여름 아침,
나 홀로 텅 빈 부두에서 항구 입구를 바라보고,
무한을 본다, 작고 검고 선명한,
배가 들어오는 걸 바라보며 기뻐한다,
저 멀리 온다, 뚜렷이, 자기 식대로 고전적으로.
하늘에 연기를 남기면서 들어온다,
아침과 강과 함께,
여기저기서, 바다의 삶이 깨어난다,
돛이 오르고, 예인선이 앞서가고,
작은 배들이 정박한 배들 뒤로 나타난다.
은은한 미풍이 분다. 하지만
내 영혼은 덜 보이는 것과 함께한다.

— 알바루 드 캄푸스, 「해상 송시」 중에서, 1915년 4월

아무래도 '배'를 '증기선'으로 바꿔야 할 것 같다. 작은 통통배로 읽히면 곤란하니까. 그런데 그렇게 고치면 시 후반부에 나오는 다

른 증기선은 그대로 놔두나, '정기선'이라고 고치나? 단어 차이를 둔 의도를 살리자니 시어 느낌이 살지 않고……. 파도가 철썩인다. 근본적인 의문이 밀려든다. 내가 이 시를 처음 읽었을 때의 감흥이 나의 번역 속에 살아 있을까? 단어 몇 개를 세세하게 고쳐본다고 전체 느낌이 변할 것 같지도 않다. 혼란스럽다. 나는 이미 주관성에 갇혀버렸다. 페소아처럼 주관과 객관을 뻔뻔스럽게 넘나들 수 있다면 좋으련만! 영원히 두드려도 열릴 것 같지 않은 문 앞에서 한숨이 새어 나온다. 〈바다의 시가〉 한국 초연*이 곧 다가오고, 내일이면 번역 대본을 넘겨야 한다. 페소아였다면 이렇게 끙끙거리고 있지는 않겠지. 그는 뛰어난 번역가였으니까. 에드거 앨런 포의 시 「레이븐」의 번역을 보면 그의 자질을 알 수 있다. 직업 번역가가 가져야 할 끈기랄까, 끝까지 만지고 또 매만져서 완성도를 한 치라도 높이려는 집요함은 부족했지만……. 그보다는 직관적인 감각과 순발력에 의존했다. 당연한 일이다. 그에게 번역은 어디까지나 생계 수단이었을 뿐, 항상 그보다 더 중요한 게 있었으니까.

1905년 8월 20일, 리스본 알칸타라 항. 더반을 출발해 남아공의 남부 항구들, 즉 이스트런던, 포트엘리자베스, 케이프타운, 그리고 스페인령 카나리아 제도를 거쳐 입항하는 헤르조그 호의 모습이 보인다. 하늘에 날리는 두꺼운 증기 구름. 갑판에 선 열일곱 살, 포르투갈 국적의, 중간 키보다 조금 큰 마른 체형의, 얼굴이 창백하고 무

* 서울 유시어터에서 「해상 송시」를 원작으로 한 낭송극 〈바다의 시가〉가 상연되었다. 포르투갈을 대표하는 연극배우 중 한 명인 디에구 인판테는 알바루 드 캄푸스 역을 충실하게 해석함으로써 포르투갈 현지에서도 호평을 받았다.

표정한 청년. 복잡한 더반 항에 비해서는 다소 차분한 알칸타라 항의 오전 시간. 잔잔한 테주 강. 8월이니 비가 왔을 리는 없고 따가울 정도로 화창했으리라. 태양 아래 반짝이는 하얀 석회석 건물들과 주황색 지붕들, 강 건너편의 나지막한 언덕들. 지루하도록 긴 항해와 그 소금기 가득한 항해의 기억들. 그것들이 나중에 어떤 모습으로 변모할지, 3년 후 스코틀랜드에서 유학을 마치고 돌아온 해양 엔지니어 겸 시인 알바루 드 캄푸스로 탄생할지, 그 시인의 이름 아래 「아편쟁이」라는 데카당한 시로, 또 903행짜리 「해상 송시」로 폭발하게 될지 상상도 못했을, 단지 억제하기 힘든 어떤 강렬한 인상을 심장에 적어놓았을 어린 시인. 확실한 것은, 돌아가자마자 리스본 대학에 입학할 예정이라는 사실이었다.

그림자들 사이를 지나는 그림자

그는 전혀 다른 배를 타고 전혀 다른 항구로 향했을 수도 있다. 도버나 사우샘프턴을 거쳐 영국에 가는 것, 거기서 영어로 시를 쓰는 시인으로 등단하는 것. 이것은 아주 일찍, 문학에 빠진 이래 지속되어온 그의 꿈이기도 했다. 지난 6년간 영국식(식민지 국가들이 예의 그렇듯, 본국보다 더 엄격한 영국식!) 교육을 최우수 성적으로 마친 그에게는, 장학금을 받아 곧바로 영국으로 떠날 일만 남아 있었다. 그러나 뒤늦게 결격 사항이 있음을 발견했다. 장학금 수혜 대상자는 최근 4년간 남아공에 연속해서 거주한 사람이어야 한다는 규정이

페소아의 가족

페소아의 어머니 마리아 마달레나 피녜이루 노게이라는 페소아의 아버지 조아킹 드 시아브라 페소아가 사망한 후, 주앙 미겔 로사와 결혼하여 남아프리카공화국 더반으로 이주한다. 그곳에서 페소아의 이부異父 여동생 엔리케타 마달레나가 태어나고, 2년 뒤 둘째 여동생 마달레나 엔리케타가, 다시 2년 뒤 이부 남동생 루이스 미겔이 태어난다. 그 이듬해 마달레나 엔리케타가 사망하고, 2년 뒤 세 번째 이부 여동생 주앙 마리아가 태어났다.

있었던 것이다. 1901~1902년 사이에 가족들과 1년간 리스본에 머무른 것이 문제가 되었다. 결국 장학금 혜택은 그와 학교에서 늘 1, 2등을 다투던 같은 반 라이벌 클리포드 기어츠에게 돌아갔다. 그렇게 기어츠는 영국으로, 페소아는 포르투갈로 각기 인생 항로가 갈렸다.

어린 페소아는 분한, 아니 최소한 아쉬운 마음이었을까? 당시 일기를 뒤져도 그런 기록은 없다. 1년 만에 다시 돌아오는 귀향길이 설레었을까? 그것도 모른다. 그러나 한 가지는 기록이 없어도 알 수 있다. 그의 관심사는 자신의 인생보다 '다른 인생들'에 더 쏠려 있었다. 정확히 말하자면, 그의 여행 가방 속 공책들을 한가득 채운 가공의 인물들이 살아갈 문학 인생들, 그것들을 앞으로 어떻게 전개시킬지가 그에게는 초미의 관심사였다. 찰스 로버트 아넌, 장 쉴, 슈발리에 드 파 등, 그가 나중에 이명이라는 개념으로 발전시키는 데 바탕이 되는 캐릭터들이 그 모습을 갖추어가고 있었다. 아직도 시를 쓸 때만큼은 모국어인 포르투갈어보다도, 또 학교에서 그리고 틈틈이 어머니에게서 배운 프랑스어보다도 영어가 편했다. 아마도 귀국하는 이 순간을 상기하며 썼을 시 「리스본 재방문Lisbon Revisited」의 제목도 그래서 굳이 영어로 붙였는지 모른다.

> 내 팔을 붙들지 마!
> 난 누가 내 팔을 잡는 거 싫어. 혼자 있고 싶어.
> 난 혼자 있겠다고 이미 말했지!
> 아, 귀찮게 내가 같이 어울리길 바라다니!

아, 파란 하늘—내 어린 시절 그것과 똑같은—
영원하고 완벽한 텅 빈 진리!
태곳적의 고요하고 온화한 테주 강,
하늘이 반사되는 조그마한 진리!
오, 다시 방문한 아픔, 오늘의 옛날 옛적 리스본!
내게 아무것도 주지 않고, 내게서 아무것도 가져가지 않고, 내가 날 느끼기에 너희는 아무것도 아니야.

날 그냥 내버려둬! 난 오래 걸리지 않아, 난 절대 오래 걸리지 않거든…….
심연과 **침묵**이 늦는 동안만큼은 나 혼자 있고 싶어!

— 알바루 드 캄푸스, 「리스본 재방문」 중에서, 1923년

경적이 울렸다. 정박이 임박했음을 암시하는 술렁임. 여행 내내 이런저런 구상에 여념이 없다가 뒤늦게 종이와 수첩을 주머니에 찔러 넣고 서둘러 짐을 챙기는 청년의 동작. 그는 행동이 민첩했을까, 굼떴을까? 학창 시절에 체육 활동에는 거의 참가하지 않았다는데…….

장장 25일간의 항해가 드디어 끝났다. 계선줄이 부두에 묶이고, 건널 판자가 놓인다. 홀가분한 표정의 선원들, 선내에 감도는 안도감, 승객들의 얼굴에 번지는 미소, 왁자지껄한 갑판과 그 소음에도 묻히지 않는 갈매기 울음, 성급하게 앞사람의 등을 떠미는 사람들. 마침내 하선 통로가 열린다. 수많은 가족들이 일찍부터 항구에 나

리스본의 전경
물길로 오는 여행자라면 아주 멀리서도, 햇살에 금빛으로 물드는 푸른 하늘 위로 떠오르는 또렷한 꿈속의 한 장면 같은 이 광경을 볼 수 있을 것이다. 그리고 돔과 기념비와 고성들이 주택들 위로, 이 아름답고 축복받은 도시의 전망처럼 아스라이 늘어서 있다.

— 페르난두 페소아, 『페소아의 리스본』

와 촘촘히 기다리고 서 있다. 그 무리 속에서 마흔 중반의 마리아 마달레나 피녜이루 노게이라 여사의 눈이 군중의 복잡한 움직임을 초조하게 훑는다. 비슷한 또래의 모든 소년과 청년들에게서 '사우다드saudade(그리움)' 어린 한 소년의 윤곽을 찾으면서……. 드디어 어머니는 아들을 찾는다. 저기 있다, 나의 페르난두![*]

1905년 9월 14일, 페르난두 노게이라 페소아는 리스본 땅을 무사히 밟는다. 그리고 거기서 인생의 나머지 30년을 살았고, 숨을 거둘 때까지 다시는 포르투갈을 떠나지 않았다.

30년을 한 도시에 산다는 것은 어떤 기분일까? 나는 리스본에서 겨우 2년을 살고도 못 견디겠다고 이렇게 탈출 아닌 탈출을 했는데. 여름방학을 맞아 그나마 관광객이 몰리지 않으면서도 저가 항공 노선이 있는 폴란드로 도망을 쳤다. '사상 최대 규모의 관광객을 맞이하는 여름 성수기의 리스본을 피해 좀 더 시원하고 한적한 곳으로 도망간다'고 친구들에게 선언했지만, 사실은 잠시라도 페소아에게서 벗어날 필요가 있었다. 아무리 좋은 동시대인도 매일 같이 있으면 어느 순간 숨이 턱 막히곤 한다. 이럴 때는 자기만의 공간이 절실해진다. 마침 바르샤바행 표가 눈에 띄었고 좋은 핑계도 떠올랐다. 폴란드 작가 브루노 슐츠Bruno Schulz와 바람을 피우면서 잠시나마 모든 것을 잊자! 그렇게 열흘의 시간이 거짓말처럼 흘렀고 벌써 돌아갈 시간이 되었다.

* 이 부분은 필자가 상상하여 각색한 것이다. 실제로 페소아의 어머니는 아들이 리스본으로 돌아온 시기에 나머지 가족과 남아공에 머물러 있어야 했고, 리스본 항구에는 페소아의 이모나 다른 친척이 마중 나왔을 것이다.

돌아가는 비행기 안에서부터 또다시 시인의 기운이 엄습한다. 사방에서 포르투갈어가 들리고 알 수 없는 불안감이 덮쳐오면서, 나도 모르게 페소아의 시집을 꺼낸다. 나도 참 못 말리지, 왜 굳이 여기까지 이 책을 들고 왔단 말인가? 리스본 상공에 이르러 저 멀리 테주 강이 보이자, 창가 자리에 앉은 승객들이 일제히 핸드폰을 꺼내 촬영하기 시작한다. 다시 리스본이구나. 나의 손가락이 시집에서 가장 닳은 페이지를 찾아 펼친다.

다시 한 번 널 돌아본다—리스본 그리고 테주 그리고 모두—,
너와 나에게 무가치한 행인,
다른 모든 곳처럼 여기서도 이방인,
영혼에서처럼 삶에서도 우연적인,
회고의 방들을 방랑하는 유령,
삐걱거리는 마룻바닥들과 쥐 소리
그 안에 살도록 저주가 내려진 성안…….
다시 한 번 너를 돌아본다,
그림자들 사이를 지나는 그림자, 그리고 한순간 빛난다
알 수 없는 애처로운 불빛에,
그렇게 밤으로 접어든다, 잦아드는 물결 속으로
사라지는 배의 자취처럼…….

다시 한 번 너를 돌아본다,
그렇지만, 아, 나는 돌아볼 수 없구나!

20세의 페소아

1908년, 스무 살 청년 페소아는 1907년 리스본 대학을 중퇴한 뒤 여러 가명들을 등장시키며 글쓰기를 이어간다. 『포르투갈어권—브라질 기념 신연감*Novo Almanaque de Lembranças Luso-Brasileiro*』에 해학 작가 가우덴시우 나부스Gaudêncio Nabos의 이름으로 시 형식을 취한 글자 수수께끼를 기고했으며, 12월 14일 괴테의 동명 소설에서 영감을 받은 극작품 「파우스투Fausto」를 처음으로 쓴 기록이 남아 있다. 이듬해에 출판사 '이비스Íbis'를 개업한다.

나를 한결같이 보던 그 마법의 거울은 부서지고,
모든 운명의 불길한 파편들 속에 오로지 내 조각들만 본다—
너 조금 그리고 나 조금……!

— 알바루 드 캄푸스, 「리스본 재방문」 중에서, 1926년 6월

페소아의 실제 리스본 재방문은 1901년과 1905년에 이뤄졌으나, 시 「리스본 재방문」은 알바루 드 캄푸스의 이름으로 두 번, 각각 1923년과 1926년에 쓰였다. 전자는 짧고, 후자는 두세 배 정도 더 길다. 딴사람의 이름으로 쓰기, 아니 아예 딴사람이 되어 쓰기—이것은 페소아가 거의 평생에 걸쳐 습관적으로 혹은 강박적으로 지속한 일이다. 현재 자신이 속해 있는 시공간으로부터 벗어나, 또 자아로부터도 '유체 이탈'하여, 과거 이력까지 정교하게 만들어낸 어느 타인의 관점을 취한 상태에서 시심을 발휘하는 행동. 그렇게 지어진 시의 시간은 과거와 현재와 미래, 그 어디도 아닌 곳에 위치할 수밖에 없고, 그 시의 시선은 온전히 캄푸스의 것도, 페소아의 것도, 시인이 아닌 실존 인물 시민 페소아의 것도 아니게 된다. 그렇게 복수의 시선들이 탄생하고, 그 시선들이 서로 어지러이 교차한다.

곧 착륙한다는 기내 방송이 나오면서 기체는 시내 중심부를 향해 진입한다. 사람들은 여전히 촬영에 여념이 없다. 저 아래 '4월 25일 다리'가 보이고 그 옆에 펼쳐진 알칸타라 항의 기중기들과 컨테이너들이 보인다. 그리고 조그맣게, 항구에 서 있는 여러 명의 페소아들, 즉 사람들이 그려진다.

1896년, 이곳을 떠났을 어린 페소아,

1901년, 방학을 맞아 가족과 함께 돌아온 그,

1902년, 다시 더반으로 떠난 그,

1905년, 더반 고등학교를 졸업하고 혼자 귀국한 그,

1923년과 1926년, 캄푸스라는 '시-몸'을 빌려 두 번 재방문한 그,

그리고 그 풍경 위에 나 또한 겹쳐 보인다.

2015년, 그러니까 1년 전에 약 100년의 간극을 두고, 같은 공간에서 페소아와 캄푸스의 시 속으로 들어가보려고 애쓰던, 이미 과거가 된 나. 또 언덕에 서서 그것을 회상하던 나. 2016년 현재 2,000피트 상공에서 이 모든 시선과 동선을 상상하는 나.

지리적으로는 같은 공간에 존재하지만, 다른 시간에 속하기에 절대 만날 수 없는 점들, 사람들, 상념들, 상상들이 각각의 차원에 투명한 궤적을 그리며 교차한다. 이것이 페소아가 '교차주의'라는 그만의 문학사조를 구상할 때 느꼈던 감각이었을까?

일곱 개 혹은 더 많은 언덕으로 이루어진 리스본은 그 자체로도 높낮이가 고르지 않고 울퉁불퉁한 지형이지만, 시인 페소아가 만들어낸 그만의 리스본은, 그보다 더 다양한 차원들이 복잡하게 가로지르며 구축된 또 다른 도시였을 것이다. 그러니 저 공간 속에서 페소아를 뒤쫓으려면, 관광 안내소에서 나눠주는 지도만으로는 부족하리라. 그 지도의 평면과 긴밀히 연관되면서도 때로는 무관한, 또 하나의 문학적 지도를 찾아내야, 아니 손수 그려내야 한다. 2년이 지나고서야 겨우, 그 지도의 퍼즐 조각 한두 개를 손에 쥐었다고 느

꼈지만, 그마저 확신할 수 없다. 마치 허공에 손을 휘둘러 잡은 모기처럼, 확인하는 순간 달아날까 봐 차마 손을 펼쳐보지도 못하겠다.

페소아의 도시는 이론적으로는 간단하다. 운문이라는 씨줄과 산문이라는 날줄로 짜인 문학의 매트릭스 위에 세워져 있다. 그러나 안내판들이 '거짓말'들로 점철되어 있고, 통로들이 끝이 없거나 막다른 골목이며, 길을 물어볼 행인들이 모두 가면을 쓰고 있는 게 문제다. 그의 리스본, 그리고 비행기에서 내려 내가 발을 디딜, 재방문하는 리스본. 이 두 도시 사이에서 나는 어떻게 길을 찾고, 어떻게 길을 잃을 것인가? 『불안의 책』의 한 문장이 불길하게 머리를 스친다.

> 기차는 점차 속력을 늦추고 카이스 두 소드레 역에 진입한다. 리스본에 도착했지만 결론은 얻지 못했다.
>
> —『불안의 책』, 텍스트 16

페소아의 어린 시절

페소아는 1888년 6월 13일에 포르투갈 리스본에서 태어났다. 페소아의 아버지 조아킹 드 시아브라 페소아는 법무부 공무원이었으나 그의 진짜 열정은 음악에 있어서, 리스본 일간지 『디아리우 드 노티시아스』에 정기적으로 음악 칼럼을 기고했다. 어머니 마리아 마달레나 피녜이루 노게이라는 교양이 풍부하고 박식한 여성으로, 시를 썼고 피아노를 연주했으며 프랑스어도 유창했다. 페소아가 다섯 살이던 1893년, 페소아의 아버지가 결핵으로 세상을 떠나고, 두 해 뒤인 1895년에 페소아의 어머니는 남아프리카공화국 더반에서 근무하는 포르투갈 영사 주앙 미겔 로사와 재혼한다.

페소아가 여섯 살 때 그의 첫 번째 이명이 등장한다. 페소아는 이를 훗날 아돌푸 카사이스 몬테이루에게 보낸 편지에서 밝힌 바 있다. 1895년 7월 26일, 페소아는 그의 첫 번째 시 「사랑하는 나의 어머니께」를 썼고, 이 시를 어머니가 받아 적었다.

1896년 페소아는 의붓아버지를 따라 더반으로 이주해 1905년 가족을 떠나 리스본으로 다시 돌아오기 전까지, 그곳에서 청소년기를 보내며 성장했다. 남아프리카공화국 동부 콰줄루나탈 주에 있는 항구도시 더반은 1824년 케이프타운에서 이주해 온 영국인이 건설한 도시로, 1835년 당시 케이프타운 총독이었던 더반 경의 이름을 따 '더반'이라 불렸다. 1896년 페소아는 수녀원에서 운영하는 성 요셉 학교에 들어가 5년 과정을 3년 만에 마쳤으며, 1899년 4월 7일 더반 고등학교에 입학하여 고전과 인문학적 조예가 깊은 니콜스 교장 선생을 만나 큰 영향을 받게 된다. 고등학교 시절 페소아는 셰익스피어, 디킨스 등 영국 고전문학을 탐독했으며, 이때부터 이미 이명의 이름으로 글을 쓰고 시를 발표했다. 1905년, 리스본에서 대학을 다니기로 결심하고 더반을 떠났다.

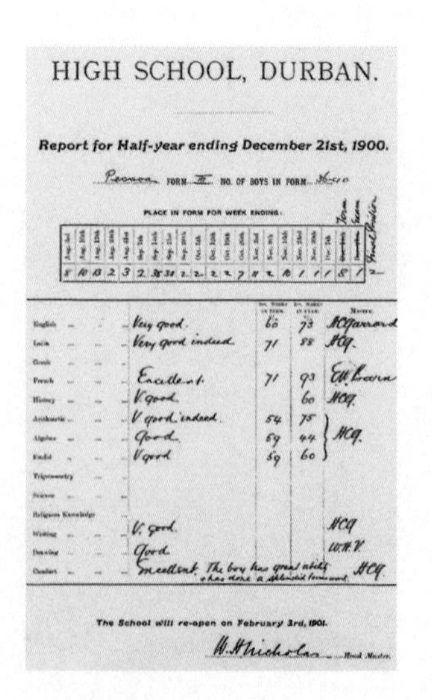

HIGH SCHOOL, DURBAN.

Report for Half-year ending December 21st, 1900.

Pessoa FORM III NO. OF BOYS IN FORM 36-40

PLACE IN FORM FOR WEEK ENDING:

8 10 13 2 3 2 3? 3? 2 2 2 2 7 11 2 10 1 1 1 8 1 — Final Position 2

Subject	Remarks	Marks in Term	Marks in Exam.	Master
English	Very good.	60	73	H.C. Gerrard
Latin	Very good indeed.	71	88	H.C.G.
Greek				
French	Excellent.	71	93	E.W. Brown
History	V. good.		60	H.C.G.
Arithmetic	V. good indeed.	54	75	H.C.G.
Algebra	Good.	59	44	H.C.G.
Euclid	V. good	59	60	H.C.G.
Trigonometry				
Science				
Religious Knowledge				
Writing	V. good.			H.C.G.
Drawing	Good.			W.H.V.
Conduct	Excellent. The boy has great ability & has done a splendid term's work.			H.C.G.

The School will re-open on February 3rd, 1901.

W. H. Nicholas Head Master.

페소아의 우수한 학업 성취도를 보여주는
더반 고등학교 성적표

더반 시절, 10세 때 페소아의 모습

02

FERNANDO PESSOA

하나이자 여럿인 사람

페소아의 이명 놀이

이탈리아와 짐바브웨에서 일어난 작은 에피소드

1987년, 이탈리아의 시칠리아 섬.

페소아 연구자 겸 작가 아멜리아 핀투 파이스가 어느 작은 서점에 들어선다. 쇼윈도에 베스트셀러라는 표시와 함께 진열된 페소아의 『불안의 책』을 발견한 그녀는 반가운 마음에 책을 집어 든다. 이탈리아어 번역으로는 어떤 느낌일지 궁금해하며 책을 훑어보고 있으려니, 30대로 보이는 서점 주인이 다가와 말을 걸었다. "실례지만, 만약 이 작가를 알고 싶다면 이 책으로 시작하는 게 더 좋을 겁니다"라며, 『하나이자 여럿』이라는 페소아의 시집을 보여주었다. "이 시인은 포르투갈 사람인데요, 실은 한 명이 아니라 여러 명이었죠. 그래서 제목을 이렇게 지었답니다. 알베르투 카에이루, 알바루 드 캄푸스, 리카르두 레이스, 그리고 본인 페르난두 페소아, 이렇게 여러 사람의 이름으로 썼어요. 만약 처음 읽는 거라면 이 책을 먼저 보라고 추천해드리고 싶네요." 그녀는 서툰 이탈리아어로 답했다. "고마워요, 하지만 전 페소아를 포르투갈어로 읽는답니다. 제가 실은 포르투갈에서 왔거든요." 조금은 민망해하는 듯한 서점 주인에게 그녀는 서둘러 덧붙였다. "하지만 정말 고마워요, 좋은 조언 잘 들었고요. 게다가 페소아를 참 잘 알고 계시네요!" 그제야 그는 만족스러운 듯 대답했다. "그런데 페소아는, 당신들에게는 단테 같은 존재죠?" 그녀는 살짝 멈칫하며 대답했다. "음, 무슨 말씀이신지는 알겠지만, '우리의 단테'라고 할 만한 작가가 있다면 아마도 『루지아다스』를 쓴 루이스 드 카몽이스일 거예요, 고전적인 의미에서 말이에요." 그러자 그가 말했다. "아, 이름은 들어봤는데 읽어보진 못했네요……. 하지만 페소아는 포르투갈에서뿐만 아니라, **이 세기에** 가장 위대한 시인이죠." 서점 주인의 생각에 완전히 동의하진 않았지만, 그녀는 고맙고 흡족한 마음을 안고 돌아섰다. 그러면서 한편으로, 과연 포르투갈 서점상들 중 몇 명이나 이 이탈리아인처럼 페소아의 가치에 대해 확신하고 있을지 자문해봤다.

2010년, 짐바브웨의 수도 하라레.

한 대중 강연에 초청된 리처드 제니스는 여느 때처럼 페소아에 대한 간략한 소개로 시작을 했다. 리스본에서 태어나 다섯 살에 아버지를 여의고, 2년 후 외교관과 재혼한 어머니를 따라 남아공에서 성장. 열일곱에 리스본에 돌아온 후 한 번도 나라 밖을 떠나지 않았음. 20대에 동료들과 잡지 『오르페우』를 창간, 침체되어 있던 포르투갈 문학에 새로운 전기를 마련. 정작 본인은 생전에 모국어로 단 한 권의 책밖에 내지 못하고, 47세 나이에 죽음. 사후에 많은 양의 유고들이 출간되면서 뒤늦게 칭송받음. 특히 이명이라고 부르는, 문체와 정체성이 서로 다른 문학적 캐릭터들을 수십 명이나 창조해 그들의 이름으로 왕성한 창작 활동을 펼친 기인…….

소개를 마치고 리처드 제니스는 이명 중 한 명인 알바루 드 캄푸스의 시를 한 수 낭독했다. 낭독이 끝나기가 무섭게 청중석에서 한 짐바브웨인 여성 작가가 벌떡 일어나더니, 마치 선언이라도 하듯 힘주어 말했다. "페소아라는 그 시인은…… 정말 완벽하게 자유로운 인간이었음이 틀림없군요!" 청중은 우레와 같은 박수를 터뜨리며 공감을 표현했다. 한때 무명에 가까웠던 유럽 변방의 시인이 어느 순간 짐바브웨에서 절대적 자유를 실현한 혁명적 예술가로 변해 있었다.

사람들이 페소아에게 매료되는 요소를 하나만 꼽으라면 뭐니 뭐니 해도 이명이다. 페소아와 관련된 대중 행사의 질의응답 시간에는 늘 이명에 관한 질문이 주를 이룬다. 여기에 '페소아'라는 말이 포르투갈어로 사람을 뜻한다는 점, 그 어원인 페르소나가 가면을 의미한다는 점, 문학적 정체성이 여럿인 사람이 하필이면 그리 흔하지도 않은 이 성을 타고났다는 기막힌 우연, 또한 페소아를 프랑스어로 번역하면 '페르손느personne'가 되고 이는 '아무도 없음nobody'을 뜻하기도 한다는 점 등이 더해지면, 이 이야기만으로도 문학 애호가들을 사로잡기에 충분하다. 심지어 페소아를 제대로 읽어보지도 않은 채 이명이라는 아이디어만 듣고 그에게 빠져버리는 사람도 있을 정도이니 그 매력은 부정할 수가 없다.

연구 논문들도 이명과 관련된 분석들이 단연 눈에 많이 띈다. 페소아의 경우처럼 이명이라고 드러내놓고 칭하진 않았지만 상당히 유사한 방식으로 창작을 했던 다른 작가들의 사례와 비교하는 연구도 많다. 그 비교 대상은 윌리엄 버틀러 예이츠, 안토니오 마차도, T. S. 엘리엇, 쇠렌 키르케고르, 로맹 가리까지 다양하다. 또 그가 어떻게, 왜, 혹은 무슨 필요에 의해 이명이라는 것을 만들고 쓰게 되었는지, 그것이 시인의 문학과 삶에 어떤 의미를 지녔는지에 대해 알아내려고 많은 연구자들이 머리를 싸맸다. 온갖 해석이 난무하지만, 본인의 말부터 들어보자.

> 나의 첫 이명 아니 차라리 나의 첫 번째 존재하지 않는 지인이라 할 법한 이름이 기억나는군. 여섯 살 때, 슈발리에 드 파 아무개라고 하는 이름으로 편지를 써서 나 자신에게 보내던 존재인데, 전적으로 모호하지는 않은 형체로, 지금도 나의 애정이 향수와 경계를 이루는 그 부분을 차지하고 있어. 그보다는 덜 또렷하게 기억나는 인물이 한 명 더 있었는데, 마찬가지로 외국 이름을 가졌다는 것 말고는 다 잊어버렸군, 아마도 슈발리에 드 파의 라이벌 정도 됐던 것 같네만……. 아이들에게는 누구나 일어나는 일이라고? 물론—아니 어쩌면 그렇겠지. 하지만 나의 경우는 그들을 어찌나 강렬하게 살았던지 아직까지도 그들을 살고 있어. 그들이 진짜가 아니었다고 깨달으려면 별도의 노력이 필요할 정도로 기억한다네.
>
> —『페소아와 페소아들』

'이명의 기원'이라고도 불리는 이 유명한 편지는 거의 모든 페소아 관련 책이나 연구서에 빠짐없이 인용된다고 할 수 있을 만큼 핵심적인 참고 자료이다. 페소아가 죽은 해인 1935년에 쓰여서 친구 아돌푸 카사이스 몬테이루에게 보내졌는데, 이 편지를 쓰지 않고 죽었으면 큰일 날 뻔했다는 생각이 들 정도로 이명을 이해하는 데 결정적인 단서를 제공한다. 위에서 인용한 대목에서 우리는 최소한 두 가지 중요한 점을 발견할 수 있다. 첫째는, 이명의 시초가 아주 어린 시절부터 시작되었다고 페소아가 보고 있다는 점. 둘째는, 이명이 페소아에게 얼마나 생생하고 강렬한 존재인가 하는 점이다. 이는 다른 구절에서도 잘 드러난다.

> 정말로 솔직하고도 히스테릭한, 보충 사항이 하나 있네: 알바루 드 캄푸스의 「내 스승 카에이루를 기억하는 노트들」의 어떤 문장을 쓸 때는, 내가 진짜 눈물을 흘렸다는 거야. 자네가 어떤 사람을 상대하는 건지 알라고 하는 말이라네, 나의 친애하는 카사이스 몬테이루!
>
> —『페소아와 페소아들』

그렇다. 우리가 범상한 사람을 상대하고 있지 않음은 분명하다! 페소아의 이 고백하는 말투는, 이 말이 누군가에게는 이상하게(어른스럽지 않게?) 들릴 수 있음을 의식하고 있다. 그러면서도 말해두지 않고는 배길 수 없을 만큼 중요하다는 점 또한 강조하고 있다. 그는 다음과 같이 부연한다.

> 나는 내 눈앞에 보여, 색깔은 없지만 꿈보다 현실적인 공간에서, 카에이루, 리카르두 레이스 그리고 알바루 드 캄푸스의 얼굴들과 동작들이 말이네. 난 그들에게 각각 나이와 인생사를 부여했어.
>
> —『페소아와 페소아들』

이어서 그는 각 이명들의 생년월일, 출신, 외모, 별자리를 기술하고, 구체적으로 어떤 심리적 상황이나 분위기에서 각각의 이명이 되어, 즉 '타자 되기'를 해서 쓰는지도 설명한다. '어린아이의 상상력 같은' 이명의 성격과 그 존재의 구체성, 강렬함, 생생함은 서로 통하는 면들이다. 아이들은 상상 속의 대상도 진지하게 대하고, 그것이 실제로 존재한다고 굳게 믿는다. 그들에게는 상상계와 현실계의 경계가 애매하다. 산타클로스처럼, 어떤 시점에서 그 존재가 없다는 것을 깨달은 후에도 그 존재에 부여하던 중요성을 완전히 폐기하지 않고 유예시킴으로써 그 효과를 지속시키려 하는 게 아이들의 심리다. 과연 페소아에게 이명의 존재란, 어린아이에게 있어(환상이 깨진 후에도 상당 기간 여전히 유효한) 산타클로스 같은 존재일까? 만약 이명이 성인이 되어서 기획되고 발명된 것이 아니라, 어린 감수성의 특징적인 발현이자 그것이 유지, 발전된 형태라면 그 과정을 좀 더 살펴볼 필요가 있겠다. 우리에게 남겨진 정보가 많지는 않지만, 실마리가 아예 없지는 않다.

앞서 언급한 슈발리에 드 파처럼 이명이라는 개념이 잡히기 전의 문학적 캐릭터들을 '전前 이명'이라고 부른다. 슈발리에는 프랑스어로 된 글들을 남겼다. 집에서 어머니와 함께 배워 터득한 외국어로

이명, 그리고 페소아들

페소아는 여러 개의 가명 또는 필명을 사용한 것으로 유명하다. 그는 단순히 다른 이름을 쓰는 데 그친 게 아니라 각 가명마다 확연히 구별되는 문체, 개성, 철학, 전기傳記, 심지어는 별자리 운세까지 부여했기에 가명이 아니라 '이명(異名, Heterónimo)'이라고 구별해 불렀다. 어떤 기준을 세우느냐에 따라 그러한 이명들이 적게는 서너 개에서 많게는 수십 개에 달할 정도였으니, 포르투갈어로 '사람'을 뜻하는 자신의 성(Pessoa)처럼 그는 실로 수많은 사람들(페소아들, Pessoas)로 살았던 것이다.

가명이나 필명 등 문학적 페르소나를 이용해 창작을 한 사례는 문학사에서 흔히 발견할 수 있지만, 대부분 이름만 달라지고 저자의 정체성은 유지된다. 반면 페소아의 이명은 그만의 고유한 문체, 인격, 목소리가 원저자와 별도로 변화·발전해나간다는 특징이 있다. 이 점에 페소아의 독창성이 있다고 할 수 있는데, 그처럼 각 이명의 문학적 정체성을 다양하고 꾸준하게 전개시키며 서로 다른 이명들 간의 관계까지 구체적이고 완성도 있게 구현해낸 경우는 유례를 찾기가 힘들다.

페소아는 심지어 본명으로 글을 쓸 때조차도 페르난두 페소아를 또 한 명의 이명 작가로 취급하기도 해 독자를 어리둥절하게 만든다. 가장 널리 알려진 이명 시인 삼인방 알베르투 카에이루, 리카르두 레이스, 알바루 드 캄푸스 외에도 알렉산더 서치, 안토니우 모라, 토머스 크로스, 베르나르두 수아르스, 바랑 드 테이브 등 페소아가 창조한 수많은 문학적 인물들은 포르투갈어, 영어, 프랑스어로 각기 다른 문체를 구사해가며 시, 소설, 희곡, 평론, 정치적 논평, 공개편지, 일기 등 다방면으로 왕성한 창작 활동을 펼쳤다.

이명들은 정체성이라는 개념에 끊임없이 저항한다. 정체성이란 일관되고 변치 않는, 말 그대로 '정체된' 어떤 존재를 전제한다. 우리는 살아가면서 자기만의 정체성을 찾아야 한다는 강박을 갖기 쉬운데, 그런 일념으로 정체성을 추구하다 보면 자신을 고정된 틀 속에 가두고 다른 가능성과 욕구들은 부정하는 방향으로 흐르기 쉽다. 한마디로 정체성 추구는 통제와 배제의 과정이라고도 할 수 있다. 서로 모순되고 충돌하는 존재의 잠재태들은 이 과정에서 억압되기 마련이다. 반면 이명의 사용은 우리 안의 무한한 복수성을 적극 긍정하면서 '단 한 명의 나'에 갇힐 뻔한 '다양한 나들'을 해방시킨다.

페소아와 각 이명의 서명

페소아는 학창 시절부터 서명 연습을 꽤 즐겼던 것으로 보인다. 이명 인물들을 고안해내기 시작하면서부터는 자신의 서명뿐만 아니라 그들의 서명도 각각 다르게 만들어낸다. 이명의 이름으로 글을 쓴 뒤에는 각 이명의 서명을 남기기도 했다. 위에서 아래로 'Fernando Pessoa(페르난두 페소아)' 'Alexander Search(알렉산더 서치)' 'Alberto Caeiro(알베르투 카에이루)' 'Ricardo Reis(리카르두 레이스)' 'Álvaro de Campos(알바루 드 캄푸스)'의 서명이다.

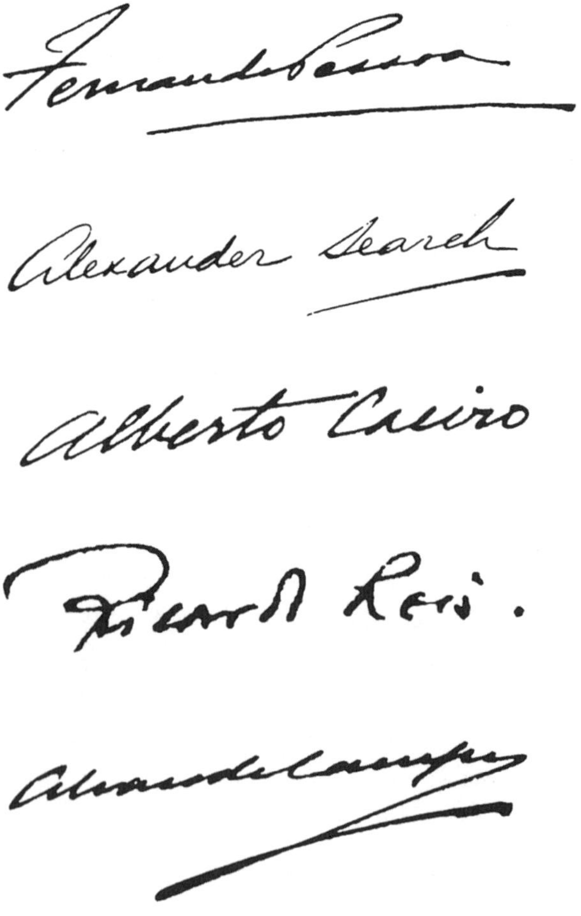

첫 '전 이명'을 탄생시켰다는 점도 흥미롭다. 그의 어머니는 당시에 유행하던 '생일 달력', 즉 챙겨야 할 사람들의 생일을 적어놓고 기억하기 위한 일종의 수첩을 갖고 있었다. 거기에 페소아가 슈발리에 드 파의 생일을 적어놓은 흔적이 있다. 만들어낸 인물들에 조금이라도 더 현실감을 부여하려고 시도한, 작지만 상징적인 행동이다.

페소아와 페소아들

페소아의 종조부이자 페소아의 두 번째 아버지 역할을 한 마누엘 구알디뉴 다 쿠냐 또한 이명이 만들어지는 초기 단계에서 중요한 역할을 한 것으로 보인다. 리스본 시절부터 어린 '조카'와 남다른 정을 쌓은 '쿠냐 삼촌'은 남아공에 처음 갈 때도 동반했고, 돌아와서도 편지를 교환하면서 정을 이어나갔다. 그들은 현실과 상상의 인물들을 함께 창조하며 시간을 보냈는데, 이 중 어떤 인물들은 선거와 정치를 논하는 정당 정치가들이었다. 실제로 『코헤이우 다 노르트*Correio da Norte*』라는 진보 정당 기관지에 기고를 하던 쿠냐 삼촌은 어린 페소아를 신문사에 자주 데려가곤 했는데, 그곳에서 신문 게임란에 재미를 붙이기 시작한 페소아는 자연스럽게 정치와 시사 문제에 관심을 갖게 되었다. 그래서 그런지 페소아에게는 정치도 게임의 연장이었던 듯하다. 한 주제에 관해 찬반 입장을 취하는 인물들을 만들어내고 서로 토론시키는 것을 즐기던 습관은 나이가 들어서 그가 스스럼없이 정치적 입장을 바꾸는 태도로도 나타난다.

이때 싹튼 신문에 대한 관심은 좀 더 나이가 들어서까지 계속된다. 1901년 9월에 가족과 함께 휴가차 리스본에 돌아간 페소아는,* 이듬해 1902년 5월에 다시 리스본에서 배를 타고 친척들이 있는 포르투갈령 아소르스 제도의 앙그라 두 에로이즈무Angra do Heroísmo까지 여행을 간다. 외교관이었던 계부의 부임지 남아공이 본국에서 워낙 먼 곳이었기에 휴가가 길게는 1년씩 나오기도 했으니, 갑자기 길어진 방학은 페소아가 해방감을 느끼며 창조력을 한껏 펼칠 절호의 기회였고, 그 분야는 바로 가짜 신문 만들기였다. 그해 봄에 페소아는 사촌 마리우**와 합작하여 『팔라도르*O Palrador*(지저귐)』를 만든다. 그가 만들어낸 인물 '판크라시우 박사'가 편집장(발행인)을, 마리우가 편집을 맡는다. 신문에는 글자 수수께끼, 뉴스, 페소아가 가명으로 쓴 시 몇 편 등을 실었고, 연재소설도 계획했으며 부록까지 갖추었다. 여기에 마리우와 몇몇 주위 친구들 및 페소아 본인이 존재하지 않는 정당의 정치인들로 등장한다. 『팔라도르』는 이후로도 계속되어서 1903년에는 더반에서, 1905년에는 리스본에서 등장한다. 1909년에는 좀 더 세련된 틀과 내용을 갖춘 정치 신문 『프로그레수*O Progresso*(진보)』와 『시빌리자상*A Civillisação*(문명)』도 만든다.

성인이 다 되어가는 나이에 여전히 가짜 신문에 진지한 열정을 쏟고 있는 것을 '비정상'이라고 말할 수 있을까? 이런 장난이나 놀

* 실은 죽은 둘째 이부 여동생 마달레나 엔리케타를 포르투갈 땅에 묻기 위한 이유도 있었다. 시신과 함께한 여행이었다.

** 마리우가 나중에 페소아를 자신의 회사(펠릭스, 발라다스 이 프레이타스)로 불러 일을 도울 것을 부탁하고, 그곳에서 페소아는 오펠리아를 처음 만나게 된다.

이는, 그 자신이 인정하듯이 누구나 어릴 때 조금씩은 경험한다. 다만 페소아의 경우는 그 시기를 졸업하지 않고 여전히 어린아이 상태로 남은 셈이다. 일종의 피터팬 증후군이랄까.

여담이지만, '어린아이 같은 페소아'라는 생각을 하면 내게는 늘 떠오르는 이미지가 하나 있다. 1909년, 여전히 신문 만들기의 꿈을 간직하고 있던 스물한 살의 페소아는 죽은 종조모로부터 약간의 유산을 물려받자 평소 구상하던 잡지 '포스포루Fósforo (성냥)'와 '이코노클라스타O Iconoclasta (우상파괴자)'를 펴내기로 마음먹는다. 그래서 출판사를 차리고,*** 포르탈레그르 지방으로 잘 가지 않는 여행까지 가서 인쇄 기계도 사들인다. 출판사 이름으로 그가 꼽은 것은 고대 이집트의 신 토트와 연결된 새 이비스였는데, 토트는 다른 신들의 필경사이자 지혜의 신이었다. 특히 오컬트적 지혜를 포함한다는 점에서 페소아가 좋아할 만하다. 이비스라는 새는 여러 나라에 서식하지만, 페소아가 관심 있었던 이비스는 머리는 새 형태를, 몸은 인간 형태를 한 신화 속 반인반조였다. 그는 이비스에 관한 구절로 시작하는 시를 쓸 정도로 이 상징에 꽂혀 있었다. 출판사 설립을 도왔던 이종형제 주앙의 증언에 따르면, 하루는 길거리 한복판에서 페소아가 갑자기 한 발로 선 채 팔을 앞뒤로 쭉 내밀고 이집트 새의 자태를 흉내 내면서 "나는 지금 이비스다"라고 선언했다고 한다. 평소 사진을 통해서 접하는, 항상 말끔하게 차려입고 옷매무새를 흐트러

*** 학교에서 경영을 조금 배웠을 뿐 실전 경험이 전무한 시인이 사업을 제대로 할 리는 없었고, 출판사 이비스는 6개월 후 빚만 지고 문을 닫는 바람에 신문을 펴내려던 계획도 무산된다.

뜨리지 않던 과묵하고 숫기 없는 신사가 사람들 앞에서 그런 엉뚱한 동작을 취했다고 생각을 하면 미소가 절로 번진다. 그러고 보면 페소아가 비교적 쉽게 다가갈 수 있는 시를 썼다는 점도 그의 아이 같은 면 덕분인 것 같다. 어려운 시도 많이 썼고 현학적인 경향도 없지 않았지만, 때때로 그것들을 한 방에 무너뜨리는 시구를 선보이기도 했다.

> 어린 소녀야, 초콜릿을 먹어라,
>
> 초콜릿을 먹어!
>
> 봐, 세상에 초콜릿 이상의 형이상학은 없어.
>
> 모든 종교들은 제과점보다도 가르쳐주는 게 없단다.
>
> — 알바루 드 캄푸스, 「담배 가게」 중에서, 1933년 7월

페소아가 이명들을 가지고 놀았던 무대의 객석에 앉아볼 수 있다면, 그 풍경은 셰익스피어 극을 상연하던 글로브 극장과 닮았으리라. 그곳에는 거지, 평민에서부터 귀족, 왕까지 각계각층의 사람들로 가득했다. 셰익스피어 극은 군중 모두의 마음을 관통하는 보편적인 메시지도 있었지만, 사람에 따라 각기 달리 건져갈 게 있는, 넓은 지혜의 폭도 갖추고 있었다. 페소아의 극장 역시 그리 다르지 않다. 우아하고 고전적이며 형식미를 뽐내는 리카르두 레이스, 급진적이고 실험적인 알바루 드 캄푸스, 직관적인 단순미가 돋보이는 알베르투 카에이루 등 독자의 취향과 배경에 따라 고를 수 있는 여지가 많다. 이외에도 배우들의 명단은 끝이 없다. 이 모든 것을 뒤에

서 조종했던 것도 페소아이지만, 이 모두에게 무대를 내주고 자신을 비우는 것 외에는 한 일이 없다고 너스레를 떤 것 역시 그였다. 한마디로 그는 잘 **놀았던** 인간, '호모 루덴스'(유희의 인간)라는 말을 떠올리지 않을 수 없는 시인이었다.

> 시는 진지함 너머에, 즉 어린이, 동물, 미개인, 예언자가 속하는 보다 원시적이고 원초적인 수준, 꿈, 매혹, 엑스터시, 웃음의 영역에 존재한다. 시를 이해하기 위해서는 우리는 마법의 망토 같은 어린이의 영혼을 지닐 수 있어야 하며 어른의 지혜를 버리고 어린이의 지혜를 가질 수 있어야 한다.
>
> — 요한 하위징아, 『호모 루덴스』

이 책에서 내리는 결론처럼 '모든 놀이에 의미가 있다'면, 페소아의 이명들도 그가 어릴 때부터 즐긴 놀이들이 쌓이고 쌓여 자연스럽게 발전한 습관의 산물들인 것일까? 상당히 일찍, 1908년에 페소아는 알렉산더 서치, 팡탈레앙, 장 쇨 드 멜뤼레 그리고 찰스 제임스 서치 같은 '전 이명'들이 대거 동원되는 『변신의 책』이라는 작품을 구상했다. 당시 격동기를 겪고 있던 고국에 사회·문화적인 비전을 제시할 문학, 즉 시, 소설, 에세이, 평론과 풍자극은 물론 정치, 철학, 정신과학까지 폭넓게 다루려는 야망을 품은 책이었다. 이 미완의 프로젝트가 이명들을 구체화하고 체계화하려는 첫 번째 진지한 시도였다면, 드디어 6년 뒤 1914년에는 그 열매를 맺어 이명 체계의 대표 시인 삼인방 알베르투 카에이루, 리카르두 레이스, 알바루 드 캄푸스가 연달아 탄생한다. 페소아가 구상한 문학적 인물들은 120명이 넘었지만, 엄격한 의미에서 이 세 명 정도가 그 스스로 정의한 이명의 의미에 가장 부합한다고 하겠다.

페소아는 이 셋의 문학 세계를 독자적으로 구축하며 발전시키는 것에 그치지 않고, 그들 간의 관계까지 상정하여 이명들로 이루어진 작은 생태계를 구축했다. 가령 알바루 드 캄푸스의 이름을 빌려 쓴 「내 스승 카에이루를 기억하는 노트들」에는 이 세 명의 시인에 페소아 본인과 안토니우 모라까지 등장하여 실재의 개념에 관한 철학적인 토론을 나누는데, 각 이명의 상이한 성격 및 세계관 차이, 그리고 각자 스승 카에이루로부터 어떤 영향을 받았는지가 잘 드러나 있다.

> 이 장들을 읽으면서 눈치챘겠지만, 카에이루의 주위에는 세 명의 주요 인물들이 있었다: 리카르두 레이스, 안토니우 모라, 그리고 나. 이들 중 아무도 (나 자신조차도) 편애하지 않고 말하자면, 나는 우리 세 명의 개인이 여타 평범한 사람들, 짐승 같은 대다수의 인간들과는 극명하게 달랐다고—적어도 두뇌 면에 있어서는—말할 수 있다. 그리고 우리 셋 모두는 오늘날 우리가 가진 영혼의 가장 큰 장점을 나의 스승 카에이루와의 만남에 빚지고 있다. 우리 모두는 전혀 다른 사람이 되었다—다시 말해, 진정한 우리 자신이 되었다.
>
> —『페소아와 페소아들』

복수複數가 되어라, 저 우주만큼!

어릴 때 누구나 한 번쯤은 시도해보는 이런 '놀이'를 유독 페소아라는 사람이 **끝까지** 놀 수 있었던 이유는 뭘까? 나는 네 가지를 꼽아본다.

첫째로, 무섭도록 진지한 태도로 놀았다. 진짜로 잘 노는 사람들의 특성은 놀 때야말로 철저하게 진지해진다는 점이 아닐까 싶다. 때로는 극심한 고통을 동반하거나 사생활에 직접적인 영향을 끼칠 정도로 깊숙이 삶을 파고들어 어느 순간부터는 놀이와 삶이 분리될 수 없는 정도까지……. 페소아는 한술 더 떠서 이 놀이에 어울리지도 않게 '비개성화' '비인격화' 등의 이론까지 동원해 철학적 의미를 부여하는 등 놀이를 다른 차원으로 끌고 가려 했다.

둘째로, 이명 만들기는 고립감을 달래주었다. 그는 곧잘 자신이 쓴 글에 관해 이명의 이름으로 서문이나 소개 글을 쓰곤 했다. 태생적으로 고독했던 그가, 자신이 원하는 수준에서 문학적 교감을 할 친구가 없었기에(사-카르네이루와의 '굵고 짧았던' 교류를 제외하면) 자급자족하는 쪽을 택한 셈이다. 이를테면 한 이명이 쓴 글에 대해 다른 이명으로 하여금 논평, 평론, 서문 등을 쓰도록 해 무엇을 읽을지뿐만 아니라, 어떻게 읽을지까지 가이드라인을 제공해주는 방식……. 한마디로 혼자서 북 치고 장구를 쳤다.

셋째, 객관성을 담보해주는 장치로 이명을 활용했다. 자기 주관에서 벗어나 타자의 관점을 취해 가능한 한 넓은 시야를 확보하려는 본능은 페소아의 에세이에서 특징적으로 나타난다. 가령 그는 시의 음악성이나, 이교주의Paganism 같은 주제와 관련해 리카르두 레이스와 알바루 드 캄푸스가 서로 비판하게 만들었고, 그들이 때로는 페소아 본인에게 화살을 돌리도록 하기도 했다. 한 가지 관점이 지니는 좁은 한계를 누구보다도 잘 의식했던 그는 이런 식으로 자신만의 균형 감각을 갖추려 했다.

넷째, 이명은 그만의 '창작 기계'였다. 그것은 창작의 연료이자 동력, 스파크였다. "복수複數가 되어라, 저 우주만큼!"이라는 그의 모토처럼, 모든 것이 되어 모든 것을 느끼고 싶었던 그의 놀라울 정도로 큰 문학적 꿈은, 하나의 이름 아래 묶이기 어려운 너무나 다양한 창작 욕망들로 꿈틀거렸다. 게다가 워낙에 까다롭고 높은 기준 때문에 극단적인 과작寡作 작가가 되기 딱 좋은 인물이 바로 페소아였다. 서로 다른 이름들을 배치해 그들만의 방 안에서 가능한 한 부담 없이 쓸 수 있도록 한 그만의 '분리 장치'가 없었다면, 이만큼의 작품들이 탄생하기도 어려웠을 것이다. 이명들이 대거 탄생한 시기(1914~1915년)를 전후해 그의 생산성이 폭발적으로 증가한 것도 우연이 아니다.

이명에 대한 다른 해석 중 하나는 그것이 고도로 계산적인 문학적 전략에 의한 발명이었다는 견해이다. 당시 무명에 가까웠던 페소아가, 포르투갈 문단의 주도권을 쥐고 있던 시인 테이셰이라 드 파스코아이스Teixeira de Pascoaes와 그를 둘러싼 '향수주의Saudosismo' 그룹의 아성에 도전하기 위해 개발한 그만의 가상 문학 '패거리'라는 것. 이 관점을 지지하는 일군의 연구자들은 앞서 말한 전기적 해석들,

26세의 페소아
1914년 스물여섯 살 페소아. 1914년은 페소아의 대표 이명 삼인방이 탄생한 해이다. 3월에 알베르투 카에이루의 이름으로 첫 시를 쓰고, 이어 6월에 알바루 드 캄푸스, 리카르두 레이스의 이름으로 첫 시를 쓴 기록이 있다.

즉 이명이 어린 시절부터 발달한 독특한 심리적 기제라는 해석을 전면 부정하고, 이명을 완전히 무시한 채 저자를 페소아 딱 한 명으로 일원화해서 보려고 한다. 이런 주장도 일리가 없지는 않다. '이명의 기원'을 설명한, 앞서 인용한 편지 내용도 다분히 본인의 진술일 뿐 진위를 100퍼센트 믿을 수 없을뿐더러 이명에 과도한 의미를 부여하다 보면 페소아의 '계략'에 말려드는 게 사실이기 때문이다.

실제로 이명을 지나치게 의식한 바람에 일어난 실수들도 적지 않다. 한번은 페소아가 직접 서문을 써주기도 했던 러시아 시인 엘리에제르 카메네즈키Eliezer Kamenezky의 작품이 이탈리아에서 그의 이명으로 둔갑할 뻔한 적이 있다. 이탈리아 연구가 아미나 디 무노Amina Di Munno가 카메네즈키의 자전적 소설 『순례*Peregrinando*』를 번역한 후 제목을 '엘리에제르'로 짓고, 저자 이름으로 페소아의 이름을 기입해버린 것이다. 이를 모르고 저명한 페소아 연구자이자 문헌학자인 루치아나 스테가뇨 피키오Luciana Stegagno Picchio가 책의 서문까지 쓰면서 웃지 못할 해프닝이 벌어졌다.

또 다른 사례로, 미발간된 『오르페우』 3호에 「다른 대양 저 너머에」라는 시를 실으려고 했던 주제 코엘류 파체쿠José Coelho Pacheco도 오랫동안 페소아의 이명으로 오인되었는데, 그 시가 알베르투 카에이루에게 헌정된 점이 혼란을 더 부추겼다(파체쿠가 당시 다른 젊은 시인들처럼 페소아에게 큰 영향을 받은 것은 사실이다). 온갖 추측이 무성하다가 2011년에서야 파체쿠의 손녀가 할아버지의 친필 유고를 발견해 '구명'이 된 경우이다.

이명에 얼마만큼의 의미를 부여할지, 아니면 아예 무시할 것인지 선택은 우리 자유다. 한 비평가는 우리 모두가 페소아의 덫에 걸려 놀아나고 있다고 빈정거리기도 했지만, 내 생각에는 좀 놀아나도 나쁠 게 없지 않은가 싶다. 이런 오해도 우리가 페소아라는 물음표에 답하려 하는 과정에서 필연적으로 발생하는 일이니, 기꺼이 그의 덫에 걸려서 바둥거리자는 쪽이다. 어찌 되었든 내가 유일하게 내릴 수 있는 결론이 하나 있다면, 그것은 이명을 완전히 떠나서 페소아를 생각할 수는 없다는 점이다. 문득 어느 페소아 학회에서 누군가 남긴 말이 떠오른다. 이명의 해석에 관해 의견이 분분했던 열띤 토론이 이렇다 할 결론 없이 마무리된 또 하나의 세미나에서, 방청석에 있던 한 남자가 마지막 질문 시간에 의미심장한 한마디를 던졌다.

"듣자 하니 당신들 '페소아누'(페소아 연구자)들은, 페소아보다 더 페소아적이군요!"

페소아의 대표 이명 삼인방

알베르투 카에이루

본명은 알베르투 카에이루 다 실바Alberto Caeiro da Silva. 1889년 리스본 출생, 고등 교육을 받지 않고 리바테주의 시골에서 생의 대부분을 보낸 전원적 시인. 페소아가 "내 안에서 탄생한 내 스승"이라고 표현한 그는 모든 이명들에게 절대적인 영향을 끼치는 중심인물로(페소아 자신조차도 주변 인물로 묘사된다), 다른 이명들은 그를 중심으로 영향을 받고 상호작용하며 각자의 예술관을 형성해나간다. "아무것도 생각하지 않는 것만으로도 형이상학은 충분하다" "사물의 신비? 그걸 내가 어찌 알겠는가./유일한 신비는 신비에 대해 생각하는 사람이 있다는 것" "신이 내가 그를 믿기를 바랐다면,/당연히 내게로 와서 말을 걸었겠지" 등의 시구에서 드러나듯, 형이상학적 해석에 대한 경계, 사물을 있는 그대로 보려는 날것의 순수한 직관, 신 중심적 시각에서 벗어난 사고 등을 중시한다. 카에이루의 시들 중 「양 떼를 지키는 사람 O Guardador de Rebanhos」과 『엮지 않은 시들 Poemas Inconjuntos』의 일부는 1925년 잡지 『아테나*Athena*』에 기고되었다. 페소아는 1933년 2월 25일, 동료 주앙 가스파르 시몽이스João Gaspar Simões에게 보낸 편지에서 「양 떼를 지키는 사람」을 자신이 쓴 최고의 시로 여긴다고 말했다.

알바루 드 캄푸스

1890년 출생. 기계 예찬론자, 미래주의자, 전 세계를 누비는 유목적 성향의 해양 엔지니어. 거침없는 표현, 격렬한 내적 고뇌, 활화산 같은 폭발력, 현기증과 도취감, 의성어 실험 등이 그의 특징이다. 또 다른 이명 인물 I. I. 크로스는 캄푸스에 대해 "그는 모든 작가들 중 가장 과격하다. 그의 스승 휘트먼조차도 그와 비교하면 온화하고 차분하다"라고 평가했다. 다른 이명들이 일정 기간 동안 지속되다 어느 순간 이후 흐지부지해지는 것과 달리 캄푸스는 페소아가 죽을 때까지 끊임없이 시와 산문을 써낸다. 페소아가 이명들에 대해 언급할 때도, "아무도 나를 개인적으로 만난 적은 없다, 캄푸스를 제외하고는"이라고 말할 정도로 편애했다. 캄푸스는 변화하고 성장하는 인물이다. 페소아는 그가 스승 카에이루를 만나기 이전과 이후에 전혀 다른 시를 쓰도록 세심하게 신경을 기울인다. 단 한 호만 발행되고 경찰에 의해 압수당한 잡지 『포르투갈 푸투리스타*Portugal Futurista*』에 기고한 「최후통첩」 「해상 송시」 등이 대표작이다.

리카르두 레이스

1887년 출생. 에피쿠로스주의(쾌락주의)와 스토아주의(금욕주의)의 상반되는 경향을 독특한 방식으로 결합한 고전 시인. 페소아는 그의 생년월일을 '1887년 9월 19일 오후 4시 5분'으로 정했지만, 실제로는 1914년 7월 23일에 처음 모습을 드러낸 것으로 추정된다(레이스의 이름으로 처음 쓴 시는 1914년 6월 12일로 기록되지만 10년 후에나 발표된다). 자신과는 공통점이 별로 없었던 동료 시인 캄푸스에 대해 호의적으로 평가하지 않았던 레이스는, 그러나 스승 카에이루에 대한 절대적 신뢰에서만큼은 캄푸스와 의견을 같이했다. 그는 '포르투갈어로 시를 쓰는 호라티우스'라는 평가를 받을 만큼 고전적인 성향의 시, 경구를 연상시키는 문체, 변형을 가한 정형시를 썼다. 정치적으로는 왕정주의를 고수해 브라질로 망명을 했고, 포르투 출신으로 되어 있지만 별자리 운세상으로는 리스본 출생이다. 에피쿠로스학파로부터는 물질적으로 소박한 삶에 대한 예찬을, 스토아학파로부터는 격렬한 감정의 배제를 받아들인 시를 썼고, 1921년에는 사포, 아리스토텔레스 등 그리스 문학 및 철학서의 번역을 맡기도 했다. 또 다른 이명 철학자 안토니우 모라와 함께 포르투갈의 신이교주의 사상을 전개하며, 헬레니즘의 귀환을 주장하는 동시에 기독교주의를 강하게 비판하는 등 시와 종교, 과학에 관한 글들을 다수 남겼다.

리스본 인문대학 입구의 벽화로 그려진 페소아의 대표 이명들

왼쪽부터 카에이루, 레이스, 캄푸스. 페소아와 잡지 『오르페우』를 함께 만든 동료이자 그의 초상화를 여러 점 그린 바 있는 화가 알마다 네그레이루스가, 페소아의 묘사에 자신의 상상력을 더해 형상화해낸 작품이다.

03

FERNANDO PESSOA

여행 없이 여행하는 자

여행이 무슨 소용인가

풍경이 풍경이 되는 곳

책 한 권에 도시 하나를 담아낼 수 있을까?

제임스 조이스는 친구 프랭크 버젠에게 『율리시스』를 설명하며 이런 말을 했다. "더블린에 관한 한 그야말로 완벽한 그림을 그리고 싶었다네, 이 도시가 어느 날 갑자기 지구에서 사라진다면, 내 책을 바탕으로 재구축될 수 있도록 말이지……." 한 작품을 실마리 삼아 한 도시를 읽어나가거나, 반대로 한 도시를 여행하며 한 작가를 이해하려는 시도가 매력적인 도전임에는 틀림없다.

한 교수는 수업 시간에 이런 말을 했었다, '리스본과 페소아'라는 주제로 박사 논문을 하나 쓸 수 있을 거라고. 열일곱 살에 귀국한 이후 나라를 떠난 적이 없을뿐더러 리스본 바깥을 벗어난 일조차 드물었던 그야말로 토박이 '리스보에타lisboeta'(리스본 사람)였기에 그럴듯하게 들리는 말이다. 그러나 누군가 "이 도시에 와보니 페소아를 더 잘 알게 됐느냐?"고 묻는다면 의외로 답하기가 쉽지 않다. 내가 이곳에 온 지 이미 2년째. 그동안 포르투갈어는 훨씬 늘었다고 말할 수 있고, 페소아에 관해서도 제법 많은 지식과 정보를 알게 되었다는 말도 할 수 있다. 그러나 이곳에서 살면서 그를 더 잘 **이해**하게 되었느냐는 질문에는……. 알면 알수록 대답하기가 더 힘들다고, 변명처럼 들리는 말밖에는 못하겠다. 다행히 아무도 그런 질문을 하지 않았다.

리스본 현지에서 페소아 연구를 하고 있다 보니 이곳에 놀러 왔다가 시인에 관한 이야기를 듣고 싶어 커피 한잔의 만남을 제안하는 한국인들로부터 심심치 않게 연락을 받곤 한다. 가장 좋아하는 작가가 페소아라는 사람, 「담배 가게」의 첫 행만 읽고 반해버렸다는 사람, 『불안의 책』을 수십 번 반복해 읽었다는 사람, 페소아의 어떤 글이 좋으냐는 내 질문에 딱히 아무것도 떠오르지 않는다고 대답해 나를 당황하게 한 사람 등 다양한 부류를 만났다. 그날은 오로지 페소아 때문에 부산에서 여기까지 왔다는 한 여행객과 리스본 시내 한복판의 로시우 광장 앞 국립제과점Confeitaria Nacional에서 만나 담소를 나누었다.

"『불안의 책』을 읽고 페소아에게 푹 빠져버렸죠. 포르투갈에 관한 책이란 책은 다 찾아보다가 번역하신 책도 보고, 결국 이렇게 먼 여행까지 하게 됐네요. 작가의 발자취를 좇아보겠다고 말이죠."

"그렇군요. 그런데 혹시 페소아가 여행에 얼마나 부정적이었는지 아시나요?"

"아, 정말요?"

"『불안의 책』에 그 이야기가 많이 나와요."

"그랬나요? 읽은 지가 좀 돼서 기억이……."

"신경 쓰지 마세요, 원래 『불안의 책』을 처음부터 끝까지 읽은 사람은 별로 없어요. 차례대로 읽는 책도 아닌 데다가, 엄밀히 말하면 '책'이라고 할 수도 없으니까요. 한두 구절만 읽고도 매료될 수 있는 게 이 책의 매력이죠."

겨우 화제를 돌렸지만, 괜히 아는 척을 했다 싶었다. 나도 모르게 이런 말이 불쑥 튀어나온 것은 이번이 처음은 아니다. 작년 봄, 호기심에 참가했던 '페소아 투어'가 떠오른다. 페소아가 태어난 곳, 페소아가 살던 집들(이사를 자주 다녀 리스본 내에도 여러 군데이다), 그가 자주 다니던 카페를 돌며 가이드의 설명을 듣는 코스였다. 관광 상품이라 처음부터 큰 기대는 안 했지만, 그래도 페소아를 좋아하는 사람들을 대상으로 하는 투어인데 너무 뻔한 동선과 위키피디아와 다를 게 없는 단편적인 설명에 실망을 감출 수가 없었다. 질문 시간에 내가 말문을 열었다. "살던 집 창문을 보고, 사진을 찍고……. 이러고 있는 우리를 페소아가 보면 뭐라고 생각할까요? 그가 무의미하다고 생각한 게 바로 이런 식의 여행 아니었나요?" 예상대로 내 발언을 달가워한 사람은 한 명도 없었지만 후회하진 않았다. 최소한 페소아를 읽었다면, 게다가 좋아한다면, 그의 시선도 조금은 의식해야 하지 않느냐는 것이 내 생각이다. 내가 좋아하는 사람의 눈치를 보는 것만큼 좋은 눈치도 없지 않을까(문제는 대개가 좋아하지 않는,

심지어는 싫어하는 이들의 눈치를 본다는 점이지만)?

그런 의미에서 나는 가령, 조앤 롤링의 발자취를 좇는 것과 똑같은 방식으로 페소아를 따라갈 수는 없다고 생각한다. 비록 개인적으로는 관심이 없지만 만약 '해리 포터 투어'를 한다면 포르투갈에도 몇 군데 답사할 곳이 있고, 앞뒤가 안 맞는 아이디어도 아니라고 본다. 적어도 내가 알기로는 조앤 롤링이 반反여행론을 펼친 적은 없으니까. 그렇다면 페소아는? 그는 정말로 여행을 싫어했을까? 만약 그랬다면 도대체 왜 아무도 반대하지 않는, 오히려 다들 좋다는 여행에 굳이 반기를 들었을까? 그 이유를 찾자면 『불안의 책』에서만도 수두룩하게 발견할 수 있다.

"여행은 무엇이고, 무슨 소용이 있을까? 모든 석양은 그저 석양일 뿐인데 그것을 보러 콘스탄티노플까지 갈 필요는 없다. 여행을 하면 자유를 느낄 수 있다고? 나는 리스본을 떠나 벤피카Benfica(리스본 근처의 외곽 도시)에만 가도 자유를 느낀다. 리스본을 떠나 중국까지 간 어느 누구보다 강렬하게 자유를 누릴 수 있다. 내 안에 자유가 없다면 세상 어디에 가도 자유로울 수 없기 때문이다."(『불안의 책』, 텍스트 138) 그는 여행의 무용함을 단정하는 것에 그치지 않고, 여행은 정신의 활동력이 낮은 사람들이나 하는 짓이라고 가차 없이 폄하한다. "여행은 느낄 줄 모르는 이들이나 하는 것이다. 그래서 여행 책자는 경험을 풀어놓은 책으로서 항상 부족한 면이 있기 마련이다. 여행기의 가치는 글쓴이의 상상력에 비례한다. (…) 우리 모두는 내면을 들여다볼 때를 제외하고는 다 근시안이다. 오직 꿈을 볼 때에만 제대로 볼 수 있다."(『불안의 책』, 텍스트 123)

리스본 거리를 걷는 페소아

"아무것도 아닌 사람들에게는 그저 강처럼 흘러가는 것이 인생이다. 그러나 생각하고 느끼고 의식이 깨어 있는 이들은 열차와 자동차, 배가 일으키는 끔찍한 히스테리 때문에 잠들지도, 깨어 있지도 못한다."(『불안의 책』, 텍스트 122)

그러니 페소아처럼 '깨어 있는' 사람에게 여행 따위는 필요가 없다.

"풍경이 풍경이 되는 것은 우리 안에서다. 그러므로 내가 풍경을 상상하면, 풍경을 만들어낸다. 만들어내면, 존재한다. 존재하면, 그것을 다른 풍경을 보듯이 볼 수 있다. 그러니 왜 여행을 가겠는가? 마드리드, 베를린, 페르시아, 중국, 그리고 남극과 북극, 어디서든 나는 나 자신 속에, 나만의 고유한 유형의 감정 안에 있을 뿐이 아닌가? 삶이란 우리가 삶으로 만드는 것이다. 여행이란 결국 여행자 자신이다. 우리가 보는 것은 우리가 보는 것이 아니라 우리 자신의 존재다."(『불안의 책』, 텍스트 451)

멀리 가지 않고도 멀리 가는 방법

이쯤 되면 리스본에 내내 눌러앉은 그에게 "당신은 어째서 여행을 하지 않았지?"라고 묻기보다, 거꾸로 우리에게 "왜 굳이 여행을 떠나야 하지?"라고 자문할 필요가 있겠다는 생각마저 든다. 그렇지만 이런 그도 가끔은 여행의 유혹을 느끼긴 했다.

"여행 가고 싶다는 생각이 내가 아닌 다른 누군가를 유혹하는 듯한 암시적인 느낌으로 나를 유혹한다."(『불안의 책』, 텍스트 265) 그러다가도 막상 실천의 순간이 다가오면 여지없이 의지가 꺾이고 만다.

"테헤이루 두 파수에서 카실랴스까지 십 분 정도 걸리는 뱃길을 따라 강을 건너가보고 싶을 때가 있었다. 그렇지만 언제나 수많은 사람들과 나 자신과 내 의도에 위축되곤 했다. 한두 번 가봤지만 뱃길을 가는 내내 신경이 곤두섰고, 육지로 돌아온 다음에야 안심하고 발을 내디딜 수 있었다."(『불안의 책』, 텍스트 122)

"마찬가지로 어쩌다 기차역이나 항구 같은 출발지에 가까이 가는 순간, 여행에 대한 모든 상상은 창백하게 시들어버린다."(『불안의 책』, 텍스트 265)

그래서 그는 멀리 가지 않고도 멀리 가는 방법을 택했다.

"어딘가로 떠날 때마다, 아주 먼 여행을 경험하게 된다. 전차를 타고 카스카이스까지 가는 짧은 시간 동안 나는 마치 네댓 나라의 도시와 시골의 풍경을 둘러본 듯 녹초가 된다."(『불안의 책』, 텍스트 299)

물론 현실은 필요하다. 상상을 발동시키는 방아쇠로서의 최소한의 경험은…….

"나는 속도의 쾌감과 공포를 맛보기 위해 성능 좋은 자동차나 급행열차를 필요로 하지 않는다. 전차와, 가공할 정도로 발달한 나의 추상 능력이면 충분하다. (…) 그것도 지루해져서 더 강렬한 속도의 망상에 몸을 맡기고 싶으면 이번에는 '속도의 순수한 모방'의 세계로 생각을 옮긴다. 전차가 낼 수 있는 최고 속도를 넘어 원하는 대로 속도를 높이거나 낮출 수 있다."(『불안의 책』, 텍스트 75) 이런 기술을 습득할 수 있으면, 상상력과 충만한 감각으로 어디든 가고 싶은 만큼 멀리 갈 수 있다. "감정이 너무 예민할 때면 테주 강은 끝없이 넓은 대서양 같고, 카실랴스는 다른 대륙, 심지어 다른 우주처럼 느껴진다."(『불안의 책』, 텍스트 122)

게다가 이미 모든 것을 본 그다. 더 보려고 애쓰는 것은 무의미한 반복일 뿐이다. "모든 바다를 항해한 자는 자신 안의 지루함을 항해했을 뿐이다. 나는 이 세상 누구보다 많은 바다를 건넜다. (…) 내가 만일 여행을 떠난다면, 떠나지 않고도 보았던 것들의 조악한 복사본을 볼 뿐이리라."(『불안의 책』, 텍스트 138)

따지고 보면 여행도 하나의 행동인데, 그에게는 행동하는 것 자체가 무의미하다. "행동하지 않을 방법을 찾아내는 것이 내 인생의 관심사이고 사색의 주제다."(『불안의 책』, 텍스트 120)

물리적인 이동과 움직임을 저평가하는 페소아 특유의 관점은 행동의 역할이 필수적인 연극이라는 장르와 만나며 독특한 결과를 낳기도 했다. 그가 완성한 유일한 극작품 「선원」은 연극의 핵심 요소인 배우의 행동 연기를 배제하고 독백에 가까운 대화들로만 진행되는 실험극이다. 특히 극중에 회자되는 선원의 일화(난파를 당해 무인도에 갇혀 옴짝달싹 못 하는 상태에서 오로지 상상만으로 하나의 도시를 구축하고 그 속을 활보하며 다니는 이야기)는 두말할 것도 없이 페소아 본인의 이야기로 들린다.

이러한 그의 경향을 역사적인 맥락에서 이해해볼 수 있을까? 1890년 영국으로부터 아프리카에서 사실상 물러나라는 굴욕적인 '최후통첩'을 받으면서, 한때 세계를 호령했던 포르투갈은 가파른

하향길을 경험해야 했고, 페소아 또한 이 몰락의 역사를 무력하게 보고만 있어야 하는 세대에 속했다. '진짜' 여행으로 가득했던 과거의 대항해 시대가 대문호 루이스 드 카몽이스로 대변된다면, 이 몰락의 시기에 가능했던 것은 '가상' 여행뿐이었고, 이를 누구보다도 잘 대변하는 것이 페소아적인 상상력인 것이다.

'상상 여행 문학'의 인기는 유럽에서 하나의 문학 장르로 정착했고, 유럽의 신대륙 '발견'이 마무리되어가던 18세기에 그 인기가 정점에 이르렀다. 대표적인 작품으로 조너선 스위프트의 『걸리버 여행기』(1726)와 그자비에 드 메스트르의 『내 방 여행하는 법』(1794)을 들 수 있는데, 전자가 구체적인 여정을 제시하는 여행기 형식을 취하되 사실은 정치적 풍자를 위한 기행 문학 장르의 패러디에 가깝다면, 후자는 실제로 금지된 결투를 한 죄로 42일간 가택 구금을 당한 바 있는 저자 메스트르가 집 안에서의 무료함을 달래기 위해 쓴 책이다. 흥미롭게도 페소아는 『내 방 여행하는 법』을 두 권이나, 다른 판본으로 소장하고 있었다. 아무것도 새로울 게 없는 극히 익숙한 공간 속에서 주변 사물의 세심한 관찰, 자유로운 사색과 상념 좇기를 통해 끊임없이 새로움을 재발견하는 메스트르는, 그 어떤 장거리 여행보다도 더 풍부한 영혼의 모험담을 들려준다.

강제로 구금된 메스트르와는 달리, 또 다른 프랑스 작가 레몽 루셀은 자발적인 감금을 즐겼다. 갑부의 아들이었던 루셀은 커다란 저택의 서재에서 홀로 커튼을 치고 어둠 속에서 오로지 독서와 가공할 상상력만으로 독창적인 소설과 시를 창조해 살바도르 달리, 앙드레 브르통, 장 콕토, 레몽 크노 같은 초현실주의자들에게 큰 영향을 끼쳤다. 아프리카 여행을 가서도 "관광은 하인들이나 하는 것"이라며, 자신이 설계한 카라반 안에 머무르기를 고집했고, 아프리카와는 아무런 상관도 없는 『아프리카의 인상*Impressions d'Afreique*』을 썼다. 루셀에게 큰 영향을 받았던 1960년대 실험 문학 모임 '울리포OuLiPo'에서 활동한 소설가 조르주 페렉 또한 '엑조틱l'exotique'에 상반되는 신조어 '앙도틱l'endotique'을 지어내는 등 거창한 사건들과 거대한 현상들에 가려진 일상성에 주목했다. 이는 단순한 일상 예찬이 아니라 비범과 평범, 새로움과 진부함, 의미와 무의미가 완벽히 구분되지 않는 사이-공간들에서 명멸하는, 우리가 과도하다고 느낄 정도로 주의를 기울이지 않으면 쉽게 놓치는 세부들을 포착하려는 일종의 인류·사회학적 시선에 대한 제안이라고 할 수 있다.

현실에서 일어난 일들을 성실히 기록하거나 그대로 반영·표현하는 문학에 일찌감치 흥미를 잃은 작가들은 현실과 거리를 둬야 더 창조적일 수 있다고 믿었고, 현실의 역할은 재료 제공의 수준으로 한정하면서 이를 전유해 전혀 무관해 보이는 형식 속에 녹여내려는 고민과 실험을 거듭했다. 가령 페소아의 「내 마을의 종소리Ó sino da minha aldeia」라는 유명한 시를 보자.

> 내 마을의 종소리,
> 평온한 오후에 애처로이,
> 네가 내는 종소리마다
> 내 영혼 안에 울린다.

네 소리는 어찌나 느린지,
인생의 슬픔처럼,
처음 칠 때부터 이미
반복되는 소리를 내지.

아무리 가까이서 날 울려도,
내가 항상 방황하며, 지나칠 때마다
너는 내게 하나의 꿈처럼,
먼 영혼에서 들린다.

네가 치는 소리마다,
열린 하늘에서 떨리고,
과거는 더 멀리 물러나고,
그리움은 더 가까이 다가온다.

— 1911년 4월 8일

독자는 이 시에서 어느 마을의 정겨운 풍경을 떠올릴 것이다. 소재와 형식만 보면 이 시는 포르투갈의 목가적 서정시의 계보를 충실히 이어받은 듯이 보인다. 이것이 스물한 살 때 지은 시이니, 조국에 돌아온 지 4년째 되는 해이다. 포르투갈 시인으로서의 역량이 정점에 올랐음을 보여주는 아름다운 운율을 반복해 읽다 보면, 자연스럽게 어느 마을의 어떤 종소리에서 영감을 얻었는지 궁금해진다. 그런데 페소아는 예상을 깨는 이야기를 한다. 20년 후, 주앙 가스파르 시몽이스에게 쓴 편지(1931년 12월 11일)에서 그는 고백 아닌 고백을 한다. "그 성당은 사실, 내가 살던 시아두 근처의 마르티레스 성당이라네"라고. 이는 대도시 한복판에 자리한 건물이 아닌가? 이 사실을 알고 나면 그의 시는 전혀 다르게 읽힌다(물론 편지에서도 종종 '거짓말'을 했던 그를 얼마나 믿을 수 있을지는 또 다른 문제다).

그렇다면 이제 시아두 근처의 성당이 시의 배경이라는 것을 알았으니, 그 성당을 답사해서 사진을 찍고 공간적 이해를 갖추었다고 이 시를 더 잘 이해하게 되었다고 말할 수 있을까? 글쎄, 나는 오히려 공간 답사 자체가 무의미하다는 쪽으로 생각이 기운다.

페소아에게는 현실이라는 재료를 단순 가공해서, 혹은 촉매제로 이용해서 시인의 느낌을 표현하고 전달하는 종류의 시는 더 이상 의미가 없었다. 같은 현실의 재료라도 그는 전혀 다른 맥락에 재배치했고, 늘 약간의 '속임수'를 양념처럼 추가하여 색다른 맛을 만들어내려고 했다. 이 과정을 '비인격화'라는 방법론으로 이름 붙이며 이론화하기도 했는데, 여기서 발생하는 현실과 문학 사이의 긴장 속에는 그 둘의 관계를 단순화시켜 쉽게 이해하고 정리하려는 사람들을 찜찜하게 또는 당혹스럽게 만드는 힘이 있다. 이쯤 되면 페소아라는 사람은 알면 알수록, 리스본에서 살면 살수록, 어떻게 다가가야 할지 점점 더 아리송해지는 작가라는 내 말이 독자에게도 궁색한 변명으로만 들리진 않을 것이다.

그렇지만 페소아 역시 현실 경험에 적잖게 빚지고 있음을 부정할 수는 없다. 어린 시절 남아공과 리스본을 오가는 네 차례 장기 선박 여행이 아니었다면 「해상 송시」 「리스본 재방문」 「아편쟁이」처럼

마르티레스 성당
「내 마을의 종소리」의 배경은 리스본 시내 시아두 근처에 있는 마르티레스 성당이라고 페소아 스스로 밝혔다. 「내 마을의 종소리」를 읽어보면 한적한 마을의 종소리를 떠올리게 되는데, 실제로 시내 한복판의 성당을 바탕으로 썼다는 점이 다소 의외이다. 하지만 페소아가 상상만으로 여행을 떠날 수 있는 사람이었으며, 한편 종종 거짓말을 했다는 점으로 미루어보면 그다지 이상하지 않다.

선상 생활 분위기가 물씬 묻어나는 시를 쓸 수 있었을까? 이는 보들레르가 어린 시절에 모리셔스 제도를 여행한 경험이 「알바트로스」와 「여행」 같은 작품과 불가분의 관계에 있는 것과 같은 이치다. 그러니 페소아가 현실을 무시하고, 행동을 폄하하고, 여행을 멸시하는 발언을 할 때면, 오히려 그것들을 못내 아쉬워한다는 인상을 주는 것도 사실이다. 여행에 대한 감출 수 없는 그리움과 떠나려는 의지의 박약, 그리고 이를 합리화하려는 심리 사이에서 생겨난 어떤 질투의 표출일지도 모른다는 의심마저 든다.

페소아적 가상 여행

어린 시절의 항해 경험이 작품 속에 제법 풍부하게 녹아든 것과는 대조적으로, 그가 아프리카에서 살았던 경험은 신기할 정도로 부재한다. 어린 나이에 누구 못지않게 감수성이 풍부하고 다작을 했던 문학청년이었지만, 그의 작품을 보면 마치 그의 인생에 아프리카라는 공간은 존재한 적이 없었던 듯하다. 셀 수 없이 많은 작품과 습작 중에 유일한 흔적이라고는 「리마에서의 저녁」이라는 긴 분량의 시 중 딱 한 구절 "아프리카의 달이 휘영청"뿐이다. 물론 당시 인종 차별이 심했던 남아공의 풍토 속에서 배타적인 백인 사회에 속해 있었다는 이유, 그리고 워낙 비사교적인 성격인 탓도 있을 것이다. 그러나 비슷한 경험을 한 작가들, 가령 마르그리트 뒤라스(베트남)나 아멜리 노통브(일본)의 경우에는 어린 시절의 흔적이 작품 세계에 물씬 묻어나는 데 비해 페소아에게서는 그런 흔적을 찾기 어렵다.

사실 페소아의 남아공 시절에 대해 알려진 바는 많지 않다. 영국식 교육을 받은 점, 고교 시절의 우수한 성적 등 사사로운 전기적 정보들은 어느 정도 밝혀졌지만, 그의 문학 세계를 좀 더 이해하게 해 줄 단서는 별로 없었다. 그나마 알고 있는 사실들은 연구자 휴버트 제닝스Hubert Jennings의 연구 자료에 많은 부분 의지하고 있는데, 어린 페소아가 주로 읽었던 작가 목록, 그 시절의 '전 이명'들 중 찰스 로버트 아넌이 가장 중요했다는 사실, 16세가 되던 해인 1904년 7월 9일 더반 일간지 『나탈 머큐리』에 찰스 로버트 아넌의 이름으로 기고한 풍자시가 페소아의 공식적인 첫 투고였다는 점 정도를 들 수 있겠다.

그러다가 2010년, 리처드 제니스가 남아공 더반을 방문해 흥미로운 사실을 하나 발견한다. 1903년 7월 11일자로 된, 작은 신문 기사였다. 「광부들의 노래The Miner's Song」라는 시와 함께 앞머리에 '오스틴W. W. Austin'이라는 이름으로 서명된 커버레터가 함께 지면을 차지하고 있었다. 오스틴이 호주를 여행하던 중 현지 광부들과 어울리며 여러 노래를 듣게 되었고, 그중에서 가장 인상적인 것을 기록하고 선별하여, 최종적으로 칼 에필드Karl. P. Effield라는 젊은이의 노래를 기고한다는 설명이 나온 다음, 이어서 36행짜리 시가 실려 있었다.

베테랑 연구자의 직감으로 리처드는 수상쩍은 냄새를 맡았다. 어딘가 가상의 인물 같은 캐릭터를, 또 다른 가상의 인물인 듯한 화

1906년 영어로 쓴 일기
찰스 로버트 아넌은 페소아의 '전 이명' 가운데 상당히 중요한 인물이다. 16세 때는 이 이름으로 공식적인 첫 투고를 했다. 페소아는 이명 인물을 만들어내면서 그 인물의 출생을 비롯해 인생 전체를 설계했으며, 이처럼 그 인물의 이름으로 일기를 남기는 등 새로운 인격체를 창조해내려 했다. 이 일기는 'C. R. Anon'의 도장이 찍혀 있지만, 사실은 페소아의 일상을 보여준다.

C. R. Anon

Diary.

Begun on March 15th 1906.

March 15.

Curso Superior: Geography and English. Bibliotheca Naci
read Aristotle's "Logic", translated by J.B. Saint-Hilaire. Re
home 3.30. Thought of dissertation on Female Rights
satiric plea for masculine prostitution. Began "The
Read book on Physiognomy. Dined 4.30. Walked on
evening till 9.30.

March 16.

Holiday. King coming from Madrid. Read a little abo
siognomy. Bibliotheca closed of course, so could not go
to continue reading "Organon." Hot day, very hot,
yesterday. Read Tennyson. Walked out in the evening
Cochado Torres. Returned 9.30. Played games up to te
Difficulties in mental execution of Jacob Dermot. Thou
poem on Avenida, to be included in "Revolta".

March 18.

Sunday. At Pedrouços. Went for a long walk with
Maria. Nothing else done. Stayed the night also.

March 19.

At Pedrouços. Monday - a holiday. Tia Anica's
birthday. Family dinner at Pedrouços. Retur
home at night. Nothing done.

March 20.

At home in Lisbon. No Curso - a holiday, becau
between two holidays. Bibliotheca Nacional. Th

자가 소개하는 이 이중 장치, '왜 굳이'라는 의문을 자아내게 하는 이 가면들의 중첩……. 혹시 페소아가 아닐까? 그러나 아직 이렇다 할 스타일을 갖추지 못한 어린 시절의 습작이니, 문체 자체로부터 우리가 현재 아는 페소아의 특징을 발견할 수는 없었다. 이런 의문을 해결하지 못한 채 아프리카를 등져야 했던 리처드는, 결국 리스본에 돌아와서야 페소아의 어느 공책에서 미완성 시 「광부들의 노래」를 발견해내고, 동시에 결정적인 증거가 될 만한 메모를 하나 찾아낸다.

홍콩에서 쿠다트*까지

—칼 에필드(보스턴, USA에서)

페소아였다. 이 작은 메모가 보존되지 않았더라면 영원히 묻혔을지도 모를, 약 100년 동안 알려지지 않은 작은 사실이 밝혀진 것이다. 다시 생각해보자. 열여섯 살의 소년이 있다. 유럽 포르투갈 출신의 이 어린 시인은, 아프리카 남아공에 살면서, 미국 보스턴에 사는 시인을 발명하여, 동남아시아의 말레이시아로 여행을 보내고, 그가 여정 중 오세아니아의 호주에 들러 광부들과 어울리며 쓰는 시를 상상을 하며 창작을 한다. 그리고 영국 이름을 가진 또 다른 필자를 만들어내 그를 신문 독자들에게 그럴싸하게 소개한다. 다섯 대륙을 넘나드는 이 현기증 나는 여로라니! 얼마나 일찍부터 이 사람이 상

* Kudat, 말레이시아 북부의 작은 도시.

상과 시, 그리고 지도만으로 여기저기 정신없이 여행 다녔는지를 보여주는 좋은 예가 아닐 수 없다. 이렇게 유별난 아이였으니, 아주 작은 실제 경험의 '불씨'만으로도 큰불을 지르기에 충분하다는 생각을 고집스럽게 발전시켜올 수 있었을 것이다. 상상력과 분석 능력만 있으면 충분하다면서.

> 진정한 경험은 현실과의 접촉을 제한하고 접촉에 대한 분석을 심화할 때 얻어진다. 그렇게 할 때 감성이 확장되고 깊어지는데, 왜냐하면 이미 우리 안에는 모든 것이 있기 때문이다. 우리가 할 일은 그것을 찾아내는 것, 그리고 어떻게 찾는지를 알아내는 것이다.
>
> —『불안의 책』, 텍스트 138

역설적이게도, 그 먼 아프리카 여행을 통해 리처드가 확인한 것은, 페소아가 어릴 때부터 머릿속 상상만으로도 충분히 여행할 수 있는 사람이었다는 새삼스러운 사실이었다.

이 모든 이야기는 여행자의 의욕을 꺾는다기보다는 떠나지 못하는 이를 위한 격려에 더 가깝다. "여행? 살아 있는 자라면 누구나 여행할 수 있다. 나는 내 육신 혹은 운명이라는 기차를 타고 날마다 한 역에서 다른 역으로 여행을 떠난다."(『불안의 책』, 텍스트 451) 페소아를 좋아하고 그의 여행관에 동의한다면, 또 머릿속 상상만으로 여행할 수 있는 사람이라면 굳이 리스본까지 오지 않아도 자기가 있는 그곳, 즉 책상과 소파, 침대에서, 수고스럽고 비싼 여행을 온 사람보다 훨씬 더 많이 보고, 더 잘 이해할 수 있다는 말에 동의할 수 있으리라. 멀리까지 와서도 핸드폰과 셀카에 파묻혀 있는 관광객들을 보고 있으면, 자유롭지 못한 사람은 아무리 여행을 해도 자유로울 수 없다는 그의 메시지가 그 어느 때보다도 더 와닿는다.

04

FERNANDO PESSOA

'오르페우'는 계속된다

포르투갈 모더니즘의 기수

'문예지 활동가'로서의 페소아

포르투갈에서 흥미로운 것은 딱 두 가지다. 경치 그리고 『오르페우』.

— 페르난두 페소아, 『사적인 산문들과 자기 해석 *Páginas Íntimas e de Auto-Interpretação*』

"페소아만큼이나 저를 끌어당기는 것은 그가 주도해서 만든 잡지 『오르페우』입니다. 사실 저도 페소아처럼 몇몇 동료들과 합심해서 문예지를 만든 적이 있습니다. 불행하게도 저희 잡지 역시 『오르페우』처럼 단명했습니다만, 한 시대의 문화를 만들어가는 데 참여한다는 게 뭔지 경험할 수 있었던 소중한 기회였습니다. 잡지를 펴낸다는 것의 '마력'을 한번 맛본 사람으로서, 『오르페우』가 탄생하고 사라진 과정, 잡지라는 공간 속에 시와 산문과 시각예술이 어떻게 섞이고 상호작용했는지, 또 그게 당시 사회와 문화에 어떤 바람을 일으켰는지 자세히 연구해보고 싶습니다. 그런 의미에서 본 학교의 커리큘럼에 '오르페우 세대'라는 수업이 개설되어 있는 것을 발견하고 정말 기뻐했습니다…….”

이것은 내가 포르투갈에 공부하러 가기 위해 대학에 제출한 응시 원서에 쓴 지원 동기이다. 당시 나는 『오르페우』가 그 제목을 동명의 신화 속 인물*에서 따왔으며 그 신화의 교훈을 본떠 '절대 뒤를 돌아보지 않는 정신'을 추구한다는 대목에 홀딱 반해버려, 주변 친구들에게 무려 한 세기 전에 창간되었는데도 여전히 미래적인 이 잡지의 멋진 모토를 대대적으로 선전까지 하고 다녔다. 그런데 막상 포르투갈에 와서 사정을 자세히 알고 보니 이 얘기는 사실과 일치하지 않았다. 분명히 어디선가 읽은 대목 같은데……. 어쩌면 위키피디아에 있던 내용이 그사이에 수정된 것일 수도 있다. 그런 이유로 제목을 지었을 가능성이 아예 없다고 단정할 근거도 없지만, 적어도 관련 자료들 중 그 어디에서도 '뒤돌아보지 않겠다'는 멋들어진 의미를 부여한 기록은 없었다. 게다가 이 제목은 페소아의 아이디어도 아니었다. 중요 멤버라고도 할 수 없는 루이스 드 몬탈보르의 의견이었고, 정작 페소아는 '루지타니아'나 '유로파' 같은 시시한 제목들을 제안했단다. 페소아의 의견이 무시되어 얼마나 다행인지!

제목에 관한 환상이 깨졌음에도 불구하고 잡지 『오르페우』에 대

* 그리스신화에서 오르페우스는 죽은 아내 에우리디케를 구하기 위해 저승으로 내려가고, 그곳에서 리라 연주로 하데스와 페르세포네마저 감동시키는 데 성공한다. 그들은 에우리디케를 보내줄 것을 약속하면서, 이승에 올라갈 때까지 뒤를 돌아보지 말아야 한다는 조건을 단다. 출구를 나서기 직전, 오르페우스는 에우리디케의 존재를 확인하고 싶은 마음에 잠시 뒤를 돌아보게 되고, 그 순간 에우리디케는 다시 저승으로 끌려 들어가고 만다.

한 나의 열광은 가라앉지 않았다. 더구나 잡지 창간 100주년이 나의 리스본 체류 기간과 정확히 겹쳐진 행운은, 스스로 '이건 운명이 틀림없다'고 해석하기에 충분한 근거를 제공했다. 기대했던 대로 2015년은 페소아와 『오르페우』 세대에 관심이 있는 사람들에게 그 어느 때보다도 이벤트가 풍성했던 한 해였다. 잡지 창간 100주년을 맞아 리스본과 브라질 상파울루의 본행사를 중심으로 다채로운 학술·문화 행사들이 연중 끊이지 않았고, 관련 서적도 줄을 이어 출판되었다.

> 그는 내게 글 쓰는 사람이냐고 물었고 나는 그렇다고 대답했다. 발간된 지 얼마 안 된 잡지 『오르페우』에 기고한다고 덧붙였다. 정말 좋은 잡지라며 그가 열렬히 칭찬하는 바람에 나는 진정으로 놀랐다. 나는 『오르페우』에 기고하는 작가들의 예술을 이해할 만한 독자는 소수에 불과하다고 생각했기에 약간 의외라고 말했다. 그는 아마 자신이 그 소수 중 한 명일 거라고 대답하며 『오르페우』에서 그리 새로운 것을 발견하진 못했다고 덧붙였다.
>
> —『불안의 책』,「머리말」

그동안 '문예지 활동가'로서 페소아의 면모는 그의 산문과 시에 가려져 상대적으로 덜 알려진 것이 사실인데, 생전에 출판 운이 별로 따르지 않았던 페소아는 각종 문예지에 작품을 기고하며 집필 활동을 이어나가는 한편 직접 잡지를 창간하거나 출판사를 차려 자비 출판을 하기도 했던 만큼, 잡지 활동은 그의 이력에서 대단히 중요한 측면이 아닐 수 없다. 그중 가장 주목할 만한 부분은 단연 『오르페우』의 발간이었다. 페소아 문학의 특징인 '이명'의 개념이 구체화된 시기적 배경을 알기 위해서도 잡지 발간 과정에 대한 이해는 필수적이다. 『오르페우』에 대한 사전적 설명은 더없이 간단하다.

> 계간 『오르페우』는 1915년 3월, 페르난두 페소아와 포르투갈의 시인 및 예술가들(브라질인 두 명 포함)이 모여 만든 잡지로, 시와 희곡, 에세이, 조형예술 작품 도판 등을 수록했으나, 단 두 호를 발행하고 넉 달 만에 중단되었다.

그런데 일견 평범해 보이는 이 문예지가 결과적으로 포르투갈 현대문학사에 가장 굵직한 획을 그었고, 유럽의 모더니즘이 각국에서 전개되는 다양한 양상을 이해하는 데 중요한 단초를 제공했음은 물론, 페소아 문학 세계의 주요 특성이 기틀을 잡는 계기를 마련한 것이다.

사-카르네이루와의 우정

일단 창간 10년 전으로 되감기를 해보자. 1905년, 남아공에서 유년 시절을 보내고 고향 리스본으로 돌아온 열일곱 살의 문학청년은 리스본 대학 인문대학에서 철학과 문학을 공부하다가 1907년에 학업을 중단한다. 학생들의 수업 거부와 페소아 자신의 건강 문제 등의 요인도 있었지만 시간 낭비라고 여긴 이유가 큰 듯하다. 이미 넓은 바깥 세계를 보고 왔고, 또래보다 월등한 견문과 교양을 쌓은 그가 따분하지 않았을 리 만무하다. 이후 그는 영어·프랑스어 번역을 하며 생활을 해결하는 한편, 도서관을 드나들며 그때까지 주로 영문학에 한정되어 있던 독서 반경을 대폭 확장시킨다. 특히 계부의 형인 엔히크 로사의 소개로 포르투갈 문학도 더 폭넓게 접하며 자국 문화와 역사에 대한 이해도 심화시켜나간다.

1911년 말, 번역가로서 생활을 해결하던 그에게 영국행 길이 열린다. 그는 포르투갈과 영국의 출판사가 합작하여 기획한 세계문학전집의 번역 일을 의뢰받게 되었는데, 그의 출중한 번역 능력에 감탄한 영국 측 담당자가 이듬해에 그에게 런던으로 건너와 그곳에서 일하며 프로젝트를 마무리하지 않겠느냐고 제안을 한 것이다. 남아공 재학 시절 영국 유학이 좌절된 이후 두 번째로 찾아온 좋은 기회였다. 그런데 이번에는 그가 초청에 응하지 않는다. 그 연유는 아무도 모른다. 우리가 아는 것은 젊은 나이에 자의 반 타의 반으로 내린 이 두 번의 '선택'이 페소아 개인의 생애는 물론 포르투갈 현대문학사에 있어서 결정적인 전환점이 되었고, 그 결과로 한때는 영어로 시를 쓰는 시인이 되기를 열망했던 이 청년이 "내 조국은 포르투갈어"(『불안의 책』, 텍스트 259)라는 말까지 남긴, 명실상부한 포르투갈 시인으로 거듭날 수 있었다는 점이다.*

* 그러나 그를 애국심 넘치는 민족주의자로 단순화할 수는 없다. 가령 다른 곳에서는 "나는 포르투갈어로 쓰지 않는다. 나 자신으로 쓴다"(『불안의 책』, 텍스트 443)고 말하기도 했다. 페소아는 언제든지 우리를 혼란스럽게 만들 수 있다!

스물네 살이 되던 1912년, 페소아는 「사회학적으로 고찰한 새로운 포르투갈의 시」, 「재발」 등의 평론들을 연달아 문예지 『아기아*A Águia*』에 기고하면서 문학평론가로 등단한다. 그는 프랑스와 영국 문학의 발전사를 시기별로 비교·분석하면서 '모호함' '미묘함' '복잡함'의 세 가지 키워드를 이용해 포르투갈 문학이 나아갈 방향을 논하는데, 특히 눈에 띄는 대목은 포르투갈 시의 새로운 지평을 열 주체로서 '초超 카몽이스Supra-Camões'라는 존재를 예견하는 결론 부분이다. 주지하다시피 카몽이스는 민족적 기상을 드높인 서사시 『루지아다스』를 써서 포르투갈 역사상 가장 위대한 시인으로 평가받는 인물이다. 이 '국민 시인'의 아성을 능가하는 전대미문의 시인 '초 카몽이스'의 도래가 누구를 암시하고 있는지는 명백하다.

페소아가 이 글들을 기고한 『아기아』는, '향수주의'를 주창하며 '포르투갈 르네상스' 담론을 주도하던 시인 테이셰이라 드 파스코아이스와 그의 동료 및 추종자들이 주축이 되어 만든 잡지였다. 비록 『아기아』를 통해 데뷔하긴 했지만 페소아는 향수주의 그룹과 거리를 둔다. 당시에 존재하는 움직임 중에서 그나마 흥미롭다고 판단했고 포르투갈 역사를 신비주의적으로 해석하는 점 등에서 일정한 공감대를 이루긴 했지만, 그가 품은 원대하고 코즈모폴리턴한 문학적 이상은 향수주의 멤버들이 추구하는 민족적 중흥 저 너머를 갈망하고 있었다. 1914년, 그가 투고한 극작품 「선원」이 『아기아』에 게재되지 못하는 과정에서 잠재된 불만이 수면 위로 드러나고, 관계는 곧 단절된다.

그보다 2년 전인 1912년 4월 페소아는 중요한 친구 한 명을 사귀게 된다. 그는 부유한 군인 집안에서 태어나 리스본과 파리를 오가는 댄디의 삶을 살고 있던 시인 마리우 드 사-카르네이루Mário de Sá-Carneiro였다. 첫눈에 서로를 알아보고 곧 깊은 정신적 교감을 나누는 사이로 발전하는 두 사람은 1912~1913년 사이에 리스본의 카페들을 전전하며 다른 작가와 예술가들을 두루 사귀고 느슨한 그룹을 형성한다. 그중에는 아방가르드 시각예술가 알마다 네그레이루스, 미래주의자 산타-리타 핀토르 등 장차 포르투갈 예술계를 대표할 인물들이 여럿 포함되어 있었다. 기존의 파벌이나 세력에 의존하지 않는 그들만의 독립적인 문학 공간이 필요했던 페소아와 사-카르네이루는, 새로운 잡지 창간의 꿈을 키워간다.

이처럼 작가들의 활발한 교류와 구상의 무대가 된 공간들이 아직 리스본에 남아 있을까? 페소아와 친구들의 흔적을 찾는 사람들이 주로 방문하는 곳은 관광지로 잘 알려진 카페 마르티뉴 다 아르카다Café Martinho da Arcada와 카페 브라질레이라Café A Brasileira이다. 이 두 카페는 당시 로시우 광장에 각각 분점이 있었는데, 페소아 일행이 주로 드나들던 곳은 현재 남아 있는 본점보다 사라지고 없는 분점들이었다. 시내 한복판의 목 좋은 시아두 지역에 자리 잡은 탓에 늘 북적거리는 브라질레이라 본점은, 한때는 페소아도 왕래를 했으나 곧 발길을 끊은 곳이다. 『불안의 책』을 보면, 사람들이 카페 내부의 거울에 자신을 비춰보는 모습을 탐탁지 않아 하는 대목이 있는데, 그 이유 때문인지 말년(1920~1930년대)으로 갈수록 거울이 없고 덜 붐비는 테헤이루 두 파수의 카페 마르티뉴 쪽을 훨씬 선호했다.

그렇다면, 정말로 오르페우 세대가 본격적으로 '작당'을 하던,

카페 브라질레이라

카페 브라질레이라는 페소아가 동료 작가, 예술가들과 교류하던 무대이다. 페소아는 일행과 함께 주로 로시우 광장에 있는 카페 브라질레이라의 분점을 찾곤 했는데, 그곳은 현재 사라지고 없다. 시아두 지역에 있는 본점은 한때 페소아도 왕래했으나 이내 발길을 끊었다.

코스타 브로샤두와 함께

카페 브라질레이라와 함께 카페 마르티뉴 다 아르카다 역시 페소아가 동료들과 함께 자주 방문하던 곳이다. 이곳에서 잡지 『오르페우』 창간을 위해 집결하곤 했다. 위 사진은 작가 코스타 브로샤두Costa Brochado와 함께 있는 페소아의 모습.

『오르페우』의 산실이라고 부를 만한 단골 가게를 하나 꼽으라면 어디일까? 동인 중 한 명인 알프레두 기사두Alfredo Guisado의 부모가 운영하던 레스토랑 이르마우스 우니도스Irmãos Unidos라고 하겠다. 페소아가 죽은 후 동료 알마다가 그린, 『오르페우』 2호가 탁자에 놓인 시인의 유명한 초상화도 이 식당에 걸려 있었다. 이 외에도 아르만두 코르테스-로드리게스 등 지방에 사는 문인들에게 보낼 원고 청탁서를 작성하거나, 『오르페우』의 편집 및 교정을 보곤 하던 카페 몬타냐Montanha, 그리고 맥줏집 얀센Jansen 등이 있으나 아쉽게도 지금은 이 세 곳 모두 사진으로만 남아 있다.

오르페우의 전위적이고 파격적인 실험

대문호 카몽이스의 굳건한 위치를 넘보던 페소아의 문학적 야망, 『아기아』와의 결별, 그 이후 더 절실해진 독립적인 문학 프로젝트, 때맞춰 맺게 된 사-카르네이루와의 특별한 우정……. 이런 일련의 조건들이 하나둘씩 갖춰지면서 잠재된 싹들이 꿈틀거리고는 있었지만, 정말로 일이 벌어지려면 결정적인 계기가 필요한 법이다. 때마침 1914년 7월, 제1차 세계대전이 발발하고, 사-카르네이루를 비롯해 파리에 체류 중이던 포르투갈 예술가들이 대거 리스본으로 되돌아온다. 최신 문화의 중심지에서 벌어지는 생생한 변화를 몸소 체험하다 온 예술가들이, 각자 챙겨온 '보따리'들을 풀면서 중립국으로서 전쟁의 직접적 여파에서 어느 정도 비켜나 있던 포르투갈의 수도 리스본의 문화계는 때아닌 활기를 띤다. 이런 분위기 속에 차후『오르페우』의 초기 멤버가 될 '패거리' 또한 하루가 멀다 하고 모임을 가진다. 이듬해 2월, 브라질에서 돌아온 사-카르네이루의 친구 루이스 드 몬탈보르가 페소아와 사-카르네이루를 만나 잡지 창간을 구체적으로 제안하는데, 그가 내놓은 이름이 바로 '오르페우'였다. 모두 그 제목에 동의하고 곧바로 필자 모으기에 착수한다.

이렇게 해서 바로 그다음 달(3월)에 창간호가 세상에 모습을 드러낸다.『오르페우』1호만 해도 프랑스 상징주의와 데카당스의 그림자가 짙게 드리워 있고, 다소 진부한 작품들도 없지 않았다. 배우들의 행동 연기가 전혀 없는 독특한 형식을 취한 페소아의 희곡「선원」도, 그보다 일찍 '정지극'을 시도한 바 있는 벨기에의 극작가 모리스 마테를링크의 영향이 짙다. 그럼에도 불구하고『오르페우』는 기존의 문학과 단절을 선언할 만한 요소들을 충분히 갖추고 있었다. 그 편집 방향부터 기존 잡지들과 사뭇 달랐다. 일단, 거의 전부 시로 이뤄졌는데 유일한 산문이라고 할「선원」조차 시적인 연극이라고 해도 과언이 아닌 작품이었다.

또『아기아』와 같은 기존 잡지들이 주로 여러 작가들의 단일 원고를 하나씩 받아서 싣는 형식을 취했던 데 반해『오르페우』는 선정된 소수의 작가 개개인에게 확실한 지면을 보장해 여러 편의 시를 싣도록 배려한 점이 눈에 띈다. 이런 형식의 변화는 각 작가의 작품 세계를 좀 더 심도 있게 접할 수 있게 해준다. 시각적 파격성도 한몫했다. 단순히 글을 보조하는 삽화 수준을 넘어 시각예술 작품도 문학 작품과 동일한 중량감으로 다루고 있어서, 그전까지 보기

잡지『오르페우』
문학과 시각예술의 새로운 만남을 엿볼 수 있는『오르페우』1호의 표지와 전차 표지판에 쓰이는 폰트를 차용한『오르페우』2호의 표지.『오르페우』는 내용과 형식 모두에서 전위적이고 파격적인 실험을 했다.

힘들던 방식의 문학과 시각예술의 만남을 관찰하는 것이 가능해졌다. 실린 작품들의 내용도 눈을 즐겁게 하거나 현실의 재현에 치중한 이미지들이 아니라 당시로서는 독자의 심기를 불편하게 하거나 의문을 자아내기에 충분한 추상 콜라주들이었다.

하지만 뭐니 뭐니 해도 문학 작품 자체의 힘을 빼놓을 수 없다. 페소아가 알바루 드 캄푸스라는 이명으로 발표한 「아편쟁이」와 「승리의 송시」 그리고 사-카르네이루의 「금빛 징후」의 파격성은 예상 이상의 큰 파장을 일으켰다. 출간 후 얼마 지나지도 않아 신문과 잡지에 수십 개의 서평과 기사가 연달아 실리는데, 대부분은 노골적인 악평들이었다.

"분노한 평단"(『에코』, 4월 9일자)

"미친 문학: 포르투갈 '미래주의'—웃기는 데는 성공"(『방가르다』, 4월 6일자)

"망상증 시인들"(『일루스트라상 포르투게사』, 4월 19일자)

"정신병원의 예술가들"(『카피탈』, 6월 28일자)

"비호감형 미래주의: 오르페우의 시인들은 비뚤어진 감성을 가진 어린아이들에 지나지 않는다"(『카피탈』, 7월 6일자)

실제로 잡지의 내용을 들여다보고, 또 가뜩이나 보수적이던 리스본 평단 분위기를 감안한다면 이런 거센 반응도 놀랍지 않다. 가령 문제가 된 사-카르네이루의 시 「16」의 한 구절을 보자.

카페의 탁자들이 미친듯이 허공처럼 휘돈다…….

내 팔 한쪽이 떨어져나갔다……. 이것 봐라, 그것이 왈츠를 추며 다닌다.

연미복을 차려입고, 총독의 홀들에서…….

— 1914년 5월(『오르페우』 1호에 발표)

팔 한쪽이 춤을 추며 돌아다니는 해괴한 상상력은 점잖은 문학 독자들이 이전에는 듣도 보도 못하던 것이었다. 낯설기 짝이 없는 기계적 감수성에 대한 찬미로 가득한 캄푸스의 「승리의 송시」는 또 어떤가? 거친 의성어 나열과 요란한 영탄법으로 마감되는 마지막 구절에 이르면 대부분의 독자들은 이것을 과연 시라고 할 수 있는지 어리둥절해할 수밖에 없었으리라.

모든 것으로 모든 것 위로 도약하기! 훕—라!

훕—라, 훕—라, 훕—라—호, 훕—라!

헤—라! 헤—호 호—오—오—오!

즈—즈—즈—즈—즈—즈—즈—즈—즈—즈—즈—즈!

아, 모든 인간과 모든 장소가 될 수 없음이여!

— 1914년 6월(『오르페우』 1호에 발표)

평소 "부르주아들을 놀래키는 것épater la bourgeoisie"을 지상 목표 중 하나로 삼았던 페소아와 사-카르네이루가 세간의 거부감에 전혀 개의치 않았음은 물론이다. 오히려 이들은 이 반향들을 안줏거리 삼아 한층 더 고약한 일을 저질러보자는 심산으로 2호 준비를 서둘렀다. 마치 "우리더러 정신병자라고? 좋아, 진짜 정신병이 뭔지 보여주마!"라고 도발적인 응수라도 하듯, 실제로 정신병원에 입원해 치료를 받고 있던 시인 안젤루 드 리마Ângelo de Lima를 전격 발탁해 그의 시들을 2호 첫머리에 배치하는 등 파격 행보를 이어간다(최근 발표된 한 연구에 의하면 안젤루 드 리마는 사실상 정신병자가 아니었다고 주장하는데, 당시에 이렇게 억울한 일들이 얼마나 비일비재하게 일어났던가!). 또한 1호에서 국제적인 모양새를 갖추기 위해 형식적으로 포르투갈인(루이스 드 몬탈보르Luis de Montalvor)과 브라질인(호날드 지 카르발류Ronald de Carvalho)을 각각 한 명씩 대표 편집자로 내세운 것과는 달리, 6월에 발간된 2호부터는 페소아와 사-카르네이루가 전면에 나서면서 확실하게 전권을 쥐고 한층 더 혁신적인 방향으로 키를 돌린다. 표지부터 완연히 모더니스트다운 꼴을 갖춘다.

세간에 알려지지 않은 주변부의 재능 있는 시인들을 찾아내 발굴하고 적극적으로 조명하려는 페소아의 예리한 안목과 관심은, 동시대인들은 물론 지나간 선배들에게까지 미치게 된다. 앞서 언급한 안젤루 드 리마는 물론, 그전까지 주목받지 못했던 시인 세자리우 베르드Cesário Verde의 진가를 일찍부터 알아보고 후대에 알렸고, 『오르페우』 3호에는 역시 무명에 가까웠던 카밀루 페사냐Camilo Pessanha의 시를 포함시키는 등 문학 활동가·비평가로서 그의 태도는 잡지 이후로도 일관성 있게 지속된다. 실제로 이런 활동 등에 힘입어 베르드와 페사냐는 페소아 이전 시대를 대표하는 시인들로 재평가를 받게 되었고 지금은 높은 문학적 가치를 인정받고 있다.

『오르페우』의 아방가르드적 실험에 공헌한 다른 구성원들에게는 다소 미안한 얘기지만, 페소아와 사-카르네이루라는 쌍두마차가 이뤄낸 문학적 성취와 독창성은 나머지 멤버들을 압도했다고 해도 지나친 평가가 아니다. 이 둘의 천부적 재능과 돈독한 우정이야말로 잡지의 핵심 동력이었는데, 그중에서도 페소아는 이 모든 것의 중심에 서서 실로 전방위적 활약을 펼쳤다. 잡지의 기획과 편집을 담당했음은 물론, 홍보 및 조판, 디자인에까지 두루 관여했고, 다양한 문학사조를 창안해 동료 작가들에게 지대한 영향을 끼쳤으며, 직간접적 즉 본명과 이명으로 여러 편의 핵심 원고를 기고하면서 그 사상들을 문학적으로 현실화시켰을 뿐만 아니라, 어떤 경우에는 동료들에게 문학적 '지도'까지 해주기도 했다. 가령, 페소아가 지어준 가명 '비올란테 드 시즈네이루스'로 기고한 코르테스-로드리게스의 경우가 좋은 사례이다.

오르페우, 포르투갈 모더니즘의 시작

자신이 주도한 문학적 실험의 이 같은 '성공'에 페소아 본인도 크게 고무되어 들뜬 모습을 감추지 않았다. "우리가 리스본의 오늘 화제라네, 과장 안 보태고 하는 말이야. 스캔들이 엄청나. 길거리에서도 입에 오르내리는데 모두, 심지어 문학계와 관련 없는 사람들조차 『오르페우』 이야기를 하고 다닌다고……."(1915년 4월 4일, 코르테스-로드리게스에게 보낸 편지 중) 그러나 지나치게 흥분한 탓이었을까? 그만 사고를 치고 만다. 1915년 7월 3일 공화파 민주당 당수였던 아폰수 코스타가 테러 위협을 느끼고 전차에서 뛰어내려 크게 부상을 당한 사고가 발생했는데, 며칠 뒤 페소아가 캄푸스의 이름으로 『오르페우』를 미래주의 계열의 잡지로 취급한 바 있는 기사에 항의하는 내용의 편지를 한 신문사에 보내면서, 말미에 이 사고를 조롱하는 듯한 언급을 한다. 왜 굳이 그래야 했을까? 평소 아폰수 코스타와 민주주의자들에 대한 반감이 컸기 때문이었을 수도 있고, 자극적인 언사를 일삼던 캄푸스의 습관대로 그저 할 말을 한 것뿐일지도 모른다. 그러나 이 신문사가 편지를 공개하면서 『오르페우』는 공분을 사게 되었고, 잡지 동인들조차 캄푸스의 발언에 동의하지 않으며 노골적으로 거리를 두었다. 그러나 같은 해에 쓰인, 보내지 않은 편지를 보면 페소아는 이 소동의 책임과 관련해 전혀 반성할 의사가 없었음을 알 수 있다. 그리고 바로 며칠 후 사-카르네이루가 알 수 없는 이유로 파리로 돌아간다.

어느새 9월. 출간 준비를 거의 마친 『오르페우』 3호는 그러나 안타깝게도(페소아 생전에) 발행되지 못한다. 직접적인 원인은 그때까지 자금을 대주던 사-카르네이루의 아버지가 지원을 끊은 탓이었지만, 편지 사건이 원인을 제공했을 가능성도 적지 않다. 『오르페우』 멤버 대부분이 페소아에게서 등을 돌리면서 그는 심리적으로 고립되지 않을 수 없었을 것이다.

그렇게 해서 『오르페우』의 짧고도 화려한 역사는 종언을 고하고,

이 시점부터 페소아는 서서히 포르투갈 문학계의 주변부로 밀려난다. 제정신이 아닌 작가라는 낙인이 찍혀버린 탓일까? 약 10년 후, 코임브라 출신 평론가·작가들이 주축이 된 잡지 『프레젠사*Presença*』에서 그의 성취를 진지하게 재조명하기 전까지, 그는 문단과 대중의 관심으로부터 조금씩 멀어지고, 엎친 데 덮친 격으로 1916~1918년 사이에 사-카르네이루를 포함한 『오르페우』의 핵심 멤버들마저 자살과 전염병으로 차례차례 세상을 떠나고 만다.

한편으로는 의문도 든다. 이 얇은 잡지(1호 83쪽, 2호 164쪽) 두 권이 포르투갈의 문학계, 나아가 문화계까지 강타하고 잡지에 참여한 열 명 남짓의 작가들은 '오르페우 세대'라고 불리며 역사에 이름을 남기게 된다는 얘기인데, 대체 어떻게 겨우 넉 달여 동안 유통되다가 단명한 작은 잡지가 한 나라의 문화에 그만한 영향을 미칠 수 있었을까? 게다가 세계대전의 회오리 속에서 일개 문학 잡지가 뉴스거리가 되었다는 사실부터가 놀랍다. 페소아 본인의 표현을 빌리자면 다음과 같다.

> 이 말은 진실이긴 하지만 말도 안 되게 들릴 수 있는데, 『오르페우』에는 현재 진행 중인 전쟁보다 훨씬 더 많은 예측 불허와 흥미로움이 있다.
>
> —『페소아와 페소아들』

물론 역설적으로, 온 세상이 전쟁 이야기 일색일 때 이와 전혀 무관한 목소리를 낸 점이 주효했을 수도 있고, 이 정도의 파격이 역풍을 불러일으킬 만큼 포르투갈 문학계가 협소하고 정체되어 있었으며 보수적이었다는 점을 보여주기도 한다. 가령 비슷한 시기(1914)에 에즈라 파운드Ezra Pound와 윈덤 루이스Wyndham Lewis 등 영국의 '소용돌이파Vorticists'가 창간한 『블라스트*Blast*』*는, 『오르페우』와 다를 바 없는 전위적 에너지로 가득했음은 물론 그래픽적으로는 그보다 단연 한 걸음 더 나아갔음에도 불구하고 그만큼의 반향은 끌어내지 못했다. 비슷한 종류의 '문학 폭탄'도 상대적으로 규모가 크고 보다 자유로운 분위기의 사회에 떨어지면 같은 폭발력을 지니지 못하는 이치리라. 어떤 조건과 맥락하에 문학·문화적 '혁명'이 가능한지에 대해 포르투갈과 여러모로 공통점을 지닌 우리 사회에 시사하는 바가 크다.

『오르페우』라는 '지진'이 일어났음에도 불구하고, 포르투갈 땅의 변화는 곧바로 찾아오지 않았다. 비가 내린 후 토양이 더 굳어지듯, 잡지 폐간 이후 사회는 오히려 일시적인 반동화를 겪기도 한다. 그러나 오르페우 세대가 뿌린 씨앗이 점차 깊이 뿌리내리게 되고, 후대에 끝없이 영향을 미치며 풍부한 결실을 맺게 된다.

그 영향은 크게 두 가지 갈래로 나누어 볼 수 있다. 하나는 잡지 자체에 대한 끊임없는 다시 읽기이다. 앞서 언급한 영국의 『블라스

* 『오르페우』가 표지 디자인 등에서 『블라스트』로부터 직접적인 영향을 받았다고 주장하는 논문도 있는데, 두 표지는 한눈에 보기에도 성격이 분명히 구분될뿐더러, 페소아가 『블라스트』 창간호를 소장한 것은 사실이지만 그가 이를 실제로 주문해서 받아본 것은 『오르페우』가 이미 발간된 이후였다.

트』만 해도, 『오르페우』처럼 10년마다 그 성과를 새로운 시대적 맥락에서 되짚어보고 재조명하지는 않는다. 이 잡지는 폐간 10주년, 20주년은 물론 페소아 사후 한참이 지난 지금까지도 꾸준히 관심을 받고 있다. 가령 지난 1984년에는 그간 빛을 보지 못했던 『오르페우』 3호가 후배 문인들에 의해 뒤늦게 출간되어 또 한 번 화제를 일으키기도 했다.

『오르페우』가 남긴 유산의 또 다른 갈래는, 잡지에 참여한 개인들을 모두 포함하는 이른바 '오르페우 세대'의 폭넓은 영향력이다. 이 열댓 명의 걸출한 인물들은 각자의 분야에서 지속적으로 두각을 나타내며 포르투갈 문화 전반에 굵직한 획을 남긴다. 이런 개인적인 성취도 『오르페우』라는 창조적 구심점이 없었다면 불가능했을, 아니 가능했더라도 전혀 다르게 전개됐을 것이다. 한마디로, 1915년을 기점으로 포르투갈에서 글을 쓰고 시를 짓고 그림을 그리는 사람들은 더 이상 전과 같이 쓰고 짓고 그릴 수 없었다. 이전 세대와 단절을 성공적인 방식으로 이끌어낸 『오르페우』와 그 세대가 남긴 꾸준한 성과들을 '포스트 오르페우 세대'가 직간접적으로 의식하지 않기란 불가능에 가까웠다.

대부분의 연구자들은 포르투갈 문학사에 있어서 모더니즘의 시작을 『오르페우』의 탄생과 직결시키는데, 이 잡지 프로젝트가 포르투갈에 모더니즘을 '들여왔다'고 말할 때는 한 가지 주의해야 할 점이 있다. 이 말을 당시 파리나 런던을 중심으로 출몰하던 온갖 정치·예술 사조들을 단순히 수입해서 소개했다는 뜻으로 이해하면 곤란하다. 이는 『오르페우』는 물론 포르투갈 모더니즘 전체의 의미를 축소하고 왜곡하는 꼴이 된다. 현대 예술의 기수인 화가 파블로 피카소를 배출했다고 자랑하는 이웃나라 스페인도, 문학에 있어서는 1918년 '울뜨라이스모Ultraísmo' 운동이 기존 문학의 방식들에 반기를 들고 나타날 때까지 상징주의와 '고답파Parnassianism'적 색채에 젖어 있었다. 마르셀 프루스트와 기욤 아폴리네르 같은 걸출한 작가들이 예술의 수도 파리에 집결하여 문화적 용광로 형성에 기여하던 프랑스의 경우도, 이탈리아인 마리네티가 주도한 미래주의처럼 그 근본부터가 워낙 국제적이었기에 국내 문학의 혁명으로 보기는 힘들다. 이처럼 주변 나라와 구별되는 독특한 양상으로 나타난 것이 포르투갈의 모더니즘이었다.

『오르페우』라는 프로젝트에는 소개 차원을 넘어서는 독자적인 시대정신의 해석이 있었고, 페소아 또한 처음부터 이 부분을 충분히 의식하고 여러 에세이와 편지를 통해 미래주의를 비롯해 유럽 전역에 유행하는 조류들과 분명한 거리를 둔다. 그가 창안하고 실험하면서 때로는 과감히 버리기도 했던 다양한 사조들, 즉 '습지주의' '교차주의' '감각주의' 등은 외부의 영향들을 흡수하되 내부적 특성과의 긴장 속에서 자기만의 고유한 것으로 만들어가는 승화 과정의 결과들이었던 것이다.

오르페우의 끝, 그리고 또 다른 시작

앞서 말했듯 『오르페우』 시기의 또 한 가지 중요한 점은, 페소아의 주요 이명들이 이 무렵에 만들어지거나 구체화되었다는 것이다. 창간 한 해 전 페소아는 '승리의 날'로 불릴, 창조력 폭발의 순간을 경험한다. '이명의 기원'이라고 불리는 유명한 1935년 편지에서 그는 이날의 경험을 생생하게 회고한다.

> 그때가 1914년 3월 8일, (…) 평소에 기회 있을 때마다 하던 것처럼 허리 높이쯤 오는 옷장 서랍 가까이 가서 종이 몇 장을 꺼내고는, 서 있는 채로 글을 쓰기 시작했어. 그리고 연속으로 삼십여 편의 시를 써 내려갔어, 뭐라 표현할 길 없는 어떤 황홀경에서. 그게 내 인생에서 승리의 날이었어, 그리고 그런 날은 두 번 다시 오지 않을 걸세.
>
> —『페소아와 페소아들』

페소아 사후 이뤄진 문헌학적 연구들은 시인이 다소 과장(혹은 착각?)을 한 것으로 밝혀냈다. 그가 지칭하는 시들이 실제로 하루 만에 일필휘지로 완성된 것들은 아니었고, 그 전후로 수차례 수정하고 매만진 흔적들이 있었다. 그러나 부분적으로 과장이 있었다 하더라도, 그가 전무후무한 강도의 문학적 도취 상태를 겪으면서 비교적 짧은 시간 내에 이명들이 구체화된 점은 분명하다. 1914~1915년 사이, 즉 '승리의 날'과 『오르페우』 발간 사이에 페소아의 대표작으로 주저 없이 꼽을 수 있는 시 여러 편이 대거 완성된다. 그중 리카르두 레이스와 알베르투 카에이루의 작품들은 오랫동안 빛을 보지 못하다가 각각 1924년, 1925년이 되어서야 잡지 『아테나』에 발표되었다. 본명으로 쓴 「기울어진 비」, 캄푸스의 「아편쟁

습지주의 · 교차주의 · 감각주의

습지주의

'파울리즘Paulismo'은 직역하면 '습지주의' 또는 '늪주의'이다. 페소아가 창안한 여러 문학 사조 중 가장 초기 단계의 사조로, 그 이름은 그 전범이 된 시 「황혼의 인상들」의 첫 단어 '습지들Pauis'에서 따왔다. 상징주의, 데카당스 특유의 모호한 표현들이 주·객체의 혼동, 연결되지 않는 생각들의 조합, 허무한 상태의 영혼, 지금 여기 없는 타자에 대한 갈망 등과 결합하여 의도적으로 독자의 혼란을 가중시키는 특징을 지닌다. 프랑스 시인 스테판 말라르메의 상징주의와 포르투갈 선배 시인 카밀루 페사냐의 영향을 자기 것으로 소화하는 과정에서 탄생한 경향이라고 할 수 있다. 안토니우 페루와 알프레두 기사두와 같은 후배 시인들이 이에 영감을 받고 창작열을 불태운 것과는 달리, 정작 페소아 자신은 자신이 창조한 이 사조에 대해 한편으로는 이명 알바루 드 캄푸스의 입을 빌려 "상징주의와 신상징주의를 괄목할 만하게 발전시켰다"는 평가를 내리는 한편, 다른 글에서는 진지하지 못한 '장난blague'에 불과하다며 폄하해버리는 등 이중적인 태도를 취했다.

교차주의

파울리즘에 대한 페소아의 흥미가 시들해지며 떠오른 '교차주의Interseccionismo'는 '입체파(큐비즘)'의 문학적 현현으로 평가받는다. 그의 설명에 따르면 입체파가 "사물을 그 자신과 교차시키는 것"인데 반해, 교차주의는 "사물과 그 사물에 대한 감각을 교차시키는 것"이다. 페사냐와 더불어 페소아가 존경했던 선배 시인 세자리우 베르드의 영향이 엿보이는 교차주의의 대표작 「기울어진 비」에서, 페소아는 이미지의 교차와 병치를 선배보다 한 차원 끌어올려 풍부하고 신선한 이미지의 향연을 보여준다. 회화나 사진 등 다른 시각 예술 분야와의 접속을 통해 새로운 미학적 차원을 구현하려 한 시도로 평가될 수 있는데, 이는 다름 아닌 『오르페우』 잡지 활동을 한 시기와 맞물려 있다.

감각주의

잡지 『오르페우』를 발간하면서 페소아는 '감각주의Sensacionismo'라는 또 다른 사조를 통해 창조적 전기를 맞이하고 자신이 만들어낸 습지주의와 교차주의를 한 차원 확장하는 한편, 유럽 대륙에서 건너온 최신 문학적 경향들을 자기 것으로 흡수하고 창조적으로 재해석하며 종합하려는 실험을 감행한다. 모든 예술은 근본적으로 감각하기에서 비롯된다는 명제에서 출발하는 감각주의는 시인의 창작 과정을, 첫째, 외부 세계에 대한 감각, 둘째, 감각에 대한 의식, 셋째, 그 감각에 대한 의식의 의식이라는 세 가지 단계로 정리한다. 감각주의의 이상은 알바루 드 캄푸스의 좌우명이라고도 할 수 있는 슬로건 "모든 것을 모든 방식으로 느끼기"에 잘 요약되어 있는데, 사실 이러한 상상력은 이미 「키츠에게」에서 엿보이는 "당혹스럽고 깊은 내 느낌들"에서 잉태되고 있었으며, 1930년 『시가집』의 구상 목록 중 하나에 포함된 무제시 "아, 모든 것으로부터 모든 걸 느끼기"에서도 직접적으로 표현되고 있음을 발견할 수 있다. 단, '감각주의'라는 말에서 상상할 수 있는 것과 달리, 시인이 느끼는 감각이나 감정 자체를 최우선시하고 이를 그대로 표현하는 수준이 아니라, 감각을 의식화·지성화intelectualização하고 종합할 수 있는 시인의 역량과 거기서 발생하는 시적 표현의 힘을 강조하는 데 초점이 있다고 하겠다.

NÓS OS DE "ORPHEU"

Anunciou Almada, no segundo número de «SW», que nêste terceiro se inseriria colaboração dos que foram de *Orpheu*. Cumpre-se.

Procurâmos coordenar, Almada e eu, produções inéditas de quantos figuraram literàriamente na revista extinta e inextinguivel a que ambos pertencemos. Excluidos, por motivos de estreiteza de tempo e largueza de distância, os dois colaboradores brasileiros — Ronald de Carvalho e Eduardo Guimaraens — conseguimos que estivessem presentes todos os outros, com duas excepções, uma delas atenuada com o sacrificio do ineditismo.

De Angelo de Lima, como nada descobrissemos de inédito, decidimos publicar aquele extraordinário soneto — dos maiores da lingua portuguesa — em que o poeta descreve a sua entrada na loucura, em que longos anos viveu e em que morreu. O soneto, se não é inédito, está contudo esquecido. Publicando-o, não deixamos de, saüdosamente, fazer lembrar quem, não sendo nosso, todavia se tornou nosso.

Nada porém foi possivel incluir de Côrtes-Rodrigues, que é directamente de *Orpheu*, e os poemas de cuja personalidade inventada, Violante de Cysneiros, são uma maravilha subtil de criação dramática. Nêste caso a dificuldade foi, como no dos brasileiros, geográfica: estas produções foram coordenadas à pressa, Côrtes-Rodrigues vive nos Açôres. Aqui lhe deixamos, num abraço, a expressão da nossa camaradagem de sempre: e o perpetrador destas linhas, velho amigo seu, acrescenta a ela o desejo de que Côrtes-Rodrigues se não embrenhe demasiado, como de há tempos se vai embrenhando, no catolicismo campestre, pelo qual fàcilmente se aumenta o número de vitimas literárias da pièguice fruste e asiática de S. Francisco de Assis, um dos mais venenosos e traiçoeiros inimigos da mentalidade ocidental.

Quanto ao mais, nada mais. Cá estamos sempre.

Orpheu acabou. *Orpheu* continua.

FERNANDO PESSOA

Na impossibilidade de darmos a colaboração de José Pacheco e de Santa-Rita Pintor, aqui deixamos os seus nomes ligados aos de «Orpheu».

SW

잡지 『수도에스트*Sudoeste*』 3호에 실린 『오르페우』 창간 20주년 기념 기사. 마지막 문장, "오르페우는 끝났다. 오르페우는 계속된다(Orpheu acabou. Orpheu continua)"가 눈에 띈다.

이」「승리의 송시」 그리고 「해상 송시」는 1915년 『오르페우』에 게재되었다.

1년 남짓한 기간 동안 페소아가 거둔 이 같은 수확은 일종의 '미완성 콤플렉스'가 있었던 그에게는 다소 이례적인 일이었다. 평소 완벽주의자로서 원하는 수준의 역작을 완성시키지 못하고 파편들만 양산하는 데 적지 않은 좌절감을 느끼고 있던 그는, 1927년 3월 8일 친구 안토니우 보투에게 보내는 편지에서는 자신의 산만함을 비꼬기도 한다.

> 어제는 분명하고 완성된 프로젝트를 다섯 개나 진행했는데, 어떤 거였는지 뭐하러 한 건지 이젠 기억도 안 나네. 요즘 쓰는 내 시들은 모조리 처음에서 중간까지만 완성되었어—실은 요즘 시가 아닌 것들도 마찬가지 상황이지만.
>
> 오래된 내 계획 하나에 의하면, 나는 엊그제 이미 영국으로 떠났어야 해.
>
> — 안토니우 보투António Botto, 『노래들*Canções*』

이런 맥락에서 본다면 『오르페우』 덕을 가장 톡톡히 본 인물은 이명 알바루 드 캄푸스였다. 그의 수많은 완성작들이 이 시기를 전후로 쏟아져나왔다. 『오르페우』가 없었다면 지금의 캄푸스도 없었을 것이고, 그 역 또한 성립한다. 이는 우연이 아니다. 『오르페우』가 대변한 '모던'한 가치들을 전면에 내세우기에 가장 적합한 인물이 바로 캄푸스였고, 나머지 두 시인 카에이루와 레이스의 작품들은

Ao toque adormecido da morfina
Perco-me em transparências latejantes
E numa noite cheia de brilhantes
Ergue-se a lua como a minha Sina.

Eu, que fui sempre um mau estudante, agora
Não faço mais que ver o navio ir
Pelo canal de Suez a conduzir
A minha vida, camfora na aurora.

Perdi os dias que já aproveitara.
Trabalhei para ter só o cansaço
Que é hoje em mim uma especie de braço
Que ao meu pescôço me sufoca e ampara.

E fui criança como toda a gente.
Nasci numa provincia portuguêsa
E tenho conhecido gente inglêsa
Que diz que eu sei inglês perfeitamente.

Gostava de ter poêmas e novélas
Publicados por Plon e no *Mercvre*,
Mas é impossivel que esta vida dure.
Se nesta viagem nem houve procélas!

A vida a bórdo é uma coisa triste
Embora a gente se divirta ás vezes.
Falo com alemães, suecos e inglêses
E a minha mágoa de viver persiste.

Eu acho que não vale a pena ter
Ido ao Oriente e visto a India e a China.
A terra é semelhante e pequenina
E ha só uma maneira de viver.

Porisso eu tomo ópio. É um remedio.
Sou um convalescente do Momento.
Móro no rés-do-chão do pensamento
E ver passar a Vida faz-me tedio.

Fumo. Canso. Ah uma terra aonde, emfim,
Muito a leste não fosse o oeste já!
Pra que fui visitar a India que ha
Se não ha India senão a alma em mim?

알바루 드 캄푸스의 「아편쟁이」
페소아가 알바루 드 캄푸스의 이름으로 1915년 『오르페우』에 발표한 시 「아편쟁이Opiário」의 일부분. 캄푸스는 1914년 페소아의 대표 이명으로 등장한 이후 활발한 창작 활동을 이어간다.

시대와의 관련성이 훨씬 적었다. '코스타 편지 스캔들'에서 확연히 드러나는 페소아의 선동적·자극적·비타협적인 면은 모두 캄푸스의 입을 통해 표현되었고, 캄푸스 역시 이런 과정들을 거치면서 하나의 스타일에서 한 명의 시인으로 성장했다.

『오르페우』가 평론가와 기자들을 정말로 자극한 것은 다른 작가들 때문이 아니라 다름 아닌 '미치광이' 시인 두 명, 즉 캄푸스와 사-카르네이루가 쓴 시들이 원인이었다. 당시로서는 도저히 정상적인 사람이 썼다고 하기 힘든 시들로 보였기 때문이다. 이 말을 뒤집으면, 이 '비정상성'이야말로 『오르페우』의 독창성이었던 것이다. 한발 더 나아가, 포르투갈 현대문학의 시작을 선포한 시인은 페소아가 아니라 캄푸스라고 해도 틀린 말이 아니다. 청출어람처럼, 페소아가 낳은 이명이 페소아 자신을 능가해버린 것이다.

이 모든 것이 1914년 '승리의 날'과 1915년 『오르페우』 창간과 같은 사건들이 아니었다면 불가능했으리라. 아니, 적어도 전혀 다른 방향으로 전개되었을 것이다. 1935년, 『오르페우』 창간 20주년을 맞아 페소아는 당시를 회고하는 글을 이 두 문장으로 마친다.

"오르페우는 끝났다. 오르페우는 계속된다."

그리고 그해는 시인의 마지막 해가 되었다.

* 4장 '오르페우는 계속된다'는 『문학동네』 2015년 겨울호에 본인이 기고한 「작가론: 1915년, 승리의 해— 『오르페우』 창간 시절의 페소아를 중심으로」의 기본적인 흐름을 바탕으로 새로운 내용을 추가해 재구성했다.

05

FERNANDO PESSOA

파편과 폐허의 미학

『불안의 책』을 즐기는 법

『불안의 책』에 관한 파편적 단상들

세계적으로 가장 널리 알려진 페소아의 작품이 『불안의 책』이라는 데 이론을 제기할 사람은 없을 것이다. 그러나 이 책의 내용에 관해서는 공감대를 이루기가 생각보다 쉽지 않다. 읽는 이마다 해석이 천차만별이기 때문이다. 2015년 7월, 잠시 고정 출연하던 서울의 어느 라디오 방송프로그램에서 『불안의 책』을 소개한 날의 좌절감을 기억한다. 이 책을 나의 반만큼도 좋아하지 않는 사람과 얘기하는 것 자체가 고역인 데다가 '우울하다'는 단순하기 짝이 없는 감상평을 듣고 어찌해야 할 바를 몰랐다. 이 풍부한 책을 그렇게 단칼에 정리해버릴 수 있다니……. 같은 해 겨울, 주한포르투갈대사관에서 일하던 친구에게서 들은 이야기는 정반대였다. 『불안의 책』을 한국어로 번역한 한 출판사 편집자가 그에게 다가오더니 이 책이 '너무나 스위트하다'고 평했다는 것! 만약 누가 나의 한 줄 평을 묻는다면? 내게는 '잠 못 드는 밤을 위한 책'이었다.

준이명 베르나르두 수아르스

『불안의 책』을 어떻게 완성해야 할지 고민을 거듭했던 페소아는 이런저런 시도를 했다. 의문의 시인 비센트 게데스를 저자로 상정해, 그를 어느 식당에서 처음 만났다는 식의 '스토리텔링'을 가미해보기도 했고, 1930년에는 "나는 대부분의 젊은이들이 (…) 신에 대한 믿음을 잃어버린 시대에 태어났다"며 특정한 시대적 맥락을 부여해보기도 했다. 나중에는 게데스를 베르나르두 수아르스라는 '준準이명'(이명이라기보다는 저자 본인에 더 가까운)으로 교체하기도 했다. 그러나 끝내 완성의 열쇠는 찾지 못했다. 어쩌면 현명한 좌절이었는지 모른다. 답이 없는 게 답일 때는, 없는 답을 억지로 짜내지 않아야 하기 때문이다.

그가 쓰고 있는 글들의 '불안한' 성격은 스스로가 가장 잘 알고 있어서 "아무런 연결 고리 없이 단상들을 모아서 엮을 내 책에 들어갈 글들"(『불안의 책』, 텍스트 442)이라고 표현했다. 언젠가 호기심에 페소아 연구자 10여 명에게 물어본 적이 있다. "과연 시간이 더 주어졌다면 『불안의 책』은 완성되었을까요?" 열에 아홉은 아닐 것 같다고 답했다. 물론 연구자라고 더 잘 대답할 수 있는 성격의 질문은 아니지만.

베르나르두 수아르스는 이명이 아닌 '준이명'이라는 애매모호한 호칭을 부여받았다. 페소아의 설명은 이렇다. "그가 준이명인 이유는, 그의 성격이 딱 내 성격은 아니지만 또 그렇게 다르지도 않은, 단지 내 성격의 절제切除이기 때문이야. 나에게서 논리적 이성과 감정을 제외한 게 그라고 할 수 있겠어."(『페소아와 페소아들』). 이러니 둘을 완벽히 구분할 수도, 완전한 동일 인물로 볼 수도 없다. 설정도 페소아의 개인사와는 차이가 있다. 수아르스는 한 살 때 어머니를 여의었고, 아버지는 세 살 때 자살을 한 것으로 되어 있다. 그러나 때로는 『불안의 책』에 페소아 본인의 생각이 그대로 반영된 듯한 구절들도 눈에 띈다. "내 안에 여러 인물들을 만들었다. 나는 끊임없이 인물들을 만들어낸다. (…) 나는 다양한 배우들이 다양한 작품을 공연하는 텅 빈 무대다."(텍스트 299) 그렇다면 준이명 수아르스도 자기 밑에 따로 이명을 두었다는 이야기일까? 그보다는 페소아 자신의 얘기를 한 것에 가까워 보인다. 그의 내면이 여과 없이 노출된 또 다른 예는 "진실로 사랑받았던 것은 단 한 번뿐이었다"(텍스트 235)는 구절인데, 이는 시기상으로 오펠리아와 헤어진 지 얼마 되지 않아 쓰인 것이 자명하다. 수아르스라는 어중간한 가면은 자신만의 뚜렷한 개성을 지닌 독자적인 캐릭터라기보다 페소아의 실존적 자아와 가장 비슷하면서도 완전히 그일 수는 없었던, 그의 특정한 문학적 상태를 대변하는 인물이었다.

페소아 편집하기

1997년 여름, 리처드 제니스는 집 안 거실 가득히 약 500여 편의 단상들을 펼쳐놓았다. 각각의 단상들에는 주제나 키워드를 알리는 표지를 붙여놓았다. 자, 이제 어떤 기준으로 이것들을 묶을까. 분류

불안의 책

세상에 한마디로 요약할 수 있는 책은 없겠지만, 그중에서도 『불안의 책』은 정리와 설명을 거부한다. 설명하려 하면 할수록 책의 본질과 멀어지고 매력만 반감될 뿐이다. 그래도 누군가 굳이 간략히 설명해달라고 한다면……. 다음과 같이 건조한 소개는 가능할 것이다, 얼마나 도움이 될지는 모르겠지만.

리스본 시내의 도라도레스 거리에서 회계사 보조로 일하며 단조로운 일상을 영위하는 베르나르두 수아르스라는 인물의 단상 약 500여 편을 모아놓은 『불안의 책』은, 언뜻 일기처럼 보이긴 하지만 날짜나 일어났던 일들에 대한 기록 없이 상념, 관찰, 사색이 주를 이루기에, 일기라기보다는 책 속 표현대로 "사실 없는 자서전"에 가까운 산문이다. 페소아가 1913년에 처음 쓰기 시작해 1920년까지 쓰다가 약 8년간의 공백 이후 1929~1934년 동안 다시 붙잡은 원고들로, 끝내 완성되지 못하고 흩어진 원고 상태로 봉투 속에 보관되어 후대에 전해졌다. 그가 죽은 지 47년 후, 즉 1982년에야 처음으로 출판되었으며, 현재 그의 작품 중에 가장 널리 읽히고 사랑받는 책이다.

『불안의 책』에서 만난 문장

인생은 깊이를 알 수 없는 심연으로 가는 마차를 기다리며 머물러야 하는 여인숙이라고 생각한다. 나를 어디로 데려갈지는 알 수 없다. (텍스트 1)

삶에 동의하는 유일한 방법은 우리 자신에게 동의하지 않는 것이다. (텍스트 23)

나와 인생 사이에는 아주 얇은 유리 한 장이 있다. 또렷하게 바라보며 인생을 이해한다 해도, 결코 만질 수는 없다. (텍스트 80)

우리가 사는 곳에서 일어나는 모든 일은 우리 안에서 일어난다. 우리가 보는 곳에서 없어지는 것은 우리 안에서도 없어진다. (텍스트 279)

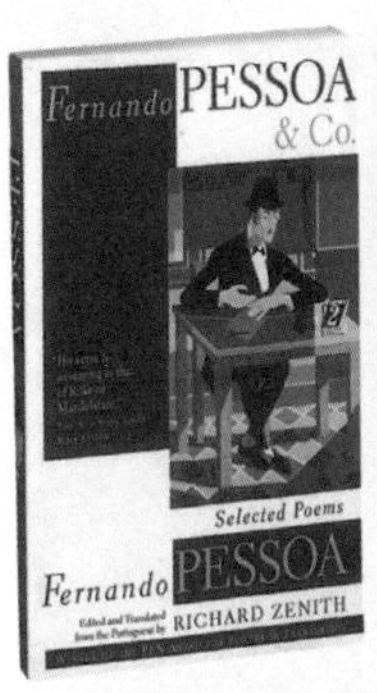

세계 각국에서 출간된 『불안의 책』 여러 판본의 표지

에 분류를 거듭하는 작업이 몇 달 동안 지속되었다. 저자로부터 최종 승인된 편집 기준도 없거니와 저자는 사라지고 없으니, 누가 무슨 원칙을 세워도, 아무리 설득력 있는 근거를 내세워도, 결국에는 자의적인 판단을 벗어날 수 없다. 리처드는 적당히 느슨하면서도 아예 부재하지는 않을 정도의 내러티브를 부여해 일정한 흐름을 만들어냈고, 그렇게 해서 1998년, 전 세계에서 가장 널리 읽히는 『불안의 책』의 판본이 탄생했다. 그러나 책의 서문에서 리처드도 인정했다. 원래 모습에 가장 가까운 『불안의 책』은, 한 권의 책으로 묶어서 출판하기보다는 모든 단상을 인터넷에 올리고 독자 스스로가 'DIY'로 편집해서 읽는 형태일 것이라고. 직접 그 '텍스트들로 된 폐허'를 보고 편집을 시도해본 사람만이 이 말의 진의를 이해한다. 출판사들에게는 관심 가는 제안이 아닌 것은 물론이다.

『불안의 책』에서 진짜로 불안한 것은 그 책의 존재 방식이다. 책이라고 부를 수 없다고 말하는 사람도 있다. 그의 유품인 트렁크 속에서 원고 뭉치로 발견되었으니 틀린 말은 아니다. 다른 페소아의 작품을 논할 때도 편집의 문제가 단골처럼 등장한다. 관련 글이나 논문도 많아 『페소아 편집하기』라는 본격 연구 책자가 있을 정도이다. 에밀리 디킨슨 역시 대부분의 원고를 미발표, 미완성 상태로 남겨놓고 가서 비슷한 문제로 후대 연구자들이 골치를 썩는다고 한다.

페소아가 남기고 간 '아르카Arca'(상자, 트렁크, 궤짝)는 카오스 그 자체였고, 지금도 그렇다. 1969년 포르투갈 교육부에서 국립도서관에 유고 정리를 맡긴 후, 1979년에 정부가 유족으로부터 유고를 사들이기 전까지, 모든 유고는 페소아의 여동생 엔리케타의 집에 보관되어 있었다. 정리의 과정은 지난했다. 담당자와 사서들은 집 방문이 허락된 하루 네 시간 동안 일을 진행해야 했던 고충을 토로한다. 『불안의 책』이라는 항목이 정해졌다고 해도, 다른 곳에서 끊임없이 새로운 것이 발견되는 바람에 분류가 끝났다고 닫아놓은 봉투를 다시 여는 일도 허다했다. 지금은 웬만한 자료들이 모두 디지털화되어 온라인으로도 상당 부분 열람이 가능하다. 당시로서는 최선을 다했지만, 결과만 놓고 보면 현재 상태도 여전히 혼란스럽다. 그렇다고 이미 체계화된 것을 함부로 다시 건드릴 수도 없는 노릇. 출판되지 않은 그의 원고들 중에 아직 우리가 모르는 엄청난 대작이 새로 발견될 가능성은 극히 낮지만, 한 번도 회자되지 않은 짧은 텍스트들은 무수히 많다.

2009년 9월, '페소아의 집Casa de Fernando Pessoa'에서 기획 전시가 열렸다. 이 전시는 리카르두 레이스의 이름으로 된 미완성 송시 한 수에 집중했다. 이 시에는 25개의 '변수'가 있었다. 다시 말해, 페소아가 단어나 문장을 배열하는 경우의 수를 다양하게 제시만 해놓고 완성을 못 시킨 것인데, 그중에서 어떤 말을 택하느냐에 따라 다른 시가 만들어질 수밖에 없다. 수학적으로 계산을 하면 무려 2만 8천 개의 '경우의 시'가 가능하단다! 무수한 텍스트를 미완성으로 남겨놓고 간 페소아의 작품 앞에서 번역자나 편집자가 얼마나 곤혹스러울 수 있는지, 반대로 얼마나 넓은 재량을 가질 수 있는지 단적으로 보여주는 예이다.

페소아는 미완성 콤플렉스가 있었다. 그의 고민은 1914년 동료 아르만두 코르테스-로드리게스에게 보낸 편지(1914년 11월 19일)의 하소연에서 잘 드러난다. "내 영혼의 상태가 지금 나를 『불안의 책』 작업에 몰두하게 만들고 있네. (…) 그런데 그저 단상들, 단상들, 단상들뿐." 단상이라고 번역한 "fragmento"라는 단어는 단편, 편린, 단문, 조각이나 파편으로도 바꿀 수 있다.

노르웨이인 친구 마틴이 메일을 보내왔다. 2014년 3월, 오슬로 시내에 노르웨이 작가 크리스티앙 크엘스트룹이 약 한 주간 이색적인 '팝업스토어'를 차렸다는 소식. 그의 가게에서 파는 물건은 오로지 『불안의 책』(노르웨이어 번역본)뿐이고, 다른 책은 일절 없었다. 크리스티앙은 한 인터뷰를 통해 『불안의 책』이야말로 역사상 최고의 책이라는 소신을 밝혔다.

폐허와 폐허 아닌 것들의 어우러짐

친구 마리우로부터 음악회 초대를 받았다. 약속 장소는 카르무 수도원 앞 광장. 1974년 4월 25일, 이 작고 아담한 광장에서 '카네이션 혁명'이 일어났다. 연주회 장소는 광장 바로 맞은편의 카르무 성당Igreja do Carmo. 1755년 리스본 대지진 이후 파괴된 건물을 복원하지 않고 그대로 두었다. 기둥과 골조만 남은 폐허 사이로 보이는 하늘에 17세기의 체코 작곡가 얀 디스마스 젤렌카의 「모든 성인을 위한 미사Missa Omnium Sanctorum」 21번이 울려 퍼진다. 이것은 야외 음악회인가 실내 음악회인가?

리스본에 살면 폐허 예찬론자가 되기 쉽다. 누군가는 농담을 한다. 경제 위기 '덕분에' 이런 기막힌 풍경이 살아남았지 그게 아니었다면 이런 폐허들을 그대로 뒀을 리 없고 모두 재건축했을 거라고, 포르투갈인들에게 어떤 특별한 미감이 있다기보다는 단지 돈이 없었을 뿐이라고……. 세계에 경제적 몰락을 경험한 나라야 허다할 테고 과거의 영화가 폐허로 잔존하는 풍경도 이 도시가 유일하지 않을 텐데도, 리스본에서만 관찰할 수 있는 폐허와 폐허 아닌 것들의 어우러짐이 있다. 시대의 흐름에 뒤처진 공간들을, 하루라도 빨리 개발해야 한다는 강박에 쫓기지 않고 초연하게 내버려두는 포르투갈인 특유의 느긋함(혹은 귀찮음?) 없이는 생성될 수 없는 풍광이다. 국민성이라는 게 여전히 유효한 개념인지는 모르겠지만, 여간해서는 아등바등하지 않는 성향, 그래서 사물이 대체로 있는 그대로 보존되는 분위기가 사회 전반에 흐르고 있음을 오래 지내본 사람은 느낀다. 딱히 풍요나 가난에서 기인했다기보다 천성인 듯한 포르투갈인들의 여유. 예컨대 그들은 식당과 카페에 파리가 날려도 호객의 의지가 별로 없고, 과하게 친절하지도 그렇다고 불친절하지도 않으며, 특별히 낙천적이지도 비관적이지도 않다. 많은 포르투갈인들은 그들이 식민지 지배 시절에도 다른 식민지 국가보다 덜 적극적, 다시 말해 덜 폭력적이었다고 믿는다(실제로 브라질의 경우는 무혈 독립을 이루기도 했지만, 얼마든지 반박이 가능한 설이다). 이유야 어쨌든, 리스본의 폐허들은 내가 다녀본 그 어떤 도시의 폐허보다도 긴밀히 그 도시의 미학을 형성하고 있었다.

영화평론가 유운성 씨의 이야기. 포르투갈 영화를 유심히 지켜봐온 그에게는 한 가지 의문이 있었다. 보통 영화 속 배경들은, 몇몇 장면을 잘 결합하면 머릿속에서 전체 공간을 구성해보는 게 가

폐허의 미학
리스본에는 폐허 그대로 남아 있는 장소들이 많다. 무너진 대로 내버려둔 폐허와 폐허 아닌 것들이 자연스럽게 공존하고, 그런 것들을 굳이 새롭게 바꾸려 하지 않는다. 이는 리스본 사람들의 분위기와 함께 어우러지면서 리스본이라는 도시 자체의 느낌을 형성한다. 이쯤 되면 폐허의 '미학'이라 부를 이유가 충분하지 않을까.

KARE
www.kare-lisboa.com
KARE
www.kare-lisboa.com
ECO
ESTACIONAMENTO
PROIBIDO

능한데, 포르투갈 영화들, 그중에서도 주앙 세자르 몬테이루João César Monteiro의 영화들은 도무지 파악이 안 되는 공간들이 수시로 등장했다고 한다. 분명 한 시퀀스에서 공간 이동 없이 카메라 각도만 바꾸었는데도 전혀 다른 공간처럼 느껴져 혼란스러운 적이 한두 번이 아니었다는 것이다. 리스본까지 직접 와보고 나서야, 특히 〈노란 집의 추억〉의 배경 장소들을 답사하고 난 후에야 그 의문이 풀렸다. 그 혼란은 고도로 복잡하고 정교한 몽타주 기법 때문에 의도적으로 발생된 것이 아니라, 공간 자체의 구조적 기이함에 기인하고 있었다.

폐허의 미학이 18세기 유럽을 휩쓸었다. 마치 우리에게 한창 유행했던 빈티지 열풍이 멀쩡한 청바지를 굳이 해지게 만들고, 새 가구를 억지로 낡게 꾸미려고 했듯이, 그 시절의 그들도 건물이나 기둥의 모퉁이들을 정으로 쪼아 허물고, 표면이 닳아 보이도록 갈아내는 등 시간의 흔적을 흉내 내려 했다. 회화에서도 폐허가 된 고대 건축 공간을 그린 풍경화들이 유행했다. 단지 고전미로의 회귀를 추구하는 복고주의가 아니라 완성되지 않은 것, 완전하지 않은 것의 미학을 즐길 줄 아는 감수성이 준비되고 있었던 것일까?

18세기 말에서 19세기 초 사이에 독일 문학에서 흥미로운 현상이 일어난다. 슐레겔 형제, 즉 아우구스트 빌헬름 폰 슐레겔과 프리드리히 슐레겔이 『아테네움*Athenaeum*』이라는 잡지를 펴내면서 독일 낭만주의('예나 낭만주의'라고도 한다)를 이끌었다. 샹포르의 『금언과 사색*Maximes et Pensées*』이나 레싱의 작품들에서 영향을 받은 그들은, 유난히도 단상에 호의적이어서 일명 '파편주의Fragmentarismus'라는 흐름을 발전시킨다.

> 단상(파편)은, 예술 작품의 축소판처럼, 주변 세계로부터 완전히 분리되어야 하며, 그 자신도 완전해야 한다, 고슴도치처럼.
>
> —『아테네움』 단상, 206(F. 슐레겔, 『철학적 단상들*Philosophische Fragmente*』)

> 낭만주의적인 종류의 시는 여전히 생성 중이다. 사실은 바로 그 점, 영원히 생성 중이고, 결코 완성될 수 없다는 것이 그 진정한 핵심이다.
>
> —『아테네움』 단상, 116(『철학적 단상들』)

> 정신에는 체계가 있어도 치명적이고, 체계가 없어도 치명적이다. 그러니 정신은 아마도 두 가지를 결합시키기로 결정해야 할 것이다.
>
> —『아테네움』 단상, 53(『철학적 단상들』)

단상의 특징은 체계이면서도 동시에 체계가 아니라는 점. 또한 단상은 혼자 쓰이지 않고 언제나 복수로 쓰인다. 단독으로 존재하는 것은 아포리즘이다. 그러므로 단상은 필연적으로 단상끼리의 느슨한 관계를 동반한다. 페소아의 이명도 복수로 탄생한 것, 그들끼리 상호작용한다는 것이 필연적이었을까?

'파편'을 즐기는 법

모리스 블랑쇼는 『아테네움』에 대한 에세이에서 '무위Désoeuvrement'에 대해 논한다. 글을 쓴다는 것은 그에게 '무위의 작업'이다. 이는 단순히 아무것도 안 하는 것도 아니요, 걸작을 완성하기 위해 줄기차게 노력하는 것도 아니다. 오히려 작품을 조각내고 해체하며 작업을 중지하고 방해하는 것이다.

말라르메가 베를렌에게 했다는 말. "글을 쓴다는 것은 대문자 '큰 책Livre'의 부재를 매번 새롭게 확인하는 것."

데리다는 "말라르메가 '큰 책'의 단일성을 비현실화irrealiser했다"고 평가했다고 하는데, 바로 이런 비현실화가 낭만주의 정신의 요체는 아닐까?

> 시라는 것은 대체 무엇인가? (…) 누가 감히 내게 이 질문을 하는가? 그것이 눈에 보이지 않는 것이라 해도, 그 법칙이 사라지는 것이기에, 그 대답은 쓰인 것 같다. 나는 그 받아쓰기이다, 라고 시는 말한다, 가슴으로 나를 배워라, 나를 베껴 써라, 나를 지키고 간직해라, 나를 돌보아라, 나를 바라보아라, 불러준 받아쓰기를, 너의 눈 바로 앞에서. 배경음악, 깨어남, 빛의 줄기, 애도의 축제를 찍은 사진. 그 대답, 그것은 그 자체로 본다, 시가 될 수 있도록 불렸다, 시가 될 수 있도록. 그리고 바로 그 이유 때문에, 그것은 누군가에게 보내져야 한다, 너에게 단독적으로, 하지만 마치 익명 속에 잃어버린 것처럼, 도시와 자연 사이로, 어떤 비밀처럼, 동시에 공적이고 사적인, 완전히 하나이면서 타자인, 안으로부터 그리고 밖에서부터 석방된, 이것도 저것도 아닌, 길에 던져진 한 마리 동물, 절대적이고, 고독하게, 공처럼 동그랗게 말려, 길 한편에. 그리고 바로 그 이유 때문에, 그것은 치일 수도 있다, 바로 그렇게, 이탈리아어로는 이스트리스, 영어로는 헤지호그, 그 고슴도치는.
>
> — 자크 데리다, 「시란 무엇인가?」, 『이니미구 후모르*Inimigo Rumor*』 10호

왜 하필 고슴도치인가? 슐레겔의 고슴도치와 데리다의 고슴도치는 어떻게 다를까? 슐레겔의 고슴도치가 안으로 닫혀 바깥으로 가시를 곧추세운, 단단하게 완성된 파편이라면, 데리다의 고슴도치는 던져진 존재, 겉으로는 방어 체계를 갖춘 듯하지만, 실은 위험에 그대로 노출된, 얼마든지 쉽게 치여 죽을 수 있는, 기껏해야 사고에 대한 예감으로 몸을 잔뜩 웅크리는 전략이 전부인, 지극히 불완전한

존재이다. 슐레겔은 고슴도치를 밖에서 봤다. 데리다는 고슴도치 안에서 바깥을 내다봤다. 페소아의 파편들은 슐레겔의 이론으로 그 가치를 옹호하기에 좋을지는 모르지만, 그의 시는 데리다의 고슴도치 쪽을 닮은 것 같다.

도스토옙스키도 늘 대작, '그 책'을 쓰지 못했다고 생각했다. 그에게는 '위대한 죄인The Great Sinner'의 구상이 있었다. 그 구상을 친구에게 이야기하며 그는 상상한다. 그 대작을 완성한다면, "어쩌면 사람들도 이제는 내가 하찮은 것trifle만 쓴 건 아니라고 생각하겠지"라고. 『카라마조프 형제들』은 그 대작의 한 챕터에 불과했다. 이 작품의 규모에 이미 충분히 압도된 나로서는 도스토옙스키가 꿈꾸던 진정한 대작의 규모를 가늠조차 할 수 없다. 물론 이것도 그가 『카라마조프 형제들』을 완성하기 전에 한 말이니, 쓰고 난 후에는 생각이 달라졌으리라.

파편은 약하다. 더구나 혼자서는 힘을 더 못 쓴다. 그래서 파편적 글쓰기의 늪에 빠진 작가는 본능적으로 알 수 없는 결핍과 부족, 갈증을 느끼며 영원히 끝이 보이지 않는 글들을 써나가며 허우적대는 수밖에 없다. 반면 나 같은 독자에게는 호재다. 『불안의 책』을 읽으며 나는 파편을 있는 그대로 즐기는 법을 배웠다. 그리고 파편 이외에 어떤 글쓰기가 가능한지 잊어버렸다.

> 그러니 벌칙을 수행하듯 글을 쓸 수밖에 없다. 그리고 가장 큰 벌은 내가 쓰는 글이 완전히 쓸모없고, 결함이 많고, 불확실하다는 사실을 아는 것이다.
>
> —『불안의 책』, 텍스트 231

『불안의 책』과 페소아의 또 다른 단상 모음집 「금욕주의자의 교육」은 공통적으로 '신에 대한 믿음을 잃어버린 세대'를 거듭 강조한다. 이 시대에는 기댈 수 있는 큰 이야기가 없고, 그것이 가능하지도 않다는 이야기다. 포스트모더니즘도 거대 서사에 대한 불신과 회의에서 출발했다. 그렇다면 페소아는 포스트모더니스트인가? 그렇지는 않다. 비록 그가 준이명들에게 위와 같은 말들을 하도록 '시키긴' 했지만, 본인은 큰 이야기의 존재를 부정하지 않았으며 꾸준히 완성작을 추구해왔다. 다만 그것들이 더 이상은 유효하지 않을지도 모른다는 불길하고도 강한 예감과 그로 인한 불안 또한 누구 못지않게 일찍, 예민하게 감지했던 것도 사실이다. 단상과 파편의 가치를 인정하는 동시에, 대작에 대한 확신도 잃지 않았던 독일 낭만주의와는 달랐다. 독일 낭만주의가 작품을 부단히 중단시키고 해체했던 이유는 큰 작품을 창조하기 위해서였다. 페소아와 독일 낭만주의는 공통분모가 있을까? 또 잡지 『아테네움』과 『오르페우』는? 슐레겔과 페소아는 각각 시간이 흐를수록 점점 반대 방향으로 향한 듯하다. 슐레겔은 점점 완성을 추구하는 쪽으로, 페소아는 걷잡을 수 없는 파편화로.

포르투갈 철학자 주제 질José Gil은 끝없이 횡적으로 증식하는 리좀Rhizome 체계를 설파한 질 들뢰즈의 철학과 페소아의 작품을 자주 비교한다. 그는 『불안의 책』과 같이 읽을 책으로 들뢰즈와 가타리가 공저한 『천 개의 고원』을 꼽는다. 『천 개의 고원』 역시 비선형적으로 구성된 책이라 고정된 순서 없이 아무 페이지나 펼쳐 읽기 시작해도 좋다.

『불안의 책』의 파편성을 작가의 의도라고 보긴 어렵다. 페소아는 이 작품에 어떤 일관성이나 응집성을 부여하려고 나름 애를 썼다. 노력의 흔적이 여기저기서 보인다. 텍스트들을 잔뜩 써놓고 막상 이것들을 통합해줄 저자를 찾다보니, 책의 저자로 점찍어둔 비센트 게데스나 베르나르두 수아르스가 문학적으로 단순한 인물일 수 없었다. 그러기에는 텍스트들이 너무 제각각이고 다양했다. 그 저자들에게 다른 문학적 차원을 갖춰주려는 일환 중 하나로 시를 쓰게 할 필요를 느꼈고, 그래서 한때는 수아르스에게 어울리지도 않는 「기울어진 비」「십자가의 길」 같은 시를 배정하기도 했다. 물론 페소아도 이 계획이 말도 안 된다는 것을 곧 깨달았고, 이후의 메모와 1935년 편지에서 확인할 수 있듯 「기울어진 비」는 최종적으로 페소아 본인에게 할당된다. 이렇게 시를 포기하면서 『불안의 책』은 오로지 산문만으로 이루어진다. 그럼에도 아쉬움이 남았는지, 산문집 전체에 시적인 운율이 면면히 흐르도록 했다. 시로서의 『불안의 책』, 가능할까? 소리 내어 낭독하기에 좋은 글임은 분명하다.

06

FERNANDO PESSOA

천재와
광기

병보다 지독한 병

우리는 모두 조금은 페소아

외국인이 체감하는 사람들의 사교성은 나라마다 다르다. 내 경험으로 말하자면 포르투갈 사람들은 조금 쭈뼛쭈뼛한 편이라 모임에서 먼저 적극적으로 말을 거는 경우는 많지 않지만, 적당한 거리를 못 찾아서 그렇지 막상 말만 트면 타인에 대한 관심도 많고 호의도 넘친다. 그런 면에서 페소아는 내게 참으로 편리한 매개다. 포르투갈에서 페소아를 연구하는 외국인이야 적지 않지만, 동양인은 아직도 귀해서인지 나는 빠른 시간 내에 지인들 사이에서 '페소아 연구자·번역자'로 알려졌다. 부담도 되었다. 이 괜한 딱지 때문에 이따금 무슨 말을 못 알아들으면 "페소아씩이나 번역한다는 사람이 이런 것도 몰라?"라고 생각할까 봐 제 발을 저리곤 했다. 여하간 페소아를 매개로 서먹한 분위기를 쉽게 깰 수 있다는 것은 분명 큰 장점이었다.

친구 마르타의 생일잔치, 왁자지껄한 군중 속에서 누군가가 "어이, 페소아누!"라고 불렀을 때, 나는 무의식적으로 고개를 돌렸다. 시를 쓰고 연기를 하는 루이스였다. 우리는 몇 달 전 영화를 만드는 친구의 작품에 함께 단역으로 출연한 계기로 안면을 익힌 사이였다. 둘 다 호텔 투숙객 역할이었는데 그는 소음이 심하다고 카운터에 항의하는 스페인 투숙객, 나는 호텔 방에서 자살하는 우울증 환자로 분했다(내가 등장한 분량은 15초도 안 되지만). 영화에 출연한 그날 밤 우리는 맥주의 김이 새는 것도 모르고 오랫동안 이야기를 나눴다.

데이비드 보위가 죽은 오늘, 2016년 1월 10일, 루이스와 나눈 대화를 기억한다. 너의 우상이 오늘 저세상으로 갔어, 루이스. 너에게는 더없이 슬픈 날이겠구나. 그날 넌 침을 튀기며 열변을 토했지, 데이비드 보위와 페소아가 얼마나 닮았는지, 아니 정확히 말해 '지기 스타더스트Ziggy Stardust'가 페소아의 이명과 얼마나 흡사한지에 대해서 말야. 보위가 지기라는 페르소나, 자신이 만들어낸 분신에 얼마나 깊이 취했던지 나중에는 정신적으로 위험한 수준까지 갔다지? 지금 생각해보니 너의 말에 일리가 있는 것 같아. 페소아도 종종 구별을 못할 정도였으니까. 그날 좀 더 동조해주지 못해 괜히 미안하네…….

사람들이 각자 그들이 좋아하는 것, 그들에게 익숙한 것과 페소아를 연관 지을 때면 나는 늘 신선한 관점을 배운다. 특히 학창 시절부터 페소아를 배우는 포르투갈인이나 브라질인들과 대화를 하면, 전공자도 생각해본 적이 없는 이야기를 들려주기도 한다. 루이스의 경우는 데이비드 보위를 언급했지만, 자기 자신과 페소아의 유사점을 이야기하는 경우도 많다. 그도 그럴 법하다. 많은 이들은 페소아에게서 자아분열 증세를 창조적으로 승화시킨 한 인물을 본다. 정신분석의 시각에서는 분열된 자아가 통합되어야 할 하나의 치료 대상인지 모르지만, 사실 내면에 '두 얼굴' 이상을 가지고 있다고 느껴본 적 없는 사람이 몇이나 될까? 굳건하고 조화롭게 통합된 하나의 정체성보다, 내 안의 인격들끼리 충돌하는 편이 더 흔하지 않을까? 게다가 이런 성향이 글이나 다른 매체를 통해 외부로 발현되기에 요즘만큼 최적기도 없을 것이다. 인터넷과 소셜 미디어가 일상에 완전히 편입되어, 그 속에서 자신이 만들어낸 아이디나 '아바타' 등을 통해 마음대로 정체성을 재구성할 수 있게 되면서, 온라인상의 나와 실제의 나가 크게 달라진 사람은 셀 수 없이 많을 것이다. 어쩌면 이제 우리는 모두 조금은 페소아가 아닐까, 라는 질문도 가능하겠다. 그래서 그런지 페소아와 관련된 대중 강의에서는 현대 심리학의 기준에서 봤을 때 페소아를 다중인격 장애자로 볼 수 있는지 묻는 질문도 심심치 않게 등장한다. 페소아의 삶과 작품 세계를 하나의 '증상'으로 보는 게 적절한지, 만약 그렇다고 한다면 그것이 엄밀히 말해 자아분열인지, 다중인격인지, 이중인격인지, 해리성 정체성 장애인지……. 내게는 전문적으로 판별할 능력이 없다.

사실 가장 진지한 자세로 페소아의 경향이 병적인 증상인지 아닌지 천착해본 것은 다름 아닌 페소아 본인이었다. 특히 남아공에서 고등학교를 졸업하고 귀국한 후, 대학과 사회에 잘 적응하지 못하며 일상의 행복을 느끼지 못하던 때부터 그의 고민은 더욱 깊어갔다. 1906~1908년 사이의 일기를 보면, "아무것도 한 게 없다" "아무것도 읽은 게 없다"는 무기력의 토로가 수도 없이 반복된다. 다니던 학교는 얼마 지나지도 않아 지루하고 못마땅해한 기색이 역력했고, 가깝게 여기는 친구들도 없었거니와 가족 안에서도 이해받는다는 느낌을 갖지 못했다. 1907년 7월 25일 일기에는 이렇게 적고 있다.

> 나의 가족은 내 정신 상태에 대해 이해가 없다—전혀. 나를 비웃고, 조롱하고, 나를 믿지 않는다. 그들은 내가 어떤 대단한 사람이 되고 싶어 한다고 말한다. 그들은 대단해지고 싶은 욕망에 대한 분석은 전혀 하지 않는다. 그들은 그냥 존재하는 것과 대단한 존재가 되기를 욕망하는 것 사이에, 그 욕망에 대해 자각하는 것 이외의 차이 말고는 없음을 모른다. (…) 아무도 믿을 사람이 없다. 내 가족은 아무것도 이해하지 못한다. 내 친구들은 이런 것들로 귀찮게 할 수 없다. 정말로 가까운 친구도 없고, 가까운 친구가 있다 하더라도, 세상이 그렇듯, 내가 가까움을 이해하는 의미에서 가깝지는 않을 것이다. 나는 숫기가 없고, 나의 근심들을 알리고 싶지도 않다. (…) 이제 그만, 이 얘긴 더 하지 말자./나는 연인도 여자 친구도 없다. (…) 셸리여, 난 네가 얼마나 이해가 되는지! 어머니는 믿을 수 있을까? 여기에 계셨으면 좋겠다. 어머니 역시 믿을 수는 없지만, 그 존재감은 내 고통의 많은 부분을 덜어주긴 할 것이다.
>
> — 페르난두 페소아, 『자전적, 자동적, 개인적 성찰의 글들*Escritos Autobio-gráficos Automáticos e de Reflexão Pessoal*』

이런 불행한 기운에 깊이 잠긴 그에게 유일한 위안은 문학의 공간이었다. "아무것도 읽은 게 없다"는 그지만, 실제로는 맹렬하게 독서에 빠져들고 있었다. 특히 셸리, 안테루 드 켄탈, 월트 휘트먼, 앙리 루소 등의 작가들에게서 깊은 동질감을 느꼈다. 그러면서 한 편으로는, 원대하고 추상적인 인류애와 뭔지 모를 사명감, 소명 의식으로 가득 차 있었다.

> 옛날 항해사들에게는 영광스러운 문구가 있었지: "항해는 필요하다, 사는 것은 필요 없다."/이 문장의 정신이 내게 필요하다, 변형을 가해서. 나에게 있어서 결혼이라는 형식은: 사는 것은 필요 없다, 필요한 것은 창조하는 일이다. 나는 내 삶을 즐길 생각이 없다, 그 안에서 즐길 생각도 없다. 그저 위대해지는 것을 원할 뿐이다, 그것도 이를 위해서. 내 몸과 내 영혼은 이 불을 위한 장작이 되어야 할 것이다.
>
> —『자전적, 자동적, 개인적 성찰의 글들』

이렇게 일찍부터 문학에 헌신할 것을 맹세한 동시에 그는 스스로에 대한 정신분석에도 열을 올리기 시작했다. 당시 같은 집에 살던 할머니가 12년째 정신질환을 겪으며 정신병원을 들락날락하다가 결국 죽는 것을 바로 옆에서 목도하면서, 그의 청춘은 점층되는 근심으로 어둡게 그늘졌다. 혹시 그녀의 병이 유전은 아닐지, 그렇다면 의학적으로 유전될 확률이 가장 높은 사람이 바로 자기 자신은 아닌지……. 의학서, 정신질환 관련 연구서들을 진지하게 공부하면서 그는 모든 가능성을 타진해보았다. 이는 건강에 대한 걱정이라

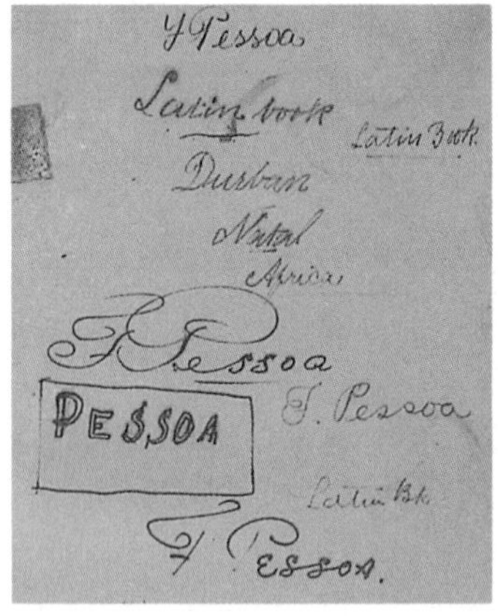

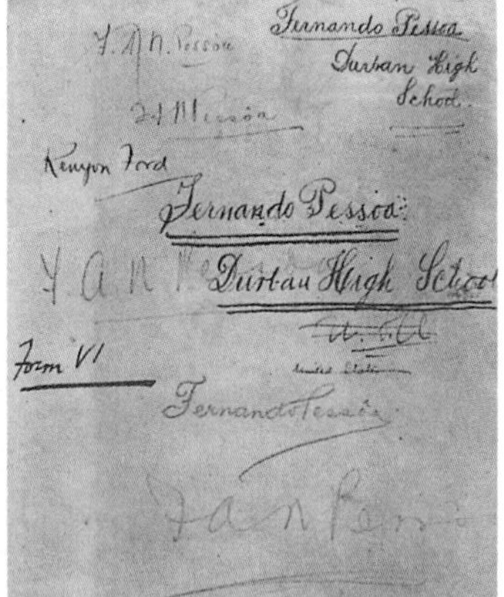

교과서에 서명 연습
라틴어와 수학 교과서에 그림을 그리고 페소아 자신의 서명을 연습한 흔적이 있다. 수업 시간이 다소 지루해서였을까? 여러 가지 글꼴로 자신의 이름을 적어나간 흔적을 보면, 그는 포르투갈어 명사로는 '사람'이라는 뜻을 지닌 자신의 성 'Pessoa'를 어떻게 생각했을지 궁금해진다.

기보다는, 정신장애로 인해 문학을 할 수 없게 될 것에 대한 두려움이었다.

나 자신에게 동의하지 않는다는 것

나는 누구인가? 내 핏줄, 내 조상들은 정상인가? 나만은 느낄 수 있는, 이 이상한 증세는 무엇이고 어디에서 오는가? 페소아는 스스로를 '히스테리성 신경증'으로 진단했고, 알렉산더 서치의 표현을 빌리자면 "내 정신적인 문제 중 하나는—말로 하기 끔찍한 건데—정신이상에 대한 두려움이고, 그 자체가 하나의 정신이상"이라고 규정했다. 광기에 대한 관심 혹은 근심은 거의 광적으로, 또 사방팔방으로 번졌다. 의학, 심리학, 정신병리학, 정신분석, 편집증, 종교, 비전 종교……. 심지어 관상학에도 관심을 가졌는데, 1913년 그의 유대인 친구 중 한 명으로부터 '유대인 코'를 가졌다는 말을 들은 후 가계도에 유대인의 피가 얼마나 흐르는지 진지하게 분석하기도 했다.

이 시기에 그가 특별히 심취한 책들은, 의사이자 비평가 막스 노르다우Max Nordau의 『퇴행*Degeneration*』, 범죄학자 체사레 롬브로소Cesare Lombroso의 『천재와 광기*Genio e follia*』, 존 퍼거슨 니스벳John Ferguson Nisbet의 『천재의 정신이상*The insanity of genius*』, 윌리엄 허쉬William Hirsch의 『천재와 타락*Genius and degeneration*』 등이었고, 같은 기간 동안 함께 읽던 콜빈S. Colvin의 『키츠 자서전*John Keats*』도 시인의 성격적 특

이성에 각별히 주목한 흔적이 있으며, 플로베르의 『마담 보바리』 역시 비슷한 문제의식을 가지고 읽은 듯하다. 1916년 그가 "모든 예술적 결과물은 본래적으로, 타락 그리고 퇴행의 생산물"이라고 못을 박은 것도, 이때쯤 형성된 생각에 영향을 받은 결론이었으리라.

이런 고민들은 그가 쓴 글들에도 그대로 녹아 있어서 「천재, 광기와 타락」 「영어에 관한 미친 사전」 「코에 관한 메모—관상학과 골상학」 「문학과 정신학」 「셰익스피어—베이컨 문제」 「예수의 정신이상」 「원인 병리학」 등 일일이 열거하기도 힘들 만큼 많은 양의 글을 남겼으나 (놀랍지 않게도) 그중 많은 글들이 미완성에 머물렀다. 그 글들을 '천재와 광기' 같은 제목 아래 책으로 묶으려 했던 이런저런 구상도, 다른 수많은 페소아의 책들처럼 끝내 세상의 빛을 보지 못했다. 이 글들 이외에도 「카스카이스 요양원」 「어느 천재의 사랑 이야기」 「문」 「과학 전문가 사건」 「존스 박사」 등 정신이상과 관련된 탐정소설도 여러 편 썼는데, 그중 '완전 범죄'를 다룬 「잠긴 방 사건」은 대략 다음과 같다.

> 주제 실바르스라는 남자가 호텔 방에서 죽은 채 발견되었다. 문은 안에서 잠겨 있었고, 목을 베인 채 손에는 면도칼이 들려 있었다. 주인공 콰레즈마 박사는 희생자의 형을 만난다. 그는 심신 쇠약에 가까운 동생의 평소 성격 등을 이유로 들며 자살의 가능성을 일축하고, 살해범이 따로 있음을 거듭 확신했다. 콰레즈마 박사는 희생자와 그의 부인 등 주위 인물들을 정신병리학적으로 분석한다. 그는 용의자들을 정상과 비정상, 정신이상의 세 단계로 나누며, 이

카테고리에 분류되지 않는 경우까지 섬세하게 논하고 추리해나간다. 독자는 추리소설치고는 지나치게 논리적 혹은 도식적인 이 과정이 지루할 수도 있지만 페소아의 개인적인 관심사가 잘 드러난다는 점에서 흥미롭다. 우여곡절 끝에 콰레즈마 박사는 놀라운 결론에 도달한다. 바로 이런 연약하고, 행동력이 없는, 그래서 과격한 자살을 절대 저지를 것 같아 보이지 않는 인물에게 취약한 부분이 있다는 것. 다름 아닌 최면술이었다. 결국 사건은 타살, 즉 살인으로 결론이 난다. 누군가가 실바르스 씨를 최면으로 조종한 것이고, 피해자는 문을 잠그고 자기 자신을 살해한 살인의 '도구'가 된 것이다…….

이번에는 또 다른 '박사'의 이야기. 1907년, 페소아의 집 주소로 '파우스티누 안투네스 박사Dr. Faustino Antunes' 앞으로 된 편지들이 도착한다. 그는 페소아가 만들어낸 정신과 의사였고 「직관에 관한 에세이」 등의 저자였다는데, 일전에 박사의 이름으로 누군가에게 보냈던 편지에 대한 답장이 돌아온 것이었다. 한창 자신의 정신병력 문제에 빠져 있던 페소아가 꾀를 내 정신과 의사로 둔갑해서 남아공의 더반 고등학교 시절 자신을 알던 몇 사람에게 편지를 보냈던 것. 내용인즉슨, 심각한 정신장애를 겪다가 자살을 한 페르난두 안토니우 노게이라 페소아라는 환자의 건을 현재 맡고 있는데, 과거 병력 조사 차원에서 환자가 당시 어떤 사람이었는지 자세히 증언해 달라는 주문이었다.

자살을 한 것으로 추정되는 페르난두 안토니우 노게이라와 관련해 편지를 보냅니다. 확실한 부분은 그가 시골집을 파괴하여 자신은 물론 그 안에 있던 다른 이들의 생명을 빼앗은, 몇 개월 전 당시 포르투갈 전역을 놀라게 한 사건의 장본인이라는 것입니다. 저는 이에 대해 조사를 의뢰받았고, 그의 정신 상태에 관해 알기 위해서, 고인이 선생과 함께 더반 고등학교에 재학했다는 점에, 그가 교우간 관계에서 어떤 인물로 여겨졌는지 기탄없이 써줄 것을 부탁드리는 바입니다. 가능한 한 자세하게 써주십시오. 그를 어떻게 생각하십니까? 지적으로, 또 사회적으로는요? 기타 등등. 그가 이런 범행을 저지를 만한 인물로 보였습니까?

더불어 이 문제를, 될 수 있는 한 외부에 알리지 않기를 당부하는 바입니다. 이는, 보시다시피 대단히 예민하고 슬픈 사건입니다. 게다가 사고였을 수 있고(부디 그러기를 바랍니다만!), 그 경우라면 성급히 그를 비난하는 행동 역시 범죄가 되겠지요. 그의 정신 상태를 조사함으로써 이 끔찍한 사건이 범죄였는지, 단순 사건이었는지 판단하는 것이 제 의무임을 밝힙니다.

신속히 답장을 해주신다면 대단히 감사하겠습니다.

—『자전적, 자동적, 개인적 성찰의 글들』

위 편지는 결국 보내지지 않고 보관되어 우리가 읽을 수 있으나, 아쉽게도 실제로 보낸 편지는 발견되지 않았다. 아마도 비슷한 내용을 좀 더 자연스럽게 다듬어서 보냈으리라. 이 정중하고도 심각한 부탁에 실제로 몇몇 사람들이 성실한 답장을 보내왔다. 그중 동기생 기어츠의 답장에서 발췌해 추린 내용이다.

> 그는 창백하고 말랐으며 신체적으로 굉장히 불완전하게 발육된 것으로 보였음. 상체가 짧고 가늘었으며 구부정한 체형./병적인 경향./굉장히 명석한 학생으로 여겨짐./영어를 대단히 빨리 그리고 능숙하게 익혀서 빼어난 영어 문체를 구사했음./온순하고 공격적이지 않은 성향이었으며, 학교 친구들과의 교류를 기피하는 성향./어떤 종류의 스포츠에도 참여한 적이 없고, 남는 시간은 독서를 하며 보낸 것으로 사료됨. 사람들은 대체적으로 그가 공부를 지나치게 많이 했고, 그것이 결국 그의 건강을 해치지 않을까 염려했음.
>
> —『자전적, 자동적, 개인적 성찰의 글들』

단순한 호기심 차원이라고 하기에는 상당히 치밀하게 파고든 점이 특기할 만하다. 페소아는 먼저 남아공에 있는 자신의 전 영어 선생 벨처에게 편지를 하고, 그 내용을 바탕으로 영국 옥스퍼드에 있는 기어츠에게 편지를 써 벨처의 내용을 확인하는 등 교차 검토를 할 정도로 공을 들였다. 그렇게 시간이 많았나, 라는 생각마저 들 정도인데, 이 또한 참 페소아답다. 그는 중요하지 않은 것(이런 '조사')을 위해 중요한 것들(학교)을 등한시할 줄 알았다!

그로부터 약 반세기 후 1963년, 더반 고등학교에 관한 책을 쓸 것을 의뢰받았다가 페소아라는 기묘한 인간의 정체를 처음 알게 되고 나중에 페소아 연구자가 되는 휴버트 제닝스라는 인물이 실제로 기어츠를 찾아가 인터뷰를 한다. 기어츠는 여전히 페소아의 존재는 물론 그가 보낸 편지도 잘 기억하고 있었으며, 익숙한 문체로 미루어 보아 페소아 본인임을 이미 짐작하고 있었다고 대답했다. 알고도 속은 척해주었다는 얘기인데 진실인지는 알 수 없다. 어쨌든 그의 회고에 따르면, 페소아는 대체로 호감이 가지만 살짝 정신이 '돈' 것 같은 아이였다. 과연 같은 반 친구 기어츠의 관찰은 정확했다. 페소아도 자신의 잠재적 광기와 비사회성을 충분히 인식하고 있었고, 다만 자신이 겪는 불안과 사회 부적응을 천재가 타고난 불행한 운명으로 해석하고 싶어 했다. 그것이 이 정신적 무게 또는 고독을 삼킬 수 있는 유일한 설명이었으리라.

> 천재는 부적응이다. 고로 신경증이다(신경증은, 신경쇠약 영역 중에서도 치료 가능한 증세가 아니라, 치료가 불가능한 정신쇠약에 뿌리를 둔다).
>
> (…)
>
> 그러나 천재가 단순히 부적응인 것은 아니다. 만약 그렇다면 모든 천재가 신경증이어야 할 뿐만 아니라—이는 보다시피 사실이긴 하지만—모든 신경증이 천재여야 할 텐데, 이는 말도 안 된다.
>
> — 페르난두 페소아, 『천재와 광기에 관하여*Escritos Sobre Génio e Loucura*』 비평적 에디션 제7권

자신의 타고난 천성이 현실의 삶에 부적합하다고 느꼈음은, 페소아의 또 다른 준이명 '테이브 남작'의 일기 「금욕주의자의 교육」 속 성찰들에 직접적으로 드러난다. "지성이 존재한 이후부터, 모든 삶

이 불가능하다"고 절망한 테이브 남작은, "자살을 감행하게 만드는 건 윤리적 고통이 아니라, 그 고통이 자리하는 윤리적 진공 상태"라는 생각으로 스스로 인생을 마감한다. 테이브 남작이라는 인물은 『불안의 책』을 쓰던 초기에 저자 후보로 오르기도 한 인물인데, 책의 저자로 최종 낙점된 베르나르두 수아르스 또한 세상과 조화롭게 살 수 없으리라고 비관하기는 마찬가지였다.

> 삶에 동의하는 유일한 방법은 우리 자신에게 동의하지 않는 것이다.
>
> —『불안의 책』, 텍스트 23

우리의 삶보다 더 우리인 것들

우연히 페소아 연구자들끼리 식사를 함께하는 자리에 끼게 되었다. 한때 한국에서는 은행가들끼리 모이면 예술 이야기를 하고 예술가들끼리 만나면 돈 이야기를 한다는 냉소적인 농담이 유행했으나, 이곳에서 반가운 일은 페소아 연구자들끼리 만나면 상대방이 지루해할까 봐 눈치 볼 일 없이 밤새도록 마음껏 페소아 얘기를 나눌 수 있다는 점이다. 단점이라면, 어느 나라나 그렇지만 주로 의견이 비슷한 사람끼리 어울리기 때문에 대단히 색다른 관점이 나온다기보다는, 기존의 주장이나 견해를 공고히 하거나 상대방 진영을 공격하는 내용이 주를 이룬다는 점이다. 페소아를 둘러싸고도 학계 뒷이야기나 연구자들 사이의 알력과 갈등이 적지 않은데, 그쪽으로 화제가 번지지 않으면 다행이다.

이날은 잡지 『오르페우』의 핵심 멤버들, 즉 페소아와 사-카르네이루, 퍼포먼스에 능한 팔방미인 아티스트 주제 드 알마다 네그레이루스, 포르투갈 모더니즘 회화의 대표 기수 아마데우 드 소자-카르도수, 각 작가의 전공자들이 모두 모였다. 그중 페소아와 이름이 같은 페소아 연구자 페르난두 카브랄 마르틴스 교수의 존재는 특히나 반가웠다. 그의 책과 논문을 통해 많이 배우기도 했거니와, 사실 내가 포르투갈에 와서 유일하게 스스로 자랑스러운 순간이 바로 이 교수의 책에서 작은 오류를 하나 발견한 일이었기 때문이다. 나는 이를 그의 친구를 통해 전달했고, 시정이 된 것으로 전해 들었다. 그러나 정작 마르틴스 교수는 내 작은 '활약'을 기억조차 못하고 있는 눈치였다.

주문한 음식이 한 시간도 넘어 늦게 나오는 바람에 일행 중 한둘이 식당 주인과 얼굴을 살짝 붉히며 언쟁을 주고받긴 했지만, 대화는 흥미롭게 전개되었고, 신기하게도 누군가가 내가 마침 궁금해하고 있던 질문을 대신 던져줬다. "그런데 말이지, 알마다 네그레이루스, 아마데우, 페소아, 사-카르네이루, 이 넷 중에 누가 가장 정신적으로 불안정한 삶을 살았을까?" 일단 아마데우는 아니라는 데 모두 동의했다. 모더니즘 시기의 화가답게 그가 인생을 걸고 탐구한 것은 새로운 형식과 스타일, 색채에 관한 고민이었고, 철학적이고 존재론적인 번민은 적었다. 개인사도 대체로 평탄한 편이었다. 페소아처럼 천재와 광기 사이에서 고뇌한 흔적은 없고, 그냥 자신이 천재라고 확신했던 것 같다. 사랑하는 동반자 루시의 존재도 정신적 안정감을 찾는 데 도움을 주었다. 요절을 한 것도 갑작스러운 병(스페인 독감) 때문이었다. 알마다 역시 괴짜 같은 성격이긴 했지만 표현의 자유와 유명세를 골고루 누리면서 일흔 넘게 장수했고, 이렇다 할 정신적 고통의 흔적은 보이지 않았다.

그렇다면 페소아는? 마르틴스 교수는 그를 광기 어린 천재나 병적으로 불안정한 심리의 소유자로 여기는 것은 오해라고 일축했다. 만약 정말로 그랬다면, 그 많은 작품들이 나오는 것이 불가능했을 것이니 그 꾸준하고 엄청난 생산성만으로도 얼마든지 반증이 가능하다는 주장이다. 생산성을 심리적 안정의 근거로 삼을 수 있느냐는 반론들이 나왔지만, 일면 공감이 가는 얘기였다. 페소아를 심리학적으로 분석해 자아분열증으로 환원하거나, 전형적인 광기 어린 예술가로 보려는 낭만적인 시각을 경계하려는 그의 의도가 이해되었다. 어쩌면 페소아의 정신적 문제와 관련해 좀 더 적확한 질문은, 그가 얼마나 혹은 어떻게 '미쳤나'가 아니라 거꾸로, 이토록 광기에 집착한 그가, 또 그렇게 여러 사람을 살아냈던 그가 어떻게 '멀쩡했을까'인지도 모른다. 물론 매일같이 엄청난 양의 술을 마시고, 47세에 간경변(사인 추정)으로 사망한 사람에게 멀쩡하다는 표현이 잘 어울리는지는 모르겠지만, 적어도 그가 친구 사-카르네이루보다 20년 이상 더 산 것은 사실이다. 친구의 자살 이후로 더욱더 혼자라고 느꼈고 간혹 극심한 우울까지 찾아왔지만, 적어도 겉으로는 한 번도 완전히 무너진 흔적은 없었다.

철학자 자크 데리다는 '파르마콘Pharmakon'(그리스어로 약인 동시에 독)이라는 양가적 개념을 가리켜, 인간을 몹시 불안하게 하는 동시에 진정시키는 것, 혹은 성스러운 동시에 저주스러운 것이라고 설명했다. 그렇다면 페소아는, 그가 떠안은 문학의 파르마콘을 어떻게 희석시켜 스스로를 지탱했을까? 본인의 진술에 의하면 문학에 바친 생애, 시인으로서의 일종의 소명 의식 덕분이었다. 연인 오펠리아와의 관계에서 이 말을 꺼낼 때면 일종의 변명으로, 지나치게 거창한 명분으로 들리는 것도 사실이지만, 적어도 문학이 탈출구이자 대피처였던 점, 그리고 문학적 승화 혹은 해소가 그를 살린 점만은 부인할 수 없다. 복수의 문학적 자아들을 그렇게 여러 명 거느리면서도 심각한 분열 증세를 일으키지 않은 것도, 역설적으로 그들을 통제하는 강력한 중심이 있었기에 가능했다고 볼 수도 있다.

나는 또 다른 단서로 그가 제창한 '감각주의'를 들고 싶다. 페소아는 감각주의 이론을 논하며 감각을 '지성화'하는 나름의 방법론을 제시했다. 먼저 하나의 감각을 느끼면, 그 특정 감각으로부터 물러나 '느끼고 있는 나'를 의식한다. 그다음 '그 감각을 느끼는 나를 의식하는 나'로부터 다시 한 번 물러나 이 과정 모두를 의식하는 것이다. 이런 '메타 의식법'은 흡사 명상의 방법론을 연상시킨다. 고문을 당했던 이들도 끔찍한 고통을 경감시키기 위해 고통을 최대한 객관화해서 관망하는 수련법들을 들려주곤 한다. 물론 감각주의는 감각의 경감보다는 증폭을 위한 방책이기도 했지만, 그 핵심은 감각을 자유자재로 통제하고 다루는 데 있었다. 이렇게 '나로부터 빠져나오기'와 '당장의 감각으로부터 물러나 통제력 회복하기'라는 창작 과정을 반복적, 습관적으로 행했다면 의식적이든 무의식적이든 심리적 안정에 도움이 되지 않았을까?

문학의 공간 속에서 페소아는 파괴적인 결말은 요령 있게 피했지만, 아주 서서히, 점진적으로 증가하는 고통은 마주할 수밖에 없었다. 어떤 이는 어머니의 죽음과 사-카르네이루의 죽음을 페소아의 생애에 있어 가장 힘든 사건으로 꼽고, 평생 아버지의 죽음과 그의 빈자리를 극복하지 못했다는 정신분석을 하기도 하지만, 페소아의 글들을 시간 순서대로 읽어보면, 치명적인 한두 사건의 영향보다는 치유 불가능한 근본적인 고독이 점점 쌓여 이를 문학과 술과 담배로 달래보았지만 결국 죽음에 이르렀다는 인상을 받는다.

어느새 밤이 늦었다. 우리는 스물여섯에 자살한 사-카르네이루가 심리적으로 가장 불안정했다는 점에 느슨하게 동의하면서, 다음 만남을 기약하며 헤어졌다. 귀갓길, 나는 피게이라 광장의 정류장에서 타는 벨렝 방향 15번 전차를 목전에서 놓쳐버렸다. 정류장에서 상 조르주 성곽 쪽을 멍하니 바라보다가, 문득 페소아가 마지막으로 쓴 시가 떠올랐다. 아마도 죽기 열흘 전쯤이었을 것이다.

병보다 지독한 병이 있지.
아프지 않은 아픔도 있어, 영혼조차 안 아파,
그런데 다른 아픔들보다 더 심하게 아픈.
꿈꾸긴 했지만 현실인 삶이 가져오는 것보다
더 현실적인 고통이 있지, 그리고 그런 감각도 있어.
상상하는 것만으로도 느껴지는 것들
우리 삶보다도 더 우리 것인 것들.

얼마나 많은 것들이 있는지, 존재하지 않으면서도,

존재하고, 느지막이 존재한다,

그리고 느지막이 우리의 것이다, 바로 우리이다…….

(…)

포도주나 한 잔 더 주게, 인생은 아무것도 아니니.

—1935년 11월 19일(페르난두 페소아, 『나의 시*Poesia do Eu*』)

내 인생의 거장을 만나는 특별한 여행

클래식 클라우드

arte

019 **단테** × 박상진

내세에서 현세로, 궁극의 구원을 향한 여행

최후의 중세 시인인 동시에 최초의 근대 시인인 단테
『신곡』으로 호메로스, 셰익스피어, 괴테와 함께
세계 4대 시성으로 불리는 그를 찾아가는 문학 기행

020 **코넌 도일** × 이다혜

셜록 홈스를 창조한 추리소설의 선구자

홈스의 흔적이 살아 숨 쉬는 런던에서부터
위대한 이야기의 창조자 도일의 세계가 탄생한 에든버러까지
소설과 현실의 풍경이 맞물린 영국으로 떠나는 문학 기행

021 **페르메이르** × 전원경

빛으로 가득 찬 델프트의 작은 방

일상에서 영원을 길어 올린 빛의 화가
'북구의 모나리자' 〈진주 귀고리 소녀〉의 거장
페르메이르가 빚어내는 고요하고 온화한 세계를 만나다

각 권 18,800원

슬픔이여 안녕

'매혹적인 작은 괴물' 프랑수아즈 사강의 대표작
천재 작가의 등장을 알린 20세기 최고의 베스트셀러

프랑수아즈 사강 | 김남주 옮김
15,000원

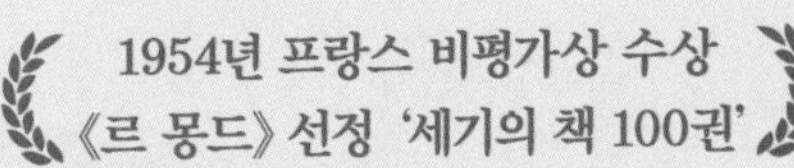

"모든 문장이 파괴적이다. 이렇게 강렬했던가?"
– 이다혜(작가, 《씨네21》 기자)

삶이란 우리가 삶으로 만드는 것이다. 여행이란 결국 여행자 자신이다.
우리가 보는 것은 우리가 보는 것이 아니라 우리 자신의 존재다.

—『불안의 책』

07

FERNANDO PESSOA

모든 연애편지는 바보 같다

그녀, 오펠리아

페소아의 유일한 연인

리스본 외곽에 사는 내가 시내로 나갈 때 이용하는 42번 버스는 도시의 서북부 가장자리를 따라 우회하며 공동묘지, 빈민촌, 감옥 등 도시의 어두운 지역들을 훑고 지나가는 노선이다. 마리아 피아 거리Rua Maria Pia를 따라 구불구불한 오르막길로 길게 늘어선, 마치 버려진 것처럼 보이는 낡은 집들을 지나다 보면 쓰레기가 나뒹구는 골목 사이로 일자리를 구하지 못한 사람들이 낮술로 무료함을 달래는 풍경이 심심찮게 보인다. 이탈리아의 공주 출신으로 포르투갈 왕가에 시집온 왕후의 이름을 딴 이 길은 귀족적인 명칭과는 대조적으로 밤에는 마약 거래가 일어나고 직업여성들이 호객을 하는, 범죄의 온상으로 알려진 구역이지만, 낮에는 나 같은 외국인이 수없이 걸어 다녀도 여태 별일이 없었을 정도이니 슬럼치고는 다른 대도시보다 사정이 나은 편이다. 포르투갈 정부가 2001년부터 전격적으로 마약의 비범죄화를 추진하고 나선 후 전국적으로 중독자들에 의한 범죄율도 줄어들었다고 한다. 마리아 피아 거리를 벗어나 리스본 교도소에 이르면, 매일 아침 일찌감치 도착해 입구에 줄을 서서 기다리는 면회객들의 모습이 보인다. 재소자는 물론이지만, 바깥세상에 남겨진 저 가족, 연인, 친구들이 얼마나 많은 기다림의 시간을 감내해야 하는지 상상조차 가지 않는다.

이들과 비교할 수는 없지만 나도 오늘은 하루 종일 기다릴 일만 앞두고 있다. 새벽같이 출발해 업무 개시 한 시간 전에 도착했는데도 불구하고 이민국 앞의 줄은 이미 길게 늘어섰다. 한참 후 겨우 번호표를 뽑고 대기실에 앉아 다시 하염없이 차례를 기다린다. 책도 신문도, 아무것도 볼 의욕이 나지 않는다. 그저 대기실에 앉아 기다리는 온갖 나라의 이민자들을 멍하니 쳐다보노라면, 의외로 아무것도 안 하는 사람은 나뿐이고 전부 각자의 스마트폰 속에 빠져 있다. 『불안의 책』 한 구절이 떠오른다. "무엇을 기다리는지도 모른 채 나는 헛되이 기다릴 것이다"(텍스트 51). 가방에서 페소아 시집을 꺼내 볼까 하다가 그만둔다.

일을 마치고 이민국을 나서니 어느새 오후 6시. 저녁에 친구를 만나기로 한 상 도밍구스 성당Igreja de São Domingos 방향으로 기다림에 지친 발걸음을 옮긴다. 13세기에 지어진, 한때는 포르투갈에서 가장 컸던 이 성당은 온갖 비극의 진원지였다. 수차례의 지진도 모자랐던지 1959년, 소방관 두 명을 희생시킨 대형 화재를 겪으며 성당 내부가 완전히 연소되어 지금도 시꺼멓게 그을린 흔적이 기둥과 구조에 그대로 남아 있다. 또한 이 성당 앞의 작은 광장은 1506년 4월 19일, 어느 일요일 미사 중 일어난 작은 시비가 불씨가 되어 사흘간

무려 수천 명의 유대인 희생자가 발생한 이른바 '리스본 대학살'의 현장이다. 30년 후 종교재판으로 이어진 이 참극은 수많은 유대인을 포르투갈 바깥으로 내몬 계기가 되었다. 지금은 광장 한가운데 덩그러니 놓인 작은 달걀 모양의 기념비만이 사건을 상기시켜주고 있지만, 광장을 가득 채운 관광객 중에 이 돌덩이에 눈길을 주는 사람은 아무도 없다. 그 대신 유수 관광 사이트들에 소개되었을 게 틀림없는 진징야Ginjinha(포르투갈 특산 체리주)를 맛보려는 이들로 장사진을 이루고 있다. 나는 가게 앞에 길게 줄을 선 군중에게서 시선을 떼고 손목시계를 힐끗 본다. 모두 다른 이유로, 다른 무언가를 기다리고 있구나. 만남의 장소로 통용되는 이곳에서 나처럼 누군가를 기다린 수많은 사람들 중에는 페르난두 페소아 씨도 있었다. 아마도 담배를 태우면서 혹은 공상을 하며 성당 입구에서 서성이고 있었을……. 로마 가톨릭의 신랄한 비판자인 그가 이곳에는 무슨 볼일이 있었던 것일까? 사실 페소아는 미사를 보러 들어간 한 여인을 기다리고 있었다. 그의 생애 유일한 연인이었던, 아무런 설명도 없이 9년간의 공백도 기다려준 그녀를.

리스본의 비교적 유복한 가족의 8남매 중 막내로 태어나 구김살 없이 자라난 오펠리아 케이로즈Ophelia Queiroz는 겉으로 봤을 때 지극히 평범해 보이는, 가정교육 잘 받은 중산층 자제의 전형 같은 인상을 풍긴다. 학교에서도, 프랑스어를 특히 좋아했던 것 말고는 특기할 게 없다. 그 시대만 해도 제1외국어가 영어가 아니라 프랑스어였으니 이 또한 특징이라고 할 것도 없다. 이런 첫인상에도 불구하고,

오펠리아 케이로즈
페소아의 생애 유일한 연인이었던 오펠리아 케이로즈. 스무 살 되던 해에 면접을 보러 간 곳에서 오펠리아는 페소아를 처음 만난다. 결국 페소아 쪽에서 먼저 이별을 고했지만 두 사람은 그 이후로도 편지를 주고받는다. 오펠리아는 페소아가 죽은 지 3년 뒤에야 다른 사람과 결혼했다.

사실 그녀에게는 조금 남다른 데가 있었다. 그녀는 무척이나 일이 하고 싶었다. 학교 교육은 적당히 받고 집안일을 조금 돕다가 좋은 데 시집가는 것이 대다수 중산층 여성들의 정해진 인생 코스였던 보수적인 포르투갈 사회 분위기에서, 그녀처럼 가족의 반대를 무릅쓰고 적극적으로 일을 구하려 한 경우는 결코 흔하지 않았다.

열아홉에서 스물로 넘어가던 해에 오펠리아는 일간지 『디아리우 드 노티시아스』에 난 취업 공고를 발견하고 취직을 결심한다. 이를 달가워하지 않던 부모를 겨우 설득하는 데 성공해 지원을 하고, 곧 회사로부터 면접을 보러 오라는 통보를 받는다. 아직도 길거리에 여자 혼자 다니는 것을 꺼리던 시절이었기에, 집에서 일하는 아주머니와 함께 아순상 거리Rua da Assunção 42번지에 위치한 회사 '펠릭스, 발라다스 이 프레이타스felix, valladas e Freitas'를 찾아갔다(내가 마지막으로 이곳을 지났을 때는 요가센터로 바뀌어 있었다). 다소 초조한 마음으로 면접관의 질문들을 예상해보며 대기실에서 기다리고 있을 때, 온통 검은 옷에, 검은 모자와 검은 뿔테 안경을 쓰고, 검은 나비넥타이를 한 신사 한 명이 들어섰다.

한참 후에도 오펠리아는 페소아를 처음 만난 이날의 모습을 또렷이 기억할 수 있었다. 마침 계부의 장례식에 참석하고 오는 길이었던 그를 처음 보고, 그녀는 이상하리만치 웃음이 터져 나오려는 것을 겨우 참았다고 회고한다. 채용 공고 때문에 찾아왔다고 설명하자 그 신사는 자신이 이 사무실 소속이 아니라서 자초지종은 모르겠지만 담당 직원에게 물어볼 테니 잠시만 기다려달라고 답했다. 남의 말을 신중하고 친절하게 경청한다는 인상을 주는 사람이었다.

무사히 면접을 마친 후 사흘 뒤에 긍정적인 회신이 왔다. 첫 출근 날 그녀를 맞이한 사람도 페소아였다. 회사를 차린 세 명의 동업자 중 한 명이 페소아의 친척이었기에 일을 도와주러 자주 사무실을 들른다는 설명이었다. 페소아는 영어와 프랑스어에 능통했기에 번역 관련 일들을 도왔는데 돈이라도 받고 일을 한 것인지, 오펠리아 역시 기억이 불분명하다(포르투갈 사람들은 여간해서는 돈 이야기를 직접적으로 꺼내지 않는다).

둘은 귀갓길에 자주 동행을 하게 되고, 그렇게 담소를 나누면서 자연스럽게 관계가 진전된다. 누가 누구를 먼저 좋아하게 되었는지는 알 수 없다. 단, 정황을 보면 먼저 호감을 표현한 것은 여자 쪽인 듯하다. 1919년에 "내게 있어 당신의 존재는 더없이 소중하답니다. 당신에게 끌리고 있거든요"라고 쓴 그녀의 쪽지가 있는데 이를 최초의 '단서'라고 봐도 무방하겠다. 그 쪽지는 조각조각 찢긴 흔적이 있다. 어떤 일이 있었는지는 모르지만, 오펠리아가 사무실에서 써 놓고는 새삼 부끄러움을 느끼고 찢어 휴지통에 버린 것을 페소아가 발견한 것으로 추정된다(바로 그것을 그녀가 의도한 것일 수도!). 어쨌든 페소아의 보관함 속에 찢긴 채 고이 간직되어 있던 조각들을, 나중에 페소아의 질녀가 솜씨 좋게 짜 맞춘 덕분에, 우리처럼 취미가 고약한 후대 사람들이 이런 추측까지 할 수 있게 된 것이다.

이런 증거가 없었다고 해도, 워낙 숫기가 없기로 소문난 페소아가 과감하게 먼저 한 발을 내디뎠다는 것, 게다가 상대방도 연정을 품은 것이 확실히 드러나지 않은 상태에서 '대시'했다는 것은 상상이 가지 않는다. 자신은 못난 외모의 소유자라 매력이 없다고 평소에도 자신 없어했으며, 누군가의 환심을 살 수 있으리라는 믿음이 전혀 없었던 그였으니 말이다.

비록 '정신적'으로는 그녀가 선수를 쳤지만 '육체적'으로 첫 발자국을 뗀 것은 남자 쪽이었다. 회사에서 정전 사고가 발생한 어느 날이었다. 마침 모두 다른 볼일을 보러 나가고 사무실에는 단둘만 남아 있었다. 페소아는 기름 등불을 밝혀 오펠리아의 책상에 놓아주며, 퇴근 시간 즈음해서 "먼저 가지 말고 있어달라"는 메모를 남겼다. 이미 페소아의 호감을 눈치채고 있었던 그녀는 은근히 기대를 품은 채 어서 시간이 가기를 기다린다. 퇴근 시간이 되어 업무 정리를 하고 외투를 입고 있을 때 그가 사무실로 들어왔다. 별안간 페소아는 마치 햄릿이 오펠리아에게 하듯, 지극히 중세적인 혹은 연극적인 방식으로 한쪽 무릎을 꿇고 사랑을 고백하기 시작했다. 그녀가 당황한 나머지 어찌할 바를 몰라 황급히 나갈 채비를 하고 자리를 뜨려 하자 페소아도 자리에서 일어나 말없이 출구까지 배웅했다. 문간까지 왔을 때 이 소심한 시인은 연정을 참지 못하고 느닷없이 그녀의 허리를 감싸 끌어안으며 한마디 말도 없이 그녀에게 격정적인 키스를 퍼부었다. 그녀의 표현에 의하면, "열정에 차서, 미친 사람처럼".

이렇게 달콤한 한때가 시작된다. 둘은 시를 주고받고, 긴 산책을 즐긴다. 페소아는 그녀와 가능한 한 오랫동안 함께 산책을 하기 위해 최장 거리를 진지하게 계산하기도 한 모양이다. 단, 두 사람은 회사 사람들과 부모의 눈을 피해 산책 코스를 잡는다. 나이 차이가 많이 나기도 했지만, 페소아가 연애 자체에 대해 갖고 있던 거부감과 그의 비밀스러운 성격도 한몫을 했다. 어쨌건 이 시기만큼은 두 사람 모두 정말로 사랑에 푹 빠졌던 것이 분명하다. 평소 같으면 결혼 같은 세속의 형식은 거들떠보지도 않을 페소아가, 먼저 나서서 "우리가 만약에 결혼을 한다면……"이라는 표현을 아무렇지도 않게 쓴다.

오펠리아의 어떤 점에 그토록 끌렸을까? 이런 질문은 어차피 아무도, 본인들도 제대로 대답을 못하는 법이지만, 모르긴 해도 그녀가 페소아의 문학적 영웅인 셰익스피어의 희곡에 나오는 이름을 가진 것도 하나의 매력 포인트였으리라. 혹자는 그래서 그가 오펠리아와 진심으로 사랑에 빠졌다기보다는 문학적 게임을 즐긴 것뿐이라며 핀잔을 주기도 한다. 모를 일이다. 오펠리아는 페소아에게 왜 끌렸을까? 사실 그를 처음 만났을 때 그녀에게는 다른 남자가 있었다. 둘 사이에서 그녀는 양쪽을 이리저리 재보면서 갈등을 겪기도 했고, 딴 남자 이야기를 페소아에게 흘려 그가 '분발'하도록 은근히 자극하기도 했다. 그러나 머지않아 그녀는 결심을 굳히고 전 애인을 포기한다. 그 남자, 즉 에두아르두라는 인물도 어느 날 연락을 끊고 사라져버린다(에두아르두 집안의 두 형제 모두 오펠리아를 좋아했으니 그녀가 분명한 입장을 보이지 않았더라면 관계가 걷잡을 수 없이 복잡해졌을 수도 있다). 안타깝게도, 오펠리아의 연정이 점점 벅차오르던 데 반해 페소아 쪽은 서서히 시들고 있었다. 비록 짧은 기간이었으나 최소한 초반에는 그도 분명 흠뻑 젖어 있던 아름다운 장밋빛 환상에서 지나치게 일찍, 혼자서만 빠져나오고 있었다.

리스본의 골목길

페소아의 연애편지들

두 사람의 관계, 특히 연애 이야기는 양쪽 말을 다 들어봐야 하는데 1995년까지는 오로지 남자 쪽 편지만 읽을 수 있었고, 여자 쪽 이야기는 오펠리아의 단편적인 진술과 회고에 의존할 수밖에 없었다. 페소아의 연애편지들이 처음 출판되었을 때 썩 반기지 않는 사람들도 있었다. 위대한 시인을 초라하게 만든다는 것. 그러나 유명인의 인간적인 면모를 엿보고 싶어 하는 사람들의 호기심을 막을 수는 없었다. 아흔이 넘도록 장수한 오펠리아도 1991년에 숨을 거두고, 그녀의 사후 5년째 되는 해에 페소아의 유가족은 작가가 보관하고 있던 그녀의 편지들까지 마침내 일반에 공개했다. 드디어 전체 그림이 드러나게 된 것이다. 현존하는 모든 편지를 모은 544쪽짜리 책이 발간된 것은 비교적 최근(2013)의 일이다.

이 두꺼운 책을 다 읽지 못했다는 것을 부끄러움 없이 고백한다. 사실 남의 연애편지를 훔쳐본다는 것은, 언뜻 들으면 호기심을 자극하는 흥미진진한 일 같지만 사실은 괴롭고 따분한 일이다. 특히 그것이 남의 시선을 의식하지 않은 '진짜' 사랑일 때는 읽으면서 자괴감마저 든다. 이것을 들여다보는 게 옳은 일인가, 라는 윤리적인 문제는 차치한다 해도, 도대체 관음증적 흥미 외에는 의미를 부여하기 힘들기 때문이다. 아무리 특출난 인물, 뛰어난 작가의 연애라도 다를 게 없다. 사랑의 영역 안에서는 동서고금을 막론하고 (거의) 누구나 진부해지는 경향을 피할 수 없기 때문이다. 사람이 진부한 게 아니라 관계의 양상이 진부해지고, 그래서 흥미가 떨어지고, 그 점이 독서를 괴롭게 한다. 그런 이유로, 다른 전기적 사실들을 다룰 때와 마찬가지로 사랑 역시 분석적으로 다룰 수밖에 없는 점을 양해해주기 바란다.

편지들은 크게 네 시기로 나뉜다. 사랑의 시기(1919~1920), 좌절의 시기(1929), 고독의 시기(1930~1931), 에필로그의 시기(1932~1935). 처음 만난 날, 또 첫 키스를 한 날을 추억하며 한창 사랑에 빠져 허우적대고 어쩔 줄 모르는 오펠리아에 반해, 페소아는 갈수록 시큰둥해진다. 200여 통이 넘는 오펠리아의 편지와 49통의 페소아의 편지가 보여주는 양적 차이에서부터 한쪽으로 기울어진 양상이 단적으로 드러나기도 하지만, 특히나 두 번째 시기에 접어들면 페소아의 열정이 식었음이 좀 더 확연히 드러난다. 그녀도 이를 느끼지 못할 리가 만무했으니, 비교적 일찍부터 시작된 그녀의 투정 혹은 항의는 일관되게 증가하는 경향을 띤다.

앞서 말했듯이 페소아는 일체의 세속적이고 진부한 연애를 경계해온 사람이었다. '연애하다namorar'라는 말을 부르주아적이라고 경멸해서 그 대신 '사랑하다amar'라는 동사를 고집했다. 이런 형편이었으니, 시간이 지날수록 오펠리아가 평범한 여자로서의 면모를 많이 드러내고 결혼을 하자는 압박을 가하는 과정에서 페소아가 점점 흥미를 잃었을 수도 있다. 당시 또래 여자들 대부분이 그랬듯 오펠리아 역시 평범하고 안락한 가정을 꾸려줄 남편을 원했다. 기존의 사회 통념을 전혀 벗어나지 못했던 그녀는 지적인 면에서 페소아와 너무도 달랐다. 앞서 말했던 것처럼, 독실했던 그녀가 종종 미사에 갈 때면 '이교주의자' 페소아는 절대 동행하지 않고 성당 밖에서 기다리곤 했다. 상징적인 장면이다. 페소아가 그의 독특한 종교관을 그녀에게 얼마만큼 드러냈는지는 모르지만, 페소아가 크롤리('9장 지옥의 입구' 참조)를 만났을 때 '사탄' 같은 친구를 사귀는 것을 몹시 걱정스러워하며 그와 멀어지게 해달라고 하느님께 열심히 기도했다는 그녀의 편지를 보면 이렇다 하게 공유한 것은 없는 듯하다. 그녀가 꿈꾼 것은 아이가 있는 단란한 가정을 이루어 일요일에는 다 같이 미사에 가서 예배를 보는, 전형적인 가톨릭 신자의 모범적인 삶이었다.

그러나 그녀가 늘 페소아의 문학적 재능을 굉장히 높이 샀고, 그를 있는 그대로 이해하고 사랑할 수 있었던, 아니 최소한 그러기 위해 누구보다 더 노력할 수 있었던 사람이었던 것도 사실이다. 실제로 '일이냐 사랑이냐'라는 진부한 이분법적 프레임을 들이댄 것은 여자 쪽만이 아니었다. 페소아도 이 담론의 형성에 동조했다. 페소아는 문학에 바친, 아니 문학의 포로가 된 자신의 인생을 때로는 한탄조로 호소하며 자신도 이 '부름' 앞에서는 어찌할 도리가 없음을 누차 강조한다. 진짜 이유가 무엇이었든, 1929년부터 페소아는 자신의 문학적 목표와 결혼이 양립할 수 있으리라는 희망을 내려놓기 시작한다.

> 오펠리아, 너를 많이 좋아해, 정말로 많이. 너의 타고난 성격을 내가 얼마나 좋아하는지 모를 거야. 만약 내가 결혼을 한다면 너 말고는 생각할 수 없어. 이제 남은 문제는 결혼, 가정(혹은 그걸 어떻게 부르든지 간에) 같은 것들이 내가 생각하는 삶과 맞느냐겠지. 난

회의적이야.

—1929년 9월 29일 편지(『페르난두 페소아와오펠리아 케이로즈—모든 연애편지들 *Fernando Pessoa & Ofélia Queiroz–Correspondência morosa Completa*』)

자신의 성향이 결혼과 가정에 맞지 않는다는 것을 그는 잘 알고 있었다.

내 인생 전부는 나의 문학 작품을 중심으로 이뤄져 있어, 좋든 싫든, 그게 뭐가 됐건, 뭐가 될 수 있건 간에 (…) 그 나머지는 모두 내게 이차적인 문제들이야. (…) 내 작품들을 완성해내기 위해, 나는 고요, 그리고 일종의 고립을 필요로 해.

—1929년 9월 29일 편지(『페르난두 페소아와오펠리아 케이로즈—모든 연애편지들』)

오펠리아는 이미 9년 전에 내려진 결론을 쓰라리게 재확인해야 했다.

나로 말할 것 같으면…… 사랑은 지나갔어.

—1929년 9월 29일 편지(『페르난두 페소아와오펠리아 케이로즈—모든 연애편지들』)

그렇게 한 시기가 마무리되고 9년이라는 세월이 흐르지만, 그 시간 동안에도 페소아에 대한 그녀의 마음은 변하지 않는다. 얼마든지 다른 사람을 만날 수 있는 상황이었음에도 그녀는 전 애인을 잊지 못한다. 1928년 어느 날 페소아가 그녀 앞에 한 장의 사진으로 나타난다.

페소아가 그의 단골 술집인 아벨Abel Pereira da Fonseca에서 술을 마시는 모습의 사진이 우연한 경위로 오펠리아와 사촌 관계이자 페소아의 친구이기도 했던 카를루스 케이로즈의 수중에 들어오게 되어 오펠리아에게까지 전해진 것이다. 오펠리아는 그 사진의 복사본이 있다면 한 장 가지고 싶다는 뜻을 밝혔고, 그 메시지를 카를루스가 페소아에게 전하면서 연락이 재개되었다.

페소아는 좀 변해 있었다. 좀 더 살이 쪘고, 부쩍 나이가 들어 보였다. 그러나 내면은 그대로였다. 감정도 남아 있었다. 다만, 더 이상 그 사랑이 아닐 뿐이었다. 어쩌면 페소아에게는 원래부터 사랑이란 불가능한 것이었는지도 모른다.

또다시 시간이 흐른다. 마지막 2년간은 생일 때 주고받은 전보가 전부다. 오펠리아에 따르면, 그즈음 공통의 친구를 만났을 때 페소아가 그녀의 안부를 물으며 그녀가 "아름다운 영혼"이었다며 씁쓸한 듯 탄식했다고 한다. 1935년, 페소아가 죽기 약 한 달 전에 쓴 시에 당시 그의 심리가 엿보인다.*

* 2012년에 발간된 브라질 작가 주제 카발칸티José Paulo Cavalcanti Filho의 페소아 전기(『페르난두 페소아—전기에 가까운 전기*Fernando Pessoa—Uma Quase Autobiografia*』, Porto Editora, 2012)에서, 저자는 의문스러운 이야기를 들려준다. 페소아가 죽기 직전, 간호사들이 그의 옛사랑 오펠리아를 수소문 끝에 찾아내 병원으로 데리고 와, 두 사람이 마지막으로 극적 재회를 하고 페소아가 연인에게 한 권의 시집을 건네준 다음 숨을 거둔다는 드라마틱한 결말. 물론 이는 사실이 아님이 곧 밝혀졌다. 혹시라도 이 판본을 읽은 독자들은 참고하기 바란다.

페르난두 페소아, 현장에서 덜미를 잡힘
두 사람이 헤어지고 9년이 흐른 뒤, 오펠리아는 우연히 자신의 사촌이자 페소아의 친구인 카를루스 케이로즈가 가지고 있던 페소아의 사진을 보게 된다. 페소아가 단골 술집 '아벨'에서 술을 마시는 모습이었다. 오펠리아가 이 사진을 갖고 싶다는 뜻을 전하자, 페소아는 '페르난두 페소아, 현장에서 덜미를 잡힘'이라고 사진 위에 메모해 선물한다.

모든 연애편지는

바보 같다.

아니 연애편지가 아니리라

바보 같지 않다면.

나도 한때는 연애편지를 쓰곤 했지,

남들처럼,

바보처럼.

연애편지는, 거기 사랑이 있다면

피할 수 없다,

바보 같은 걸.

그렇지만, 결국,

절대 연애편지 따위는 안 써본 사람들

그들에게야말로 연애편지는

바보 같지.

이런 것들을 생각하지 않고

쓸 시간이 주어진다면 얼마나 좋을까,

바보 같은

연애편지를.

사실은 지금

연애편지에 대한
나의 기억
그거야말로
바보 같은데.

(내 모든 기묘한 말들은,
기묘한 감정들처럼,
원래가 모두
바보 같은 것.)

—알바루 드 캄푸스, 1935년 10월 12일

바로 이 문제의 인물, 알바루 드 캄푸스 이야기를 깜박하고 빼놓았다. 캄푸스야말로 이 연인의 사이를 갈라놓은 장본인이라고 분석하는 사람들도 있는데, 캄푸스가 결국 페소아의 발명품임을 잊지 않는다면 틀린 말은 아니다. 물론 오펠리아는 페소아가 만든 이명들의 존재를 잘 알고 있었다. 때로는 페소아의 문학적 기벽에 장단을 맞춰 재치 있게 응수하기도 했고, 이명 중에서 알렉산더 서치에 대해서는 호감을, 알바루 드 캄푸스에 대해서는 비호감을 표현했다. 말기로 갈수록 이명은 문학과 장난의 영역을 넘어 사생활 속으로 깊숙이 침범하고 있었다. 가령 오펠리아는 1929년 9월 25일에 알바루 드 캄푸스로부터 이런 편지를 받는다.

페르난두 페소아라고 불리는 비열하고 끔찍한 자가, 실은 저와 각별한 친분이 있는 친구입니다만, 귀하에게 연락을 취해달라고 부탁했습니다—현재 그의 정신 상태를 고려했을 때 여하한 종류의 소통도 불가능하기 때문입니다. (…) 부디 귀하께서는, 제가 여기다 인용하는 것만으로도 나름 깨끗한 종이가 더럽혀지고 있는 이 인간에 관하여 마음속에 어떤 이미지를 만드셨든 간에, 그 이미지를 집어다 하수구에 버려주십시오.

—『페소아와 페소아들』

이런 내용이 반가울 리 없다. 그녀는 곧바로 펜을 들어 응수한다.

저한테 조언해주셔서 감사한데요, 이왕 그렇게 말씀하시는 김에 저도 한 말씀 드리자면, 제가 이미 오래전부터 정말로 바라는 바는요, 하수구가 아니라 기찻길에다 버리는 거라고요, 친애하는 선생님을요.

두 번 다시 선생님의 편지를 읽게 되지 않기를 바라며,

—1929년 9월 29일 편지(『페르난두 페소아와오펠리아 케이로즈—모든 연애편지들』)

이어서 페소아에게도 별도의 편지로 항의한다.

나한테 쓸 편지를 알바루 드 캄푸스 선생님께 부탁하다니 이 얼마나 섭섭한 발상인가요? 이 사람은요, 결국 당신의 친구도 아니에요. 당신에게 정말 잘못하고 있다고요. 당신의 친구도 아니니 제 친구도 아니고, 제 친구도 아니니 저도 그의 친구라고 할 수 없어요.

한마디로 그 사람 정말 싫다고요. 사랑하는 나의 페르난두, 다시는 그 사람한테 내게 편지하라고 부탁하지 말아줘요.

—1929년 9월 29일 편지(『페르난두 페소아와오펠리아 케이로즈—모든 연애편지들』)

"페르난두, 나빠, 많이 나빠!"라고 애절하게 외치는 오펠리아의 편지들을 읽고 있으면 마음이 아파온다. 대부분의 사람들처럼 그녀에게도 사랑은 변치 않는 무언가를 상징했으리라. 불행히도 페소아에게는, 변하는 것이야말로 사랑이었으리라. 그는 시시각각 변했다. 한순간은 수아르스로, 다른 한순간은 캄푸스로, 그렇게 끊임없이……. 최악의 연애, 아니 결혼 상대가 아닐 수 없다. 다시 제자리로 돌아와주길 바라는 연인의 애타는 마음에는 아랑곳하지 않고 페소아는 또다시 다른 사람, 이번에는 베르나르두 수아르스로 변해 전혀 엉뚱한 방향의 생각들을 전개하고 있었다.

낭만적 사랑이란 영혼과 상상력이 만든 옷이며 우연히 나타난 사람에게 입혀놓고 잘 맞는다고 생각하는 옷이라고 비유할 수 있다. 하지만 모든 옷은 영원하지 않기 때문에 어느 정도 시간이 흐른 후에는 우리가 만든 이상적인 의상이 해어지고, 그 아래로 우리가 옷을 입힌 사람의 진짜 육신이 드러나게 된다.

그러므로 낭만적인 사랑이란 환멸에 이르는 길이다.

—『불안의 책』, 텍스트 111

페소아가 죽은 지 3년이 되던 1938년, 오펠리아는 다른 사람과 결혼해서 가정을 이룬다. 결혼한 몸이었음에도 그녀는 자신이 정말로 사랑한 사람은 페소아였다고 공공연하게 밝혔다. 그녀가 사생활 공개를 쉽게 생각한 것은 전혀 아니다. 쇄도하는 인터뷰 요청을 모두 거절해오던 오펠리아는 어느 날 문득 이제는 입을 열 때가 왔다고 생각해 어린 조카 마리아를 불러 페소아의 편지와 쪽지들을 모두 보관해둔 과자 상자를 꺼내 수십 년 만에 다시 읽어보며 지난 이야기를 모두 들려준다. 그렇게 해서 온갖 에피소드들이 지금 우리에게까지 전해진 것이고, 바로 이 조카의 설득으로 나중에 편지들의 출판까지 이루어졌다. 단, 페소아의 것들만. 나중에 오펠리아의 편지들까지 출판된 것은, 그녀가 생전에 허락하거나 희망한 일은 아니었으리라.

오펠리아는 남편이 그녀보다 일찍 세상을 떠날 때까지 15년간 결혼 생활을 유지했다. 남편의 성은 수아르스였다.

우리는 아무도 사랑하지 않는다

페소아의 사랑 이야기를 하면 누구나 맨 먼저 오펠리아를 떠올리지만, 사실 그의 '진짜' 사랑은 다른 곳, 아니 다른 성性에 있었을 가능성이 높다. 페소아의 동성애적 성향을 문학적 또는 전기적으로 다룬 연구들은 적지 않다. 아직 명백한 '증거'는 발견되지 않았고 앞으로도 나올 가능성이 희박하지만, 최소한 그가 동성애적 충동을 깊이 느끼고 이해했던 것만은 분명하다. 이를 잘 보여주는 시가, 그의 영시들 중 최고의 완성도로 평가되는 「안티누스Antinous」이다. 사실 페소아의 영시들은 일종의 가면 역할을 했다. 당시에는 영어를 이해하는 독자가 지금처럼 많지 않았으니, 어느 정도 본인이 원하는 대로 (물론 시적으로) 과감한 표현을 해도 문제가 될 소지가 적었다. 물론 실제로 이런 계산을 했는지는 알 수 없으나, 영시 중에 동성애 주제가 자주 나오는 것이 우연만은 아닐 것이다.

그가 가장 노골적으로 동성애적 감정을 표현한 작품은 1919년에 쓰인 미완성작으로, 발표되지 않은 무제의 시이다. 지면 한계상 석 장짜리 긴 시 가운데 단면만 소개한다.

> 알아, 너가 내가 원하는 너가 아니란 걸
> 알아, 너가 다른 이들과 다를 바 없다는 걸
> 평범한 여자들 입술에 키스하지
> (…)
> 아, 너가 안다면, 얼마만한 고통으로
> 널 사랑하는 두려움을 견디는지
> 널 사랑한단 말도 못하며, 이토록
> 혼란스러운 사랑 버리지도 못하며.
> (…)
> 내가 널 남자로서 사랑하냐고? 아니면 여자로서?
> 모르지, 그걸 내가 알았다면, 널 사랑하지 않았으리.

만약 그가 깊은 연정을 품은 남자가 있었다면 누구였을까? 마리우 드 사-카르네이루? 글쎄다. 둘 사이의 편지들을 읽어보면 사랑이 있었다 하더라도 플라토닉한 감정 이상은 아니었으리라는 결론을 내리게 된다. 안토니우 보투도 한 명의 후보다. 1922년에 동성애를 과감하게 묘사하는 보투의 작품 『노래들』이 페소아가 운영하던 출판사 올리시푸Olisipo에서 재출간되며 논란에 휩싸였을 때, 그를 열렬히 변호하고 나선 페소아의 보기 드문(?) 용감한 모습에서 '혹시 개인적인 동기가 따로 있는 게 아닌가?' 하는 의구심이 생기기도 한다. 그러나 보투는 평소에 가십을 즐기던 인물이다. 페소아와 조금이라도 '썸씽'이 있었다면, 당연히 기록을 하고도 남았을 텐데 나중에 출간된 보투의 사적인 노트들을 살펴보면 그런 흔적은 전혀 없고, 그저 자신이 얼마나 대단한 시인이며, 반대로 페소아는 왜 그렇지 않은지, 우리 눈에는 어처구니없어 보이는 비판들만 눈에 띈다.

하지만 이런 추측들 모두 별반 의미가 없다. 페소아가 시를 쓰기 위해 반드시 현실의 구체적인 모델이나 경험을 필요로 하는 종류의 시인이 아님을 우리는 이미 잘 알고 있지 않은가. 결과적으로 우리가 아는 것이라고는 페소아의 인생에서 직접적인 '사건'이 없었다는 정도이다. 그의 동성애적 충동이 이렇게 창작 세계 속에 국한되어 표현된 것은, 역설적으로 당대의 사회적 억압을 설명해주기도 한다. 당시 보수적인 사회 분위기도 물론 한몫했겠지만, 그 자신부터 사회의 통념을 상당 부분 내면화해 '이건 도덕적으로 옳지 못하다'는 명제를 무의식적으로 받아들이고 자신을 억눌렀을 수도 있다. 다른 수많은 '벽장 속 동성애자Closet homosexual'들처럼 말이다.

어떤 이들은 집요하게 묻는다. 그래서 페소아가 동성애자였다는 건지 아니면 양성애자였다는 건지. 아무도 모른다. 중요하지도 않다. 게다가 그 자신도 불확실했던 것 같다. 위의 시구를 받아들이자면, 우리는 **모르기에** 사랑할 수 있는 거니까. 그리고 그 모름, 그 불분명함보다 페소아스러운 것도 없다. 정치적으로든 종교적으로든 정체성과 관련된 문제라면 그 누구 못지않게 불분명했던 그가 유독 성정체성만 분명했다면 그게 더 이상했으리라. 나는 최소한 그가 무성애자無性愛者는 아니었다고 생각한다. 차라리 '자기성애자自己性愛者'라면 모를까.

> 우리는 아무도 사랑하지 않는다. 우리가 사랑하는 것은 어떤 사람에 대해 우리가 갖고 있는 생각이다. 이는 우리가 만든 개념이므로 결국 우리는 우리 자신을 사랑하는 것이다.
>
> 이 사실은 사랑의 전 영역에 걸쳐 적용된다. 성적인 사랑에서 우리는 다른 이의 육체를 매개로 얻는 쾌락을 추구한다. 성적이지 않은 사랑에서는 우리 자신의 생각을 매개로 얻는 쾌락을 추구한다. 자위행위는 비루하지만, 정확히 말해서 자위행위야말로 사랑의 가장 논리적인 표현이다. 아무도 속이지 않고 속지 않는 유일한 사랑인 것이다.
>
> —『불안의 책』, 텍스트 112

"모든 것을 모든 방식으로 느끼"고자 한 그에게는, 사랑 역시 수만 가지 감각 방식 중 하나였을 뿐이다.

08

FERNANDO PESSOA

누구나 알지만 아무도 모르는 시인

인정 투쟁

모두가 기억하는 '이름'

2015년 3월 24일 저먼윙스 9525편 추락 사고는 최근에 내가 들은 사건 중 가장 충격적인 사건이었다. 승객과 승무원을 합쳐 150명 전원이 사망한 사고의 규모도 컸지만, 사고 원인이 테러로 밝혀지면서 더 큰 충격을 받았다. 조사 위원회가 블랙박스를 통해 내린 결론은, 스물일곱 살의 부기장 안드레아스 루비츠가 기장이 화장실에 간 사이 조종실 문을 안에서 걸어 잠그고 항공기를 고의로 알프스 산맥에 들이받은 것이었다. 그전까지의 테러와는 양상이 전혀 다른 이 사건을 두고 모두 당혹감을 감추지 못했다. 사고 전에 헤어진 루비츠의 여자 친구는 한 인터뷰에서, 그가 남긴 섬뜩한 말 한마디를 기억했다. "언젠가 모든 시스템을 바꿀 무언가를 하겠어, 세상이 내 이름을 알게 되고 기억하게 될 무언가를……."

리스본의 한 카페에서 이 뉴스를 접한 순간 내 머리를 스친 것은 페소아, 정확히 말해서 그가 남긴 또 하나의 출판되지 않은 책 『헤로스트라투스*Herostratus*』였다. 기원전 356년, 고대 그리스의 도시 에페수스의 아르테미스 신전에 불을 지른 한 남자의 이름에서 따온 제목이다. 헤로스트라투스가 자신의 이름을 남기기 위해 불을 질렀다는 사실이 밝혀지자 법관들은 방화범 처형은 물론, 무엇보다 먼저 그의 이름을 깨끗이 말소하고 앞으로 그의 이름을 공개적으로 언급하는 자는 엄벌에 처하도록 명했으나, 이는 역으로 그의 이름을 후대에까지 각인시키는 결과를 불러왔다. 헤로스트라투스의 바람대로 된 것이다.

마르셀 뒤샹의 구상 노트들을 보면 그가 구상한 신기한 기계가 나온다. 구조는 간단하지만 실제로 구현하기는 어려운 아이디어인데, 물방울이 떨어지는 소리를 의식하는 순간에는 작동하고, 의식하지 않으면 작동을 멈추는 원리의 기계이다. 헤로스트라투스의 함정도 비슷한 구조를 지니고 있다. 우리가 그의 이름을 듣고 그의 이야기를 알게 되는 순간, 아무리 우리가 그를 심판하고 규탄해도 결국 그가 만들어놓은 게임에 참여하게 되고, 그를 기억하는 매 순간마다 그것의 작동에 반복해서 기여하게 될 수밖에 없는 불쾌하기 짝이 없는 기계……. 루비츠의 이 오싹한 기획이 겨냥한 목표는 오로지 하나, 이름이었다. 뭇사람들의 존경이 담긴 명성이 아니라, 철저한 악명이라도 좋으니 어떻게든 세상에, 그리고 역사에 이름을 남기는 것이었다. 분하게도 그의 목표는 달성되었고 우리는 모두 원하진 않았지만 그의 의도를 실현하는 데 동원된 것인지도 모른다.

눈먼 인정 투쟁이 극단까지 갔을 때 어떤 결과를 초래할 수 있는지를 보여주는 사례들은 생각보다 많다. 연쇄살인범을 연구해온 앨라배마 대학의 애덤 랭크포드 교수는 이러한 범죄의 상당수가 명성과 영광, 주목을 바라는 욕망 때문에 자행되었다고 말한다. 한낱 이름을 위해 최소한의 양심마저 버린 자들의 계보는 계속 이어질 것인가? 존재감을 드러내고 영속시키고 싶어 하는, 무서울 정도로 강한 인간 본능이 남아 있는 한 그럴지도 모른다. 수도승이 되어도 끊기 힘든 욕구가 식욕이나 성욕도 아닌 명예욕이라는 말이 있는데, 이름을 남기려는 강박에서 자유롭지 못한 또 하나의 무리가 바로 예술가들이다. 많은 작가들이 작품을 통한 불멸을 창작의 목표이자 원동력으로 삼았음을 인정한다. 제임스 조이스도 핀잔 조로 이렇게 말했다. "나는 (『율리시스』 안에—인용자) 너무도 많은 수수께끼와 퍼즐을 넣어놔서, 학자들은 내가 무엇을 의미했는지에 대해 논쟁하느라 수세기 동안 바쁠 것이다. 이것이 불멸을 보장할 유일한 방법이다."

문학적 불멸에 관해서라면 페소아도 누구 못지않게 야망이 컸다. 바로 이 불멸의 문제를 가지고 책 한 권 분량의 글을 쓸 정도였으니, 그 결과가 『헤로스트라투스』다. 제목과는 달리 헤로스트라투스라는 인물과 직접 관련된 내용은 거의 없고, 대부분 명성과 불멸, 천재성의 의미, 예술 장르 간의 비교, 그리고 다른 작가들에 대한 평가 등이 주를 이룬다. 여기서 다른 작가들이란 그가 라이벌이라고 '쳐주는' 자들, 즉 셰익스피어, 밀턴, 휘트먼, 단테, 실러, 키츠, 괴테, 포, 블레이크, 콜리지, 테니슨, 말라르메 정도이다. 그의 설명을 직접 인용하자면, 그가 명성이라는 주제에 천착하는 이유는 "어떤 조건하에서 한 사람이 명성(임시적이든, 영구적이든)을 얻게 되는지, 그리고 어떤 조건하에서 그것이 미래에 일어날지를 가능한 범위에서 예측해보기 위해서"(『헤로스트라투스 그리고 불멸에의 탐색*Heróstrato e a Busca da Imortalidade*』)였다지만, 한편으로는 당대에 명성을 얻지 못한 불만의 반영, 또는 상대적으로 초라한 스스로의 처지에 대한 합리화이자 자기 위안으로도 읽힌다.

> 천재의 본질은 환경에의 부적응이다. 그것이 천재가 (그것이 위트라는 재능에 동반되었을 경우를 제외하고) 대개의 경우 그의 환경으로부터 몰이해되는 이유이다. 내가 '보편적으로'가 아니라 '대개의 경우'라고 말한 이유는, 많은 부분이 처한 환경에 달려 있기 때문이다. 가령 고대 그리스에서 천재가 되는 것과 현대나 현대 유럽에서 천재가 되는 것은 다른 일이다.
>
> —『헤로스트라투스 그리고 불멸에의 탐색』

> 천재가 자기 시대에 환영받지 못하는 것은 그 시대에 반대하기 때문이라는 것은 인정할 수 있겠다. 하지만 왜 그다음 시대에는 환영받는지 물을 수도 있겠다. (…) 이유는 간단하다. 모든 시대는 그것이 뒤따르는 시대에 대한 비판과, 그 시대의 문명적 삶에 기초가 되는 원칙들에 대한 결과이기 때문이다.
>
> —『헤로스트라투스 그리고 불멸에의 탐색』

47년의 인생 대부분을 페소아는 무명에 가깝게 살았다. 1915년

『오르페우』 창간 시절에 잠시 대중의 관심을 받았으나 곧 잊혔다. 1916년의 일기를 보자. 젊어서부터 자신의 인생이 실패했다고 확신한 듯한 어조다.

> 그래서 나는 아무것도 하지 않은 채 스물여덟째 해를 맞이했다. 삶에서건, 글이건, 개인적인 삶이건. 나는 충분할 정도로 패배를 맛보았다. 아, 대체 얼마나 이것을 더 맛봐야 한단 말인가? (…) 대체 어떤 끔찍한 일이 나를 이토록 뒤처지게 했는가? 나의 허점투성이 독서, 실리적인 감각을 상실한 내 영혼……
>
> —『자전적, 자동적, 개인적 성찰의 글들』

때로는 같은 좌절도 좀 더 역설적으로 표현하곤 했다. 평소 단어 게임을 좋아하던 그는 영국 잡지인 『앤서스*Answers*』를 구독했는데, 1926년 어느 날은 무슨 바람이 불었는지 잡지사에다 공적인 편지에는 전혀 어울리지 않는 개인적인 내용을 써서 보낸다.

> 저는 서른여덟 살이고 해가 지날수록 더 젊어지는 기분이 든답니다.* 왜냐하면 인생에서 아무것도 이루지 않는 쪽에 가까워지고 있거든요. 성취는 우리를 늙게 만들죠. 모든 것에는 대가가 있기 마련

* 페소아답게 전혀 반대의 말도 한다: "너무나 많은 철학과 시학을 살아내느라 벌써 늙은 것 같이 느껴진다. 그리고 이것은 마치 키츠가 셸리에게 했던 것처럼 조언을 할 권리를 준다. 가끔은 날개를 접은 채로 있으라고. 가끔은 어떤 감정을, 그 지나침이 우리에게 말을 요구하는, 표현하지 않은 채 그냥 지나가도록 놔두는 데 크나큰 기쁨이 있다."(http://arquivopessoa.net/textos/3756)

> 인데, 성취의 대가가 바로 청춘의 상실이죠. 목적 없음과 하찮은 삶의 방식만이 (만약 이런 방식의 부재에도 '방식'이라는 말을 사용할 수 있다면 말이죠) 우리를 젊게 유지시켜주죠. 저는 결혼을 하지 않았고, 그래서 그런 종류의 파트너십에서 오는 특유의 만족과 고유한 걱정들에서 해방되어 있답니다. (…) 『앤서스』를 읽는 것은, 진실할 수 있는 드문 기회를 주는 직접적인 표현으로 마무리하도록 허락해주신다면, 다름 아니라 이러한 만족 중 하나입니다.
>
> —『자전적, 자동적, 개인적 성찰의 글들』

이렇게 주관적으로는 늘 실패를 거듭했고 아무것도 이룬 게 없노라고 스스로 판단했지만, 객관적으로 페소아가 생전에 얼마만큼 인정을 받았는가에 대해서는 딱 잘라 말하기 어렵다. 간혹 그가 책을 한 권밖에 내지 않은 사실을 두고 그를 무명작가, 비운의 은둔형 천재로 생각하는 경우가 있는데 이는 사실과 거리가 있다. 그가 책을 내지 못한 것은 그가 완벽주의자였던 이유가 좀 더 컸던 듯하다. 그가 얼마나 좋은 글들을 쓰고 있었는지 잘 알고 있던 한 친구는 "자네가 책을 안(?) 내는 것은 죄"라며 안타까워하기도 했다. 이렇게 본인이 눈높이를 조금 낮추거나 더 적극적으로 노력하지 않은 점도 없지는 않지만, 그렇다고 출판사나 평론가들이 딱히 그를 알아봤다고 하기도 힘들다. 자기 시대를 앞서간 수많은 작가들처럼 페소아 역시 당대에는 인정보다 무시나 무관심에 더 익숙해져야 하는 형편이었다. 영국에서 출판하려던 시도도 여러 번 퇴짜를 맞았고, 국내에서는 테이셰이라 드 파스코아이스나 줄리우 단타스Júlio Dantas 같은 작가들이 평단과 대중의 관심을 독점하다시피 했다. 둘 다 지금은 페소아의 그늘에 부당할(!) 정도로 가려져 있긴 하지만.

1927년, 마침내 페소아도 정식으로 인정받게 되는 계기가 오긴 온다. 코임브라에서 젊은 문학도 세 명이 모여 문예지 『프레젠사*Presença*』를 창간한다. 주제 레지우, 주앙 가스파르 시몽이스, 브랑키뉴 다 폰세카, 이 세 명의 신진 평론가들은 당시만 해도 대중에게 알려지지 않았던 페소아를 포르투갈에서 가장 중요한 작가로 지목했다. 페소아 사후에도 그의 이름을 알리는 데 결정적인 공헌을 한 이들이 이 세 사람이다(정확히 말하면, 나중에 폰세카가 아돌푸 카사이스 몬테이루로 교체된다). 그들은 페소아와 직접 만나거나 편지를 교환하는 데만 그치지 않았고, 그의 글들을 알리기 위해 잡지 지면을 대폭 할애한다. 이런 소수의 도움과 숨기기 힘든 그의 재능 덕분에 말년에 그는 적어도 문학계의 한정된 무리 안에서는 존경받는 인물이 되었다.

『프레젠사』 동인들은 페소아를 대상으로 한 본격적인 문학 연구에도 착수하는데, 1929년에 주앙 가스파르 시몽이스가 쓴 첫 문학 평론이 그 결실 중 하나였다. 같은 해 페소아는 시몽이스로부터 『테마들*Temas*』이라는 책을 받게 되는데, 바로 그곳에 자신에 관한 평론이 실려 있었다. 페소아는 감사의 말을 담은 짧은 답장을 보낸다. 실은 같은 시기에 쓰인, 보내지 않은 편지가 한 통 더 있었는데, 그 안에 진짜 솔직한 심정이 담겨 있었다. 자신이 어떤 감동을 받았고, 아무런 기대도 안 하고 있었는데 얼마나 힘이 되는지, 만약에 자신이 정말 유명해진다면 이 연구가 처음이었다는 것을 잊지 않겠다느니……. 구구절절 속내를 털어놓으며 감격을 감추지 못하고 있다. 나중에 다시 읽어보고 스스로 못내 부끄러웠던지, 줄을 그어 삭제 표시를 하고 결국 부치지 않았다. 다행히 편지는 후대에까지 잘 보관되어서, 겉으로 드러내기를 꺼렸을 뿐 내심 누구보다도 인정받고 싶은 마음이 컸던 그의 인간적인 속내가 세상에 드러나게 되었다.

'미스터리' 페소아 현상

『헤로스트라투스』를 읽으면서 나는 페소아가 생전에 과연 어느 정도로 알려진 사람이었는지 가능한 한 정확히 알고 싶어졌다. 이를 알기 위해서는 당시 매체들을 살펴볼 필요가 있었다. 먼저 그가 죽었을 때의 부고 기사들을 찾아봤다. 주요 일간지들이 첫 면을 할애해 그의 죽음을 알리고 있었다.

하지만 대중매체가 한 시대의 대중적 인지도를 그대로 반영한다고 단정할 수는 없다. 가령 내가 포르투갈에 체류하는 동안에도 문화계의 두 거물이 죽었다. 영화감독 마누엘 드 올리베이라Manoel de Oliveira와 시인 에르베르투 엘더Herberto Helder. 올리베이라 감독은 한국에서도 예술영화에 관심이 있는 사람이라면 최소한 이름은 들어봤을 인물로, 죽기 직전까지도 영화를 만든 최장수(106세) 감독으로 잘 알려져 있다. 반면 에르베르투 엘더는 해외는 물론 포르투갈 내에서도 문학에 관심이 있는 사람들 정도나 아는 인물이다. 두 사람의 특징은, 이름은 어느 정도 알려져 있을지 모르나 작품을 직접 보

49 SEXTA-FEIRA, 6 DE DEZEMBRO DE 1935

Diario de Lisbôa

Suplemento literario

DIRECTOR: JOAQUIM MANSO—PROPRIEDADE DA RENASCENÇA GRÁFICA

"IN MEMORIAM"

FERNANDO PESSOA

O poeta português — por Almada Negreiros

O poeta intemporal — por João Gaspar Simões

Fernando Pessoa
por Almada Negreiros

ESTE SUPLEMENTO NÃO PODE SER VENDIDO EM SEPARADO

페소아의 부고 기사
1935년 11월 30일 사망한 뒤, 12월 6일자 『주간 문예』 부록판에 실린 페소아의 부고 특집 기사. 페소아 캐리커처는 『오르페우』를 함께 만들었던 알마다 네그레이루스가 그린 것이다.

거나 읽은 사람은 많지 않다는 것이다. 그래서 그들이 죽은 뒤에 벌어진 방송사 간의 대대적인 보도 경쟁은(특히 올리베이라의 경우에는 장례를 생중계할 정도로) 생전에 별 관심을 기울이지 않았던 것에 대한 보상으로 여겨지기도 한다. 이런 대중매체의 생리를 잘 알고 있었기에 엘더의 경우는 인터뷰를 기피하며 은둔하다시피 살았고, 페소아의 경우도 그에 좀 더 가깝다고 할 수 있겠다. 페소아의 가장 큰 라이벌이었던 파스코아이스는 1950년 5월 24일에 진행된 한 인터뷰에서 이런 일화를 들려주었다.*

> 참, 문득 떠오른 건데, 언제 한번 전차에 올라타는데(기억이 선명해, 에스트렐라행이었어) 우연히 페르난두 페소아를 만났었지. 나한테 불쑥 물어보더라고. "그거 아나, 파스코아이스? 모두들 이야기하지만 아무도 읽지 않는 작가가 있는 반면에, 아무도 얘기하지 않지만 누구나 읽는 작가가 있지. 자네는 이 두 종류 중에, 어느 쪽이 더 가치 있다고 보나? 모두들 얘기하지만 아무도 안 읽는 작가, 라고 답했더니 페소아가 "내 생각에도 그렇다네"라며 결론을 내리더라고.
>
> —테이셰이라 드 파스코아이스, 『문학적 주석의 에세이와 각종 텍스트 *Ensaios de Exegese Literária e Vária Escrita*』

* 사실 파스코아이스는 페소아에게 그리 호의적이지 않았으며, 심지어 '페소아는 시인이 아니'라고까지 했다. 지나치게 이지적으로, 두뇌만으로 시를 쓴다는 것. 페소아 역시 생전에 그를 비판했기 때문에 이런 깎아내리기가 놀랄 일은 아니다.

페소아는 매체에 소개되는 것을 즐기기보다는, 가면 뒤에 숨어서 조금은 신비롭게 남는 편을 선호했던 것 같다. 그것이 사람들의 호기심을 더 자극하고 입에 더 오르내리게 만들었을 수도 있다. 그가 죽은 해인 1935년 2월 7일, 주간지 『X: 화제의 르포르타주*X: Semanário de Grandes Reportagens*』에 실린 특집 면을 보면 그런 면이 잘 드러난다.

이 주의 인물: '미스터리' 페소아 현상을 밝히다.
—모두가 얘기하는 이 수수께끼 같은 시인은 누구인가?

카페, 길거리, 그리고 이 수도(리스본)의 문학 서클들뿐만 아니라, 이 나라 전체에서 모든 사람들의 입에 오르내리는 이 사람. 동시에 우리가 가장 모르는, 우리에게 가장 알려지지 않은 이 인물.

이 기사 어디에도 기자가 페소아를 직접 만난 흔적은 없다. 페소아는 세속적인 자기선전에 대체로 무관심했고, 말년으로 갈수록 비사회적인 성향이 강해진 것은 사실이지만, 우리는 이미 그가 세상의 평가 자체에 초연해서 그런 게 아니었음을, 그러기는커녕 유명세의 문제에 어찌나 천착했던지 책 한 권 분량의 글까지 남겼음을 알고 있다. 그는 단지 시시한 명성에 관심이 없었을 뿐이었다. 그가 원한 것은 불멸하는 절대적 명성이지, 동네 골목대장 노릇이 아니었다. 또한 사회적인 노력이나 사교를 통해 점진적으로 명성을 '쌓아나갈' 생각은 조금도 없었다. 오로지 작품만으로 승부하고자 했고, 오로지 그 깊이와 넓이로 평가받고자 했다. 그가 자신과 비교한

Homens da Semana

Revelações sobre o «Misterioso» Fenómeno Pessoal. — Quem é o «enigmático» poeta de quem toda a gente fala.—O caso Ruy Coelho no Colyseu.—Duas palavras do Maestro

O nome de Fernando Pessoa surgiu, bruscamente, ao som de uma imprevista pancada de gongo, como um Mefistofeles de Opera — encharcado pelas luzes de mil holofotes, multiplicado pelos tablados de todos as conversas — e assim, à *la minute*, duma noite para o dia...

Não interessa descrever o fulminante que incendiou o fulgacho; interessa, sim, constatar o seguinte facto: Fernando Pessoa que, há dez dias a esta parte é dos individuos mais discutidos — não só nos cafés, nas esquinas, nas tertulias da capital — como em todo o paiz — é também dos nomes mais ignorados, das personalidades menos conhecidas... Aparte uma minuscula minoria intelectual que não só não o ignora, como o admira e o entronisa mui alto, ao nivel do éter a que o seu estranho mas positivo talento o ascendeu há muito — (e que se surpreendeu, também não pelo interesse com que meia duzia de linhas de prosa sua alvoroçou e fez balburdear toda a gente — mas pela raridade de o ver desempastelado da sua penumbra e do seu silencio — sobretudo para vir floretear em tal terreno) aparte — diziamos no referente a essa minoria — Fernando Pessoa é uma icógnita. E é precisamente pelo comprimento do seu salto sôbre o vácuo dessa ignorancia quási geral e até á popularidade vertiginosa — que mais se agrava a curiosidade da maioria, encanisando-se, intrigada, a preguntar: «— Mas donde saiu êste Fernando Pessoa!» — ou antes, dando toda a redea à fantasia — e arriscando as hipóteses mais inverosimeis: — «— A mim já me bichararam que é pseudónimo!» — «— O quê? vocês ainda vão aí? Eu sei, de fonte limpa que o artigo em questão é de Fulano — que não quiz pôr o seu verdadeiro nome e que magicou aquela!»

Ora Fernando Pessoa existe, felizmente para as letras portuguesas e para a guloseima espiritual dos seus raros intimos.

Antes de mais nada — é preciso que se saiba que a especial e sempre admirávelmente extranha actividade mental de Fernando Pessoa dura há vinte e tal anos. Já na aurora desta geração — nos seus preambulos hostilisados pelo público que então a apedrejava de mofas, troças, gargalhadas e que, pouco depois era subjugado e vencido pelas novas teorias de arte e literatura — Fernando ocupou um posto marcante de chefe, de orientador fleumático, oculto, desprezando glórias e trofeus — de olhos fixos apenas no triunfo dos ideais e sonhos estéticos em jogo. Foi êle um dos *generais* do célebre *Orfeu*...

Poeta de ritmos preciosos — os seus versos, como a sua prosa, são forjados num ineditismo de concepções que, para muitos significa ânsia audaciosa de sensacionalismo — mas que é apenas uma disciplinada, premeditada e sábia expressão do seu pensamento e do seu gosto estético.

A literatura, para êle, é a sobremesa, o dôce da vida. Leva, essa lambarice até ao egoismo. Não exibe as suas produções; raramente as publica. São para êle só — e para alguns amigos. A sua missão na vida, missão mental, espiritual — parece oculta-la como um segrêdo — e cumpri-la ferverosamente como um designo de Deus. Do mistério da sua intimidade apenas se transparenta o seu ar místico, a sua sêde de estudo, a orientação complexa das suas leituras, duma biblioteca, da sua cultura.

Como não quer exibir a sua obra e portanto não vive deia — e não é rico trabalha como qualquer empregado bancário — das tantas às tantas... Conhece o inglês, escreve-o como qualquer redactor do *Times*. E' essa a sua profissão: tradutor: O seu contacto com a vida, fora das horas de faina profissional — é regateado: uma hora, todas as tardes, no «Martinho» da Arcada, no Terreiro do Paço, cercado por uma duzia de jornalistas, poetas, escritores, artistas... Discute-se arte e poesia e livros e acontecimentos — e Fernando Pessoa, tímido, distraído, regateando-se sempre, sem calculismo, por necessidade — é o menos pairador; mas quando fala, esgota a crítica ao objecto em discussão — com um critério extranho, dir-se-ia filtrado por um cérebro, uma mentalidade, um espírito doutro planeta...

Esse estilo das suas expresões críticas, êsse seu sistema de análise aos factos ou de profecia ás consequencias — criou-lhe a vaga fama de «oculista» — ou, pelo menos de um mergulhador de textos misteriosos...

Dizem que vive sósinho, num bairro distante do centro, numa rua em que o sol catadupa, generoso. Não tem visitas. Terminada a tertulia — some-se tranca-se, cercado de livros, livros sempre renovados pelas remessas contínuas que lhe chegam de França, da Alemanha — mas sobretudo de Inglaterra.

Fernando Pessôa

Rui Coelho

Poucos ingleses, mesmo profissionais de letras — estarão tão em dia com o momento literário do seu país como Fernando Pessoa...

Um dia, alfinetado pelas lendas que aureolavam as suas leituras, tentei, velhacamente radiografá-lo; mas, com surpreza minha, citou-me a élite dos romancistas policiais britanicos, confessando que passava horas, deliciosas, na solidão, emocionando-se naqueles duelos empolgantes entre detectives e bandidos em redor de um mistério denso e desconcertante. «— Quando me canso dos «outros» — declarou — corro aos policiais.

Certa vez, um dos seus intimos, a quem mostrava a minha extranheza ante a abestinencia de publicidade que Fernando Pessoa praticava com as suas obras — mostrou-me varios volumes de versos, editados em Londres, compostos directamente em inglês, pelo autor. A seguir deu-me a ler meia coluna do crítico literário do *Times* que se mostrava atontado ante o surgimento dum poeta português de tal quilate, redigindo assim num idioma estrangeiro e comparando-o aos clássicos mais gloriosos.

Fisicamente Fernando Pessoa é magro, tem os lábios sempre comprimidos, como os de uma creança — e com as crianças esbugalha os olhos, atrás dos oculos, numa expressão de pasmo infantil quando escuta algo que o surpreende ou quando fixa a sua atenção numa conversa...

Eis Fernando Pessoa tal como o conheço e o vejo...

O caso Ruy Coelho

UNS por má vontade — sempre subconsciente; outros por exagerado — e errado companheirismo, abafaram um *acontecimento* que, para interêsse de todos — e até do público — devia ter sido projectado na publicidade, comentado, esmiuçado.

Referimo-nos ao que se passou com o maestro Ruy Coelho quando, no último concerto da orquestra do maestro espanhol Casals, êle regeu várias peças — entre as quais obras suas. Tumultuou a sala entre aplausos e protestos, balbúrdiou o início dum escandalo — escandalo que transbordando para a rua, para os cafés, tomou aspectos falsos ou pelo me-

(*Continua na pág. 14*)

PÁG 4 — SEMANÁRIO DE GRANDES REPORTAGENS — «X»

페소아 특집 기사

1935년 2월 7일 주간지 『X: 화제의 르포르타주』에 '이 주의 인물'로 선정된 페소아. "'미스터리' 페소아 현상을 밝히다"라는 표제 아래 익살스러운 캐리커처가 시선을 끈다.

것은 거장 중의 거장, 걸작 중의 걸작뿐이었다. 그에게 정말로 중요했던 것은 당대의 평가가 아니라, 후대 그리고 역사의 평가, 즉 죽음 너머의 초월적인 평가였다. 절대적인 혹은 절대에 가까운 '진정한' 명성에 철저히 몰두했기에, 오히려 글쓰기라는 본질에 충실할 수 있었고, 그 이외의 부차적인 세속사에는 무관심에 가까운 태도를 견지할 수 있었는지도 모른다.

시대는 변했고, 오늘날 페소아는 어쩌면 그가 상상했던 것 이상의 국제적인 명성을 얻고 있다. 나는 연구를 위해 '페소아의 집' 도서관을 자주 들르는 편인데, 이곳에서도 그에 대한 관심의 열기를 실감할 수 있다. 관광 코스에서 꽤 벗어난 지역인데도 세계 곳곳에서 온 제법 많은 사람들이 그의 흔적을 보러 이곳까지 찾아온다. 이 글을 쓰는 지금도, 로비에서 한 무리의 프랑스 관광객들이 페소아를 얼마나 좋아하는지 목청을 높여가며 자랑을 늘어놓고 있고, 몇 시간 전에는 중국인 관광객들도 열심히 사진을 찍다가 돌아갔다. 최근 들어 아시아, 특히 한국과 일본, 중국에서도 페소아에 대한 번역과 연구가 조금씩 늘어가는 추세다. 아직 초기 상태이기는 하지만, 관심이 확대되고 있음을 확연히 느낄 수 있다. 저작권 보호 기간이 풀린 것도 중요한 이유이리라.

유명세의 역효과도 없지 않다. 마케팅 광고에 등장하거나 관광 기념품으로 둔갑하는 정도는 귀엽다 치더라도, 너무나 사소한 주제의 책까지 페소아의 이름을 달고 출판되는 행태는 정말이지 안타까운 일이다. 깐깐한 완벽주의자이자 문학적 이상주의자였던 페소아가 살아 있었다면 절대 출판에 동의하지 않았을 미완성 원고들이 무더기로 쏟아져 나오고 있으니……. 이는 무엇보다 페소아한테 폐가 되는 일이다. '페소아가 읽은 말라르메' 같은 기획이나, '오펠리아 자서전' 등도 과하다는 느낌을 준다.

이런 회의가 일던 차에, 포르투갈 문화 예술의 중추 역할을 하는 칼루스트 굴벤키안 재단Fundação Calouste Gulbenkian에서 큐레이터로 일하는 친구를 만난 적이 있다. 그녀는 파리에서 페소아의 개인 소장 도서전이 열린다는 정보를 알려주었다. 나는 귀를 의심하고 되물었다. "뭐라고? 페소아에 관한 전시도 아니고, 페소아가 소장하던 책들을 전시한다고? 게다가 파리까지 가서? 대체 누가 그 전시를 보러 가지? 소장 책 목록은 인터넷에 찾아봐도 금방 나오잖아? 이건 완전히 마니아 수준이군!" 내 친구도 어깨를 으쓱했다.

페소아의 집

페소아가 말년을 보낸 집은 현재 페소아 박물관이 되었다. 실제 살았던 집을 개조한 곳으로, 당시 그가 살았던 방, 그의 원고가 담겨 있던 트렁크 등을 실물에 가깝게 재현해놓았다. 페소아와 관련된 온갖 책과 자료들을 만날 수 있다.

09

FERNANDO PESSOA

지옥의 입구

세기의 자살극 한가운데

마법사 알레이스터 크롤리의 리스본 방문

"페소아의 인생에서 유일하게 놀라운 것은 그의 시"라는 옥타비오 파스Octavio Paz의 평가에 나는 동의하지 않는다. 레판토 해전에 참전한 세르반테스, 대항해 시기 전쟁터에서 한쪽 눈을 잃은 카몽이스, 방랑으로 점철된 랭보의 인생에 비교한다면 그의 생애에 극적인 요소가 부족한 것은 사실이지만, 겉으로 단조로워 보이는 생애 속에서도 신선한 '굴곡'들을 발견할 때가 있기 때문이다. 그중에서도 영국의 마법사 알레이스터 크롤리Aleister Crowley와의 만남은, 페소아의 인생에서는 물론이고 온갖 기이한 에피소드들로 가득 찬 마법사의 인생에서도 대단히 중요한 사건이었다. 『알레이스터 크롤리와 유혹의 정치학*Aleister Crowley and the temptation of politics*』의 저자이자 암스테르담 대학 철학과의 마르코 파시Marco Pasi 교수는, 두 사람이 만나서 벌인 '지옥의 입구 자살 소동'을 크롤리의 인생에서 가장 미스터리하고 수수께끼 같은 에피소드로 손꼽는다.

알레이스터 크롤리는 누구인가? 영국 역사상 가장 중요한 인물 100인 중 한 명이자, '영국이 가장 증오했던 인간' '인류 역사상 가장 사특邪慝/wicked했던 자'라는 수식어가 붙는 마술사, 프리메이슨, 동방성당기사단 등 온갖 비전 종교의 회원, 사탄주의자, 적그리스도, 신비주의자, 케임브리지 대학 출신의 부잣집 아들, 요가 수행자, 제1차 세계대전 중 뉴욕 주재 영국 정보부 스파이, 약물 중독자, 올더스 헉슬리, 오귀스트 로댕, 서머싯 몸 등 당대 문화계 거물들과 폭넓게 교류했던 저술가, 시인, 화가, 보헤미안, 체스 기사, 카라코람 산맥의 가장 높은 봉우리들을 등정한 알피니스트, 광적인 여성 편력으로 가는 곳마다 숱한 스캔들을 일으키고, 그를 교주처럼 따르는 신도들에게 면도날 자해를 하거나 고양이의 피를 마시게 하는 등 엽기적인 비전 의식들을 주도해 악명을 날린 흑마술의 아이콘, 20세기 오컬트계에서 가장 큰 영향력을 발휘한 기인 중의 기인……. 비틀스와 마릴린 맨슨 등 히피, 메탈 문화를 주도한 후세대들에게 지대한 영향을 끼쳤음은 물론, 그가 만든 타로 카드는 오늘날까지도 선호도 1위를 구가하고 있다.

페소아가 이 수수께끼 같은 인물을 처음 접한 것은 그의 책을 통해서였다. 밀교密敎 또는 비전주의Esotericism*에 대한 시인의 지적 호기심은 그보다 좀 더 일찍 시작되었는데, 혹자는 그 싹이 10대 때부

* 세계의 신비적·신비주의적·밀교적 지식의 총체 혹은 이러한 지식을 중요시하는 여러 영적인 전통들을 총괄하여 일컫는다. '내적 지식 또는 앎'(그노시스)에 강조를 둔다는 점 외에는, 원천이 되는 특정한 하나의 가르침이 있거나 통일된 문헌이 있지 않으며, 또한 언제나 내세우는 특정한 교의가 있지도 않다.

알레이스터 크롤리
영국의 마법사 알레이스터 크롤리는, 에드워드 알렉산더 크롤리Edward Alexander Crowley라는 이름으로 태어났다. '20세기 최후의 마법사'라고도 불리며, 오컬티스트, 신비, 의식 마법사이자 시인, 등산가이다. 히피즘의 정신적 아버지, 반역의 대천사 루시퍼의 화신으로 불리기도 한다.

터 보였다고도 하고, 리스본에서 이모 아나 루이자(애칭 '아니카')와 같이 살기 시작한 시기(약 1912~1914년 사이)를 꼽기도 한다. 1950년에 발간되어 아직까지도 가장 널리 읽히고 있는 주앙 가스파르 시몽이스의 페소아 전기에 따르면, 점성술과 오컬트에 심취해 있던 페소아의 이모 아니카가 조카를 비전의 세계로 이끈 것처럼 기술하고 있는데, 이는 이후 아나 루이자 여사의 손자가 한 증언으로 사실이 아님이 밝혀졌다. 페소아의 어머니와 마찬가지로 당시 여성으로서는 풍부한 인문적 교양을 갖추었던 아니카 이모가 조숙한 조카에게는 가족 중에 그나마 '대화가 되는' 몇 안 되는 사람 중 한 명이었던 것은 사실이었지만, 그녀가 이런 분야에 깊은 관심을 가지고 있었다고 볼 근거는 없다. 오히려 주도자는 페소아였고 그녀가 응한 정도였다. 페소아가 골상학에 한창 심취해 이마와 코 치수 등을 재야 했을 때도 조카의 '마루타' 역할을 한 이가 바로 아니카 이모였다.

문제의 조카가 이번에는 '플랑셰트Planchette'라고 부르는 기묘한 물건을 들고 나타났다. 연필을 꽂을 수 있게 고안된 심장 모양의 작은 나무 평판에 손을 갖다 대고 '영매' 기법을 통해 죽은 사람을 불러내 소통하고 그 메시지를 자동 기술 방식으로 받아적는다는 이 접신용 기계는 19세기 말 유럽 사회에서 상당히 유행했다. 아니카 이모와 다른 친척들을 동원해 일종의 접신 의식을 치르곤 했던 페소아는, 자신보다 다른 사람들이 자동 기술에 더 재능을 보여 늘 뒤처져 있었다고 고백하기도 했다.

페소아가 비전 종교에 좀 더 철학적인 관심을 가지게 된 계기는 1915년에 우연히 신지학神智學에 관한 책들의 번역 의뢰를 받으면

플랑셰트
19세기 말경 유럽에서 강령술이 유행하던 시기에 등장한 접신용 기계. 심장 모양의 판에 다리가 두 개 달려 있고, 연필 한 자루를 수직으로 꽂게 되어 있다. 이 판 위에 손을 올리고 영혼을 부르면 영혼이 부름에 응답하여 글을 쓰거나 그림을 그린다고 한다.

서였다. 책을 읽으며 강렬한 인상을 받은 페소아는 이를 친구 사-카르네이루에게 보낸 편지 속에 고백한다.

> 신지학은 그 신비주의와 오컬트적 웅장함으로 나를 두렵게 만들고, 그 박애주의와 본질적인 사도주의(이해하겠나?)로 내 비위를 건드리는 반면, '초월적 이교주의'와 너무나도 유사한 점에서 나를 매료시킨다네. (…) 기독교주의와 너무 닮아서 질색이지만, 그 부분은 인정할 수 없네. 그것은 영혼 저 너머에서 재현된 심연의 공포와 매력, 일종의 형이상학적 공포라네, 나의 친애하는 벗 사-카르네이루!
>
> —1915년 12월 6일 편지에서

비단 신지학이나 접신술이 아니더라도, 기존 기독교 신앙에 대한 회의와 불신이 유럽 지식인들 사이에서 퍼지면서 그동안 이단이라는 이름 아래 금지되고 억압되어온 영적 지식과 제의들이 다양한 방식으로 민간에 폭넓게 확산되고 있었다. 이 시대적 흐름을 베르나르두 수아르스는 잘 포착하고 있다.

> 내가 속한 세대는 기독교 신앙에 대한 불신을 물려받았고, 다른 모든 신앙에 대한 불신을 자체적으로 만들어냈다. 우리 부모 세대는 기독교 신앙에서 출발해 다른 형태의 환상으로 전이된 신앙을 아직 갖고 있었다. 어떤 이들은 사회적 평등에 열광했고, 어떤 이들은 아름다움에만 몰두했으며, 또 어떤 이들은 과학과 과학이 이룬 성과를 맹신했다. 그리고 더 기독교적인 어떤 이들은 '동양'과 '서양'

을 헤매며, 단지 삶을 이어가는 것만으로는 공허감을 떨칠 수 없는 자신들의 의식을 달래줄 새로운 종교를 찾아나섰다.

우리는 이 모든 걸 잃었다. 우리는 신앙이 주는 위로를 조금도 누릴 수 없는 고아로 태어났다. 각각의 문명은 해당 문명을 대표하는 종교의 특별한 행로를 따라간다. 다른 종교로 옮겨가는 것은 전에 가졌던 것을 잃어버리는 것이고, 결국 다 잃어버리는 것이다.

우리는 원래 있던 것을 잃었고, 다른 모든 것도 잃었다.

—『불안의 책』, 텍스트 306

1929년 12월, 페소아는 정성스럽게도 런던의 맨드레이크 출판사에 손수 편지를 보내 그가 발견한 오류를 점잖게 지적하며 저자에게 그 내용을 직접 전달해주길 당부한다. 출판사는 이를 크롤리에게 전달하고, 약 일주일 후 그로부터 답장을 받는다. 크롤리는 오류를 깨끗이 인정하면서 자신이 점성술에는 기초적인 지식 이상은 없음을 솔직하게 밝힌다. 동시에 페소아의 식견에 놀라움을 표하며 그에 대한 호감과 호기심을 숨기지 않는다. 페소아 역시 자신이 영어로 쓴 시들을 보내는 것으로 화답하고, 크롤리는 그 시들을 크게 칭찬하며 이 만남이 결코 우연이 아님을 시사한다. 상당히 빠른 속도로 서신들이 오가면서 크롤리는 곧 포르투갈에서 직접 만날 것을 제안하는데, 이 급진전이 자못 부담스러웠는지 페소아가 다소 '바쁜 척'을 한다. 그렇게 방문 계획은 잠시 동안 흐지부지된다. 그러다가 1930년 8월, 영국에서 느닷없이 전보 한 통이 날아온다. "알레이스터 크롤리가 알칸타라호를 타고 리스본에 도착함. 부디 만나주시

페소아와 점성학

페소아는 평소 유일신보다는 복수複數의 신을 선호했으며, 일반인들이 꺼려하고 터부시하던 '숨겨진' 지식들에 대한 호기심에 있어서만큼은 둘째가라면 서러워했다. 인터넷이 없던 당시 그는 정보망이 닿을 수 있는 한에서 존재하는 거의 모든 비전주의적·이교주의적 전통을 열정적으로 섭렵했다. 그런 그였으니 이 분야에서 한창 유명세를 구가하던 알레이스터 크롤리의 저술을 맞닥뜨린 것도 놀라운 일은 아니다. 이 마술사의 자서전인 『알레이스터 크롤리의 고백*The Confessions of Aleister Crowley*』과 『단편선: 계략 외*The Stratagem and Other Stories*』 등을 주문해서 읽어본 페소아는, 대체로 만족하면서도 본문 중에 크롤리가 범한 점성학적 오류를 예리하게 잡아낸다. 현재 포르투갈의 가장 널리 알려진 천문학자이자 『페소아의 점성 차트들*Fernando Pessoa Cartas Astológicas*』을 쓴 점성학 전문가 파울루 카르도수도 당시 이미 상당한 경지에 올랐던 그의 점성학적 지식을 높이 평가했다. 남아 있는 수천 장의 점성 차트를 보면 이 시인이 평소에 시는 안 쓰고 얼마나 많은 시간을 점을 치며 보냈는지 짐작할 만하다.

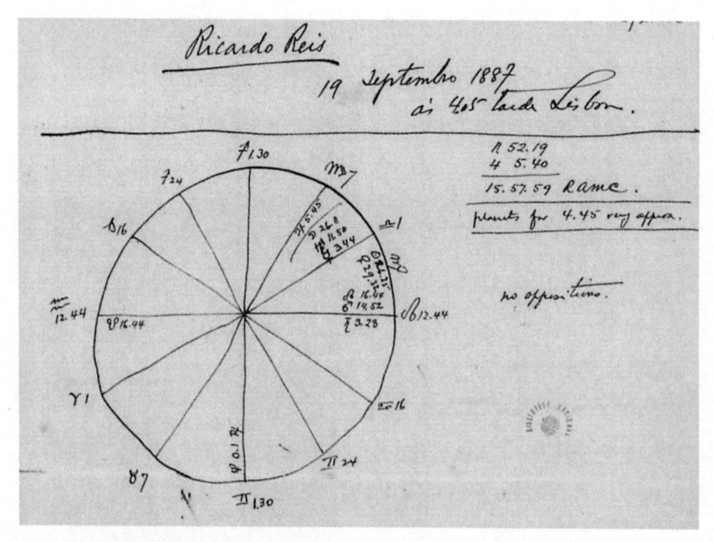

페소아가 직접 그린 리카르두 레이스의 점성 차트

기를."

여행이 이처럼 갑작스럽게 결정되었다는 전기 작가들의 일반적인 기술과는 달리, 이 만남이 생각만큼 즉흥적이지 않았다는 의견도 제기되었다. 만남에 대한 적극적이고 상세한 타진이 상당히 일찍부터 진행되었고, 단순한 호기심 이상의 접선 동기가 있었다는 주장이다. 크롤리의 입장은 충분히 이해된다. 자신을 다른 나라에 선전하고, 본인의 사상과 책들을 퍼뜨리려는 의도는 차치하고서라도, '동방성당기사단Ordo Templi Orientis'의 포르투갈 지부 설립에 관한 논의를 페소아와 비밀리에 상의하기 위한 의도도 있었던 듯하다. 또 다른 이유는 여자였다. 평생 여성에게 병적일 정도로 집착을 보인 크롤리는, 그 당시에도 예외 없이 원래 아내는 팽개쳐버리고 열아홉 살의 독일인 예술가 한니 예거Hanni Jaeger에게 흠뻑 빠져 있었다. 떠나기 직전의 런던 생활을 "지옥 같다"고 표현한 크롤리에게 우울한 영국보다 따뜻한 남쪽 나라에서 서른여섯 살 연하의 여자 친구와 보낼 시간이 훨씬 더 매력적으로 다가왔으리라. 게다가 마침 그녀가 생일을 맞은 시기였다. 페소아는 항구로 크롤리 커플을 마중 나간다.

크롤리가 기록한 리스본의 첫 인상이 인상적이다. "한때 신이 지진*으로 깨우려 했던 리스본……. 결국 그도 못하고 포기해버렸지." 포르투갈 시인에 대한 첫인상은 그보다 간명했다. "페소아가 우리

* 1755년 11월 1일, 리스본을 강타한 대지진. 지진학자들에 의하면 리히터 8.5~9.0 정도에 달한 강진으로 추정하며, 쓰나미까지 겹치는 바람에 리스본 시내의 건물 약 1만 채 이상이 파괴되고, 최소 1만 명에서 최대 10만여 명(추정치)의 인명 피해가 발생한 것으로 집계되었다.

를 마중 나옴. 굉장히 좋은 사람." 한니 예거와 페소아도 서로에게 호감을 느끼는데, 흥미롭게도 페소아는 그녀와 만난 지 일주일 후에 그가 쓴 것 중 가장 이성애적으로 노골적이고 에로틱하다고 평할 만한 시 한 편을 짓는다. 이제껏 그가 쓴 관능적인 시들이 대부분 동성애적 성향을 보인 반면, 이성애적인 시는 거의 없다시피 했던 점을 고려하면 특히 이목을 끈다.

존재만으로도 놀랍다.
키는 크고, 짙은 금발.
그녀의 반쯤 성숙한 몸
볼 생각만으로도 기쁘다.

그녀의 봉긋한 가슴은
(누워 있을 땐)
새벽이 없이도 동이 틀
두 개의 언덕 같다.

하얀 팔의 손은 펼쳐진
손바닥으로 이어져
소복한 허리춤 위
가려진 굴곡에 자리하네.

배 한 척처럼 탐이 나.

어딘가 귤 한쪽 같은 데가 있어.

아, 욕망아, 난 언제 승선할까?

아, 배고픔아, 나는 언제 먹어볼까?

—1930년 9월 10일

자신의 여행을 비밀에 부쳐달라고 당부한 크롤리는 리스본의 카몽이스 광장에 있던 '호텔 유럽'과 도시 근교의 관광지 에스토릴Estoril의 '호텔 파리'에서 묵으며 예거와 성적인 마법 의식에 열중하는 한편, 페소아와도 여러 차례 만남을 가진다. 이미 서신을 통해 페소아가 다리를 놓아준 바 있는 시인 라울 레알Raul Leal도 드디어 마술사를 직접 대면하게 된다. 혹자는 신비주의자 라울 레알의 경우 본인의 적극적인 요청으로 '입문 의식'을 치렀으며, 페소아도 함께 참여했다고 주장하는데 확실한 증거는 없다. 특히 페소아의 경우, 그가 실제로 어떤 종교 지부에 속해 있었는지 아닌지는 본인의 진술부터 분명치가 않아 아무도 정확한 사실을 모르며, 그가 크롤리를 영적 스승으로 모시고 싶어 했을지부터 의심스럽다. 한편 페소아의 절친한 친구이자 역시 비전에 관심이 있던 기자 아우구스투 페레이라 고메즈도 이즈음에 크롤리와 안면을 튼다.

크롤리의 자살극과 페소아의 탐정소설

도착한 지 약 한 달째, 드디어 일이 터진다. 계속되던 '탄트라 요가'(성적인 밀교 수행) 도중 예거가 히스테리 증세를 일으키고 소란을 부리는 바람에 문제의 커플은 호텔에서 쫓겨난다. 이 기회를 틈타 예거는 짐을 싸서 홀연히 사라져버린다. 평소 거의 고문에 가까운 기이한 '성적 수행'으로 악명 높았던 크롤리의 괴벽을 예거도 사랑의 힘만으로는 견디기 힘들었을 것이다. 크롤리 역시 다른 나라에서 하던 것처럼 호텔 숙박비를 지불하지 않은 채 잠시 동안 종적을 감춘다. 이틀 후 크롤리는 여자 친구를 찾아내는 데 성공하지만 포르투갈에 잔류하도록 설득하는 데 실패하고 그녀 혼자 베를린으로 돌아가버린다. 바로 그즈음에 크롤리의 머리에 '자살극'이 떠올랐던 것으로 보인다. 어쩌면 페소아가 영감을 줬을 수도 있다. 자살극의 무대로 떠오른 곳은 다름 아닌 '지옥의 입구'.

리스본 테주 강을 따라 북쪽 방향으로 약 한 시간 거리에 있는 카스카이스Cascais 지역에 위치한 이 해안가 벼랑은, 실제로 자살 사건이 심심치 않게 일어난 장소로도 알려진 관광지이다. 이미 그해 초, 시인 기예르므 드 파리아가 스물한 살 나이에 이 장소에서 자살해 전국에 충격을 준 바 있다. 기암절벽과 소용돌이치는 파도를 넋 놓고 쳐다보고 있노라면, 멀쩡한 사람도 소위 '오필리아 콤플렉스'*를 느낄 법한 기운이 감도는 장소이니(낮에는 그나마 괜찮지만 밤에 방문하려는 사람이 있다면 말리고 싶다), 자살극을 펼치기에 이곳만큼 어울리는 배경도 없었으리라. 흥미롭게도 약 1년 전, 페소아는 연인 오펠

* 프랑스 철학자 가스통 바슐라르가 『물과 꿈』에서 쓴 표현으로 햄릿의 극중 인물 '오필리아'를 빗대어, 물을 보고 치명적이고 멜랑콜리한 유혹을 느껴 그 안으로 뛰어들어 죽고 싶은 충동이 이는 심리를 말한다.

리아에게 보낸 우울한 편지 속에 지옥의 입구에서의 자살을 암시하는 발언을 했는데, 그때부터 점찍어놓았던 게 분명하다.

가짜 자살을 꾸미기 위한 3요소, 즉 유서와 장소, 그리고 이를 세상에 알릴 제삼자의 존재 중 장소 하나는 해결되었다. 친필 유서도 곧 준비되었다. "당신 없이는 살 수 없어. 또 다른 '지옥의 입'이 나를 삼키겠지—하지만 당신의 입보다 뜨겁진 않을 거야!" 제삼자 또한 적격의 인물이 구해졌다. 앞서 언급한 페소아의 친구 아우구스투 페레이라 고메즈가 바로 당시 최고의 발행 부수를 자랑하던 리스본의 대표 신문 『디아리우 드 노티시아스』의 별지 『노티시아스 일루스트라두(일러스트 뉴스)』의 기자였기에 적격의 인물이었다. 페소아는 고메즈를 통해 실종 사건이 『디아리우 드 노티시아스』에 두 차례 보도되도록 지휘하는 한편, 친구 이름으로 기고되었지만 그가 직접 작성한 것으로 보이는 특집 기사 '지옥의 입구의 미스터리'를 별지 『노티시아스 일루스트라두』에 내보낸다. 실종된 주인공의 친구 자격으로 인터뷰에 응한 것처럼 가장한 그는 능청스럽게도 점성술적인 코멘트까지 달며 마술사의 자살을 암시하는 증언을 슬쩍 흘린다. 기사는 인터폴을 인용하며 9월 23일, 이미 스페인 국경을 건넜다는 여권 기록이 있는 크롤리가, 다음 날 24일 리스본에서 '친구'인 페소아와 최소 두 차례 만남을 가졌다는 점을 지적하며 의문을 증폭시킨다. 그렇다면, 이 흑마법사에게 '도플갱어'가 있다는 말인가? 사건은 점점 더 미궁 속으로 빠진다. 곧 포르투갈의 다른 매체들뿐만 아니라 영국과 프랑스의 몇몇 언론까지 보도에 가담한다. 로마 가톨릭교회에서 특파한 암살자가 이 사탄주의자를 살해했다

지옥의 입구

카스카이스 지역에 위치한 해안가 벼랑 '지옥의 입구'는 마치 지옥의 입구처럼 입을 벌린 모양이라 하여 그렇게 불리게 되었다. 실제로 자살 사건이 심심찮게 일어나는 곳으로, 크롤리와 가짜 자살 소동을 일으키기 전부터 페소아는 이곳을 자살극을 벌일 장소로 생각했던 것으로 추정된다.

는 설, 런던에서 탐정이 찾아와 수사를 펼쳤으나 성과 없이 돌아갔다는 설 등이 나돌았으나 이 역시 페소아가 만들어낸 얘기일 가능성이 크다.

이 모든 소동에 누구보다 깊이 몰입한 사람은 다름 아닌 페소아 자신이었다. 가까운 사람들, 가령 친구 가스파르 시몽이스에게도, 3개월이 지나 쓴 편지에서조차 "(실종된 크롤리가) 자살을 한 것인지, 잠적해버린 것인지, 살해당한 것인지 아무도 모른다"며 시치미를 뗀다. 한참 후 이 마술사가 베를린의 노이만 니렌도르프 갤러리에서 열린 자신의 전시 오프닝에 '화가' 크롤리로서 유유히 모습을 드러낼 때까지도 페소아의 천연덕스러운 소설 쓰기는 한동안 계속되었다.

이쯤에서 묻지 않을 수 없다. 이게 웬 고약한 취미인가? 다 큰 어른들끼리 무슨 해괴한 장난이란 말인가? 이런 소동을 벌인 동기에 대해서는 여러 가지 설명이 가능하겠다. 크롤리가 여자 친구에게 일종의 압박을 가하는 동시에 자신의 유명세 혹은 존재감을 과시하려 했을 수도 있다. 또 당시 자금난에 시달리던 마술사의 유일한 수입원이 책 판매로 발생하는 인세였다는 것을 감안하면, 이런 스캔들이 판매량을 조금이라도 높여줄 것이라는 계산을 했을 가능성도 배제할 수는 없다. 생각해보면 크롤리는 이미 전에도 몇 차례 자살극을 기도한 경력이 있는 인물이니 딱히 놀랄 일도 아니다. 그런데 왜 페소아까지 여기에 신나게 동조한 것일까? 그냥 재미로? 탐정소설 애호가로서 자진해서 미스터리에 연루되고자 한 것일까? 창작을 위한 재료 혹은 영감이라고 보는 설이 가장 설득력 있어 보인다. 실제로 그 사건이 일어난 후 '지옥의 입Boca do inferno'이라는 제목을 단 탐정소설의 집필에 들어가지만 다른 여러 프로젝트들처럼 완성하지 못하고 중단된다. 마찬가지로, 크롤리와의 교류 역시 사건 이후에도 얼마간은 지속되지만 페소아가 그의 시 「힘과 판」을 영어로 번역해 잡지 『프레젠사』에 실은 것을 끝으로, 그리고 크롤리의 편지에 페소아가 더 이상 답하지 않으면서 두 사람 간의 연락은 완전히 두절된다.

페소아의 '숨은 의미 찾기'

일회적이라고 할 수 있는 '지옥의 입구' 해프닝은 하나의 예외로 친다 하더라도, 비전 종교들에 대한 페소아의 관심은 '비상한, 꾸준한'이라는 형용사를 빼고는 설명이 불가능하다. 그가 소장한 책만 해도 장미십자회, 프리메이슨, 카발라, 점성술, 고대 종교 관련 등 수백 권이 넘고, 그 관심은 끝을 모르고 퍼져나가 영지주의, 범신론, 세바스티앙주의는 물론 수상학, 골상학, 그리고 '300인 위원회' 설(300명의 엘리트가 유럽의 운명을 거머쥐고 세계를 지배하려 한다는 이론) 같은 음모론에까지 두루두루 미쳤다. 문학은 별도로 하고 비전 세계에 대한 호기심의 궤적만 따라가려 해도 현기증이 날 정도다. 뒤에서 좇아가는 사람이 이럴진대 본인은 어땠을까? 마냥 재미있었을까?

> 형이상학과 ○과학을 공부한 다음 나는 신경의 균형을 더욱 위협하는 정신 활동으로 들어갔다. 간헐적으로 경련을 일으키지 않고는 끝까지 읽어낼 수 없는 신비주의와 카발라의 경전들을 읽으면서 끔찍한 밤을 보냈다. 장미십자회의 미스터리와 의식, 그리고 카발라와 템플기사단의 ○한 상징 등의 무게에 짓눌려 오랫동안 힘들어했다. 마술, ○연금술처럼 형이상학적으로 악마스러운 논리에 근거한 독성 강한 사색으로 열띤 낮 시간을 채웠다. 늘 궁극의 불가사의를 발견하기 직전에 있을 거라는 고통스러운 예감이 일으키는 거짓 활력을 얻었다. 나는 형이상학의 혼미한 하위 체계에 빠져 길을 잃었는데, 이 체계는 혼란스러운 유추, 명료한 사고가 발을 헛디디는 함정, 초자연적인 빛이 주변부의 불가사의를 깨우는 신비롭고 위대한 풍경으로 가득 차 있었다.
>
> —『불안의 책』, 텍스트 251

아직까지 페소아와 비전 종교들에 관해서는 상대적으로 연구가 많이 되어 있지 않고, 존재하는 연구 논문들을 찾아 읽어봐도 대부분 워낙 방대한 분야를 단편적으로만 다루고 있어 도무지 큰 그림이 그려지지가 않는다. 무엇보다 나 자신의 배경지식에 한계를 느꼈다. 비전이든 아니든 종교란 것은 결국 '종교적' 열정을 가지고 뛰어들지 않으면 퍼즐을 풀지 못하고 이내 따분해지기 마련이다. 한마디로 나는 이것들이 왜 그렇게까지 그에게 흥미로웠는지를 이해하는 데 있어 난항을 겪고 있었다. 비전의 소용돌이 속에서 허우적대며 점점 갈피를 잡지 못하던 차에 퍼뜩, 언젠가 '페소아의 집'에서 만난 이탈리아인 친구 한 명이 떠올랐다. 코임브라에서 바로 이 분야, 페소아의 비전주의를 주제로 박사 논문을 쓰고 있는 중인 리타 마로네, 그녀가 나의 지푸라기였다. 곧바로 그녀에게 구조 신호를 보냈고, 조만간 주말을 이용해 리스본으로 내려올 일이 있다는 반가운 답장을 받았다.

우리의 만남 장소는 언제나처럼 '페소아의 집' 도서관이었다. 단, 도서관 2층에서 공부 중인 학생들을 방해하지 않기 위해 박물관 앞길 골목 끝 카페로 자리를 옮기기로 했다. 자리를 잡고 주문을 한 지 채 5분도 지나지 않아 나는 궁금증을 참지 못하고 단도직입적으로 질문을 던졌다. 그런데 리타, 넌 왜 하필 페소아의 비전주의에 빠져든 거야? 뭐가 흥미로웠어? (다음은 그녀의 대답이다. 평소 주의가 산만한 내 기억을 신뢰할 수 있다면…….)

난 철학을 전공했어. 항상 정통 철학사보다는 사상사적 접근이 좋았어. 왜냐하면 공부를 하면 할수록 주류 철학사라는 게 자기와 같은 것(동일성)을 기준으로 자기와 다른 것(차이)을 적극적으로 제외시키고 변방으로 내모는 일종의 '배제의 역사'라는 걸 느꼈거든. 물론 역사는 언제나 선택을 피할 수는 없지만, 이미 선택되고 주어진 철학사를 그대로 받아들이고 그 위에서 시작하는 것보다, 먼저 그 선택의 원리 자체를 파악할 필요가 있었어. 그래서 정통 철학사에 포함되지 않는 사상들에 점점 더 관심이 가기 시작했지. 어떤 철학자들을 주로 읽었냐고? 글쎄, 내가 이탈리아인이다 보니 초반에는 아무래도 조르다노 브루노 같은 철학자들에 심취되었지. 그러다가 한 가지 발견을 했어. 물론 내가 처음 발견했다는 건 아니지만……. 17세기부터 근대과학의 기초가 다져지고, 18세기에 계몽주의가 풍미하면서 방금 말한 철학적 경향이 점점 가속화되는데, 우리가 모더니즘 시기라고 부르는 19세기 말, 20세기까지도 여전히 과학적인 것과 비과학적인 것, 또는 정식 종교로 불리는 것과 이단 종교로 불리는 것들이 굉장히 혼재된 상황이었다는 거야. 그 혼재가 한 개인 안에서도 나타난 건 물론이고.

봐봐. 우리가 현대과학의 아버지라고 여기는 아이작 뉴턴도 연금술의 대가로 '철학자의 돌'을 만들어내려고 했지? 철학 쪽 대표 주자였던 데카르트도 장미십자회에 빠져 있었지? 참고로 이름난 장미십자회 회원을 나열해보면 놀랄걸? 단테, 베이컨, 라이프니츠, 뉴턴, 레오나르도 다 빈치, 노스트라다무스, 바그너, 빅토르 위고, 벤저민 프랭클린, 토머스 제퍼슨 등……. 지금의 우리에게는 낯설고 '사이비'처럼 보이지만, 당대 최고의 지성들이 진지하게 믿었던 신념 체계였던 거야. 이런 것들이 이단 취급을 받고 배척받은 건, 그 종교 자체의 내부적 결함도 있겠지만 정치·사회적 이유가 더 커. 내가 하고 싶은 말은, 비전주의가 당시 유럽 지식인 사회의 엄연한 일부였다는 거야, 무시해도 좋은 예외나 부차적인 요소가 아니라. 바로 이런 문제의식을 갖고 있던 차에 알게 된 거야. 이 혼재된 특징들을 한 몸에 모두 지니고 있는 사람을. 바로 페소아였지. 알아, 예이츠도, 릴케도, 엘리엇도 그랬지. 하지만 페소아만큼 폭넓고 다양하고 열광적으로 고루 섭렵했던 사람은 못 봤어. 적어도 내 눈에는 말이야.

알다시피 비교적 최근까지도 페소아의 비전주의는 학계에서도 진지하게 취급받지 못했잖아? 그렇지만 이제는 분위기가 많이 달라. 시인의 정신세계를 이루는 근간의 하나로 인정받고 있고 아무도 이 사실을 무시하지 못하지. 무시하기에는 그 관심의 뿌리가 너무 깊다는 걸, 알면 알수록 절감하거든…….

리타의 설명에 전적으로 고개를 끄덕일 수 있었다. 핵심은 정상과 비정상, 진짜와 사이비 종교를 분류하는 기준의 문제였다. 그 기준이 역사적 선택과 우연에 의해 구성된 것일 뿐 고정불변의 진리는 아니라는 것을 우리는 자주, 쉽게 잊는다. 그 기준을 의심하면 할수록 "대체 왜 페소아는 이렇게 이상한 것들에 시간을 허비했지?"라는 질문의 편견에서 벗어날 수 있다. 단, 한 가지만은 여전히 경계할 필요가 있겠다. 그의 비전주의를 진지하게 취급하는 것을 넘어서 페소아가 어떤 특정한 신념 체계를 정말로 종교적인 의미로 '믿었다'고 여기는 것, 그건 오산이다. 이 점을 가장 잘 말해주는 건 페소아 자신이다.

> 감각들 때문에 나는 늙었다……. 너무 많은 생각에 기운을 소진했다……. 내 인생은 끊임없이 사물의 숨겨진 의미를 찾아다니고, 알 수 없는 유추로 불장난을 하고, 전체적인 명료함과 정상적인 통합은 뒤로 미루며 스스로를 폄하하는 형이상학적 열정에 빠져버리고 말았다.
>
> —『불안의 책』, 텍스트 251

그는 무엇에나 잘 빠져든 만큼 쉽게 지루해했다. 어떤 신념 체계에도 완전히 정착할 수 없는 영혼의 소유자였던 그가 정처 없는 '숨은 의미 찾기' 끝에 지쳐 닻을 내린 곳은 자기 자신이었다.

> 나는 지금 나 자신을 숭배하는 종교 안에서 금욕 중이다. 커피 한 잔과 담배 한 개비와 나의 꿈들이, 우주와 별과 일과 사랑과 심지어 아름다움과 영광을 훌륭하게 대체한다. 나에게는 자극이 거의 필요 없다. 나는 내 영혼 안에 충분한 아편을 갖고 있다.
>
> —『불안의 책』, 텍스트 251

독실한 신자가 되기에는 너무나 까다롭고 복잡하고 변덕스러웠으며, 무언가에 길들여지기에는 너무나 섬세한 방식으로 반항적이었던 페소아. 그가 유일하게 믿었던 것이 있다면, "유일한 신비는, 우주에 신비가 있다는 사실"뿐이었다.

나는 지금 나 자신을 숭배하는 종교 안에서 금욕 중이다. 커피 한 잔과 담배 한 개비와 나의 꿈들이, 우주와 별과 일과 사랑과 심지어 아름다움과 영광을 훌륭하게 대체한다. 나에게는 자극이 거의 필요 없다. 나는 내 영혼 안에 충분한 아편을 갖고 있다.

—『불안의 책』

10

FERNANDO PESSOA

리스본 사람들

삶과 문학의 장소에서 만나다

리스본 시민 페소아

리스본 생활이 3년째로 접어들면서, 체류 초반에 도시가 뿜어내던 특유의 시적 정취는 반복되는 생활사 속에 점점 희미해져갔다. 그럼에도 불구하고 아주 가끔은, 단조로운 일상의 장막을 찢는 시적인 순간들이 찾아오곤 했다. 거리 밖에서 매일같이 들려오는 생활 소음들을 인지조차 못할 만큼 무뎌진 귀를 가르고, 어느 날 느닷없이 피리 소리가 나를 흔들어 깨웠다. 바로 칼갈이가 지나감을 알리는 신호다. 한동안은 이 소리의 정체를 몰라 참을 수 없는 궁금증에 시달리곤 했다. 소리의 주인공을 알게 된 후로는 호각 소리만 나면 조건반사적으로 행동한다. 하던 일을 멈추고 부엌으로 달려가 식칼을 한 움큼 쥔 다음 동전 몇 닢을 주머니에 찔러 넣으며 황급히 5층 계단을 달려 내려간다. 그런 내 모습을 누가 봤다면 끔찍한 일을 저지르고 도망치는 범인으로 오인하리라(물론 리스본 사람들은 나처럼 유난 떠는 법 없이 창문가에서 휘파람으로 칼갈이에게 신호를 주고 천천히 내려간다).

그에게 칼을 맡기고, 나는 자전거 페달을 밟으며 숫돌을 돌리는 칼갈이의 손놀림을 말없이 지켜본다. 더 이상 물건을 고쳐 쓰지 않는 나라에서 온 사람의 눈에는 그의 익숙한 동작 하나하나가 낯설고 신기하다 못해 소중하기까지 하다. 이 사람, 시마웅 씨에 의하면 현재 리스본 전체에 칼갈이는 자신을 포함해 단 두세 명밖에 남지 않았단다. 사람들은 이제 칼갈이를 부르기보다는 집에서 간단히 갈아서 쓰거나 칼을 갈아주는 철물점을 찾는다. 그러지 않으면 아예 새로 사는 쪽을 택하거나. 칼갈이는 이제 사양 직업도 아니고, 여태껏 완전히 사라지지 않아 놀라운 직업이라고 해야 맞겠다. 내가 할 수 있는 거라곤 이 매력적인 직업에 대한 수요가, 비록 눈곱만큼이긴 하지만 아직 존재하고 있음을 보여주는 것 말고는 없으니, 결국 몇 년 지나지 않아 이 직업도 추억 속의 직업으로 남을 확률이 높다.

15년쯤 전만 해도 리스본에는 칼갈이는 물론 굴뚝 청소부도 흔했다고 한다. 동화책에서 보는 것처럼 온몸에 흰 재를 뒤집어쓰고, 얼굴은 연기에 시커멓게 그을린 남자들이 집집마다 초인종을 누르고 다녔을 광경은 어느덧 우리에게는 상상 속에서나 존재하는 모습 같기만 한데, 페소아는 아직 이런 사람들이 거리를 활보하던 시대를 살았다.

그가 거닐던 때와 지금의 리스본 풍경은 사뭇 다르다. 포르투갈 친구가 해준 재밌는 이야기가 기억난다. 페소아가 살던 시절, 1900년대 전까지만 해도 하수도 시설이 제대로 정비되어 있지 않았던 리스본

100년 전의 리스본

1919년 상 페드루 드 알칸타라 전망대Miradouro São Pedro de Alcântara에서 바라본 리스본 풍경. 옛 정취가 이따금 남아 있긴 하지만, 오늘날 리스본 풍경은 페소아가 살던 당시의 모습과는 많이 달라졌다. 1988년 시아두 화재 사건으로 페소아가 즐겨 다녔던 장소들이 사라졌고, 최근 들어 관광객이 몰려들면서 또 다른 변화가 시작되고 있다.

에서는 생활 오수를 창가에서 거리로 퍼붓는 일이 다반사로 일어나곤 했다. 어느 정도였느냐 하면, 거리에 누가 지나가는지 제대로 살피지도 않은 채 "물 갑니다Agua vai!"라는 소리 한 번 지르고 오수를 냅다 바깥으로 부어버리는 식이었다. 이미 익숙해진 지역 주민들이야 요령 있게 피해 갔겠지만, 타지 사람이나 포르투갈어를 모르는 외국인이라면 어디선가 들려오는 고함 소리에 머리 위를 쳐다봤다가 물 한 바가지 뒤집어쓰기 십상이었다.

각설하고, 페소아가 자주 거닌 리스본 시내 중심가가 현재의 모습을 갖추게 된 여러 계기 중 하나는, 1988년 여름의 시아두 화재 사건이었다. 사고 면적 자체는 그리 넓지 않았으나 18세기에 지어진 건물들이 밀집된 역사적인 구역이라 페소아가 생전에 즐겨 다녔거나 지나쳤던 책방, 카페, 제과점들이 대거 잿더미 속에 묻혀버리고 말았다. 지금 관광객들이 보는 것은 새롭게 재건된 시아두이다. 그리고 바로 그 관광객들이 최근 들어 무서운 기세로 늘어나면서 도시의 두 번째 '성형 시술'이 진행 중이다. 관광객 밀집 지역인 바이샤Baixa 지구에는 포르투갈어보다 브라질식 포르투갈어, 영어, 프랑스어, 독일어, 때로는 중국어가 더 많이 들린다. 구시가의 한복판에서 하룻밤을 지내보고 싶어 하는 여행객의 수요가 급등하면서 수많은 집들이 호텔이나 '에어비앤비' 숙소로 변해 도시 풍경 자체를 바꾸고 있고, 원래 거주하던 주민들이 치솟는 집세를 견디지 못하고 값싼 도시 외곽으로 밀려나면서 창문가마다 널려 있던 정겨운 빨래들도 예전만큼 눈에 띄지 않는다. 갈수록 심해지는 주차난도 주민들과 지역 상인들이 공통적으로 호소하는 문제이다. 페소아가 살았던 집 중 하나는 "페르난두 페소아 경험하기: 포르투갈 최고의 현대 시인 페소아가 직접 일하고, 자고, 시를 쓰던 바로 그 집에서 리스본의 정수를 경험해보세요!"라는 선전 문구를 단 숙박 상품으로 탈바꿈했다.

이렇게 하루가 다르게 변하고는 있지만, 리스본은 여전히 페소아의 도시이자 페소아를 개인적으로 알고 지낸 사람들이 아직까지도 생존해 있는(또는 최근까지 생존했던) 유일한 도시다. 리스본 시민 페소아는 어떤 사람이었을까? 이 질문에 답하기 위해 『불안의 책』의 주인공 베르나르두 수아르스를 참고하는 것도 도움이 되리라. 페소아 스스로 자신과 수아르스는 크게 다를 바 없는 인물이라고 인정하고 있으니까 말이다('5장 파편과 폐허의 미학' 참조). 사회적으로 아주 높지도 아주 낮지도 않은, 딱 중간 이하 정도의 계층을 대변하는 '보통 사람' 수아르스처럼, 페소아 역시 서민은 아니었지만 그다지 잘살지도 않았다. 부잣집 아들로 태어난 친구 사-카르네이루와는 환경이 사뭇 달랐다. 조부모에게서 물려받은 얼마 안 되는 유산조차 '되지도 않는' 출판사를 차린답시고 일찍이 탕진했고, 문화적으로는 전 세계 누구 못지않게 고양되어 있었지만 경제적으로는 줄곧 빠듯한 중산층을 벗어나본 적이 없다. 그가 남긴 일기와 메모들에는 가계부 기록이 한가득이다.

〈인생의 계획〉

인생에 대한 일반적인 계획은 첫째로, 어떤 종류든 경제적인 안정을 획득하는 것을 포함해야 한다. 나는 내가 경제적 안정이라고

예전의 모습을 간직하고 있는 리스본의 골목길

부를 수 있는 검소한 한도를 약 60달러로 본다. 필수적인 것들에 40을, 20은 나머지 인생에 추가되는 것들에. 이를 획득하려면, 두 회사(Pinto, Frederico Ferreira)에서 받는 31달러에다가, 어디에서 나올지 아직 더 고민해봐야 할 29달러를 다른 데서 벌여들어야 한다. 엄밀하게 말하자면, 50달러도 가능하리라, 생필품을 35로 잡으면, 나머지는 15로 충분하리라.

—『자전적, 자동적, 개인적 성찰의 글들』

돈을 벌 능력이 없어서는 아니었다. 그는 주위로부터 인정받는 번역가였다. 다만 최대한 적게 일하고, 가능한 한 많은 시간을 글쓰기에 전념할 수 있는 환경을 만들기 위해 작가로서 내린 선택이었다. 수아르스도 비슷했다. 더 승진할 야망도 없는, 그야말로 평범하기 짝이 없는 '비정규직 월급쟁이'이지만, 바로 그렇기에 신분 상승에 대한 갈망이나 대단한 이윤을 창출해야 한다는 압박, 가족 부양에 대한 책임감에서도 벗어나 있어 머릿속을 온갖 상념들로 채울 수 있었다. 그가 포착하는 사회생활의 복잡하고 미묘한 심리는 80년 전이나 지금이나 회사 생활을 해본 사람이라면 공통적으로 느낄 수 있다.

누구에게나 바스케스 사장 같은 고용주가 있을 것이다. 어떤 이에게는 보이는 형태로, 어떤 이에게는 보이지 않는 형태로. 나에게 그는 바스케스라는 이름의 건강하고 쾌활한 남자로 가끔은 심술궂게 굴지만 겉과 속이 다르지 않고, 잇속에 밝지만 위대한 천재들 혹은 좌우파를 불문하고 훌륭한 인물들에게서도 좀처럼 찾아보기 힘든 공정함이라는 미덕을 기본적으로 지닌 사람이다. (…) 나는 나의 고용주로 바스케스라는 인물을 선호한다. 까다롭게 굴 때조차 이 세상 모든 추상적인 고용주들보다 훨씬 다루기 쉬운 그를. (…) 내가 착취당하는 건 사실이다. 하지만 착취당하지 않는 삶이 어디 있겠는가. 바스케스 사장에게 착취당하는 것이 허영과 명예, 울분과 질투, 또는 불가능한 꿈에 착취당하는 것보다 못하다고 누가 말할 수 있단 말인가.

—『불안의 책』, 텍스트 7

『불안의 책』에 반복적으로 등장하는 바스케스 사장의 실제 모델은 시인이 번역 일을 맡았던 회사의 책임자 카를루스 에우제뉴 모이티뉴 드 알메이다Carlos Eugénio Moitinho de Almeida였다고, 사장의 아들이자 그 역시 페소아와 개인적인 친분이 있었던 루이스 모이티뉴가 그의 회고록 『사후 50주년의 페르난두 페소아*Fernando Pessoa no Cinquentenário da Sua morte*』를 통해 말해주고 있다. 루이스 모이티뉴에 따르면, 『불안의 책』의 극중 배경 도라도레스 거리Rua dos Douradores의 사무실도 실제로는 바로 옆 프라타 거리Rua da Prata 71번지 2층(포르투갈 기준으로 지상 1층)이었단다. 페소아를 신뢰했던 바스케스 사장, 아니 모이티뉴 씨는 그에게 열쇠를 맡기며 퇴근 후 그가 사무실을 마음껏 쓸 수 있도록 배려했고, 그렇게 해서 『불안의 책』의 상당 부분이 집이 아닌 그 사무실에서 쓰였으며, 그 유명한 「담배 가게」도 여기서 탄생했다고 루이스는 덧붙인다. 페소아가 밤늦게까지 시를 쓴 다음 날 아침 일찍 출근해 시인이 쓰던 타자기 위에 손을 올려놓은

도라도레스 거리

『불안의 책』의 배경이 된 도라도레스 거리. 『불안의 책』은 이곳을 중심으로 쓰였고, 페소아는 이때 만난 사람들을 작품 속 인물들의 모델로 삼았다. 페소아가 번역 일을 하며 글을 썼던 사무실은 도라도레스 거리 옆 프라타 거리 71번지에 있었다.

루이스는, 순간 페소아가 떨어뜨리고 나서 치우지 않은 담뱃재를 발견하고, 전날 밤 시적 황홀경에 사로잡혔을 시인의 모습을 상상했다고 회고한다.

이처럼 「담배 가게」와 『불안의 책』에는 페소아와 동시대를 살았던 리스본 사람들이 수없이 등장한다. 아쉽게도 내가 좋아하는 칼갈이나 굴뚝 청소부에 대한 언급은 없지만, 바스케스 사장 이외에도 카페 종업원, 사환, 짐꾼, 여자 재봉사, 이발사 등이 단골로 등장하며, 내용상으로도 큰 존재감을 지닌다.

> 오늘 그동안 우리 사무실에서 사환으로 일했던 소년이 고향으로 돌아가 정착하기 위해 회사를 그만두었다. 나는 그 소년이 이 인간 조직의 일부이므로 나의 일부이자 내 세계의 일부로 여겨왔다. 그가 오늘 떠났다. 아까 복도에서 우연히 마주쳤을 때 우리는 작별 인사에 어울리는 아쉬움을 나누며 서로 어색하게 끌어안았는데, 내 의지와 달리 마음속에서는 두 눈이 뜨거워지는 바람에 울지 않으려고 애써 참았다. (…) 오늘 나의 일부가 줄어들었다. 오늘의 나는 이전의 나와 같지 않다. 사무실 사환 아이가 떠났다.
>
> 우리가 사는 곳에서 일어나는 모든 일은 우리 안에서 일어난다. 우리가 보는 곳에서 없어지는 것은 우리 안에서도 없어진다. (…) 오늘, 그가 남긴 빈자리로 인해 삶의 비극이 더욱 생생하게 느껴지고, 이 사건이 대수롭게 여길 일이 아니기에 더욱 마음에 걸린다. 나의 신이여, 나의 신이여, 사무실 사환 아이가 떠나버렸습니다.
>
> —『불안의 책』, 텍스트 279

평소 페소아가 '신이여'라는 표현을(관용적으로 가볍게 쓰는 감탄사로도) 자주 쓰지 않았음을 감안하면, 이 '사건'에 특별한 무게를 부여하려고 했음을, 아니 실제로 사환 아이에게 각별한 유대감을 느꼈음을 확인할 수 있다.

> 카페와 식당의 종업원들과 이발사, 또 길모퉁이에서 일하는 배달원들은 나와 자연스럽고 자발적인 공감대를 형성하고 있으며 그런 공감대는 명목상 나와 훨씬 더 친밀한 사람들에게서는 기대할 수 없다는 사실이었다.
>
> 동지애란 미묘한 것이다.
>
> —『불안의 책』, 텍스트 24

페소아를 기억하는 리스본 사람들

이번에는 문학 작품 속의 인물이 아닌, 리스본 시민 페소아가 일상에서 직접 만나고 교류하며 담소를 나누던, 그에게 '명목상 훨씬 더 친밀한 사람들'을 만나보자. 그들은 페소아를 어떻게 기억하고 있을까? 사실 나 자신도 한 명의 작가이기에 될 수 있으면 작가와 작품을 구분해서 생각하려 하긴 하지만, 문학적 가치를 떠나 순전한 '팬심' 수준에서 궁금한 것도 사실이다. 게다가 온 생애를 문학에 바치다시피 한 이 사람에게 문학과 사생활, 이 두 세계는 너무도 긴밀히 얽혀 있다. 시인이자 철학자인 아고스티뉴 다 실바Agostinho da

Silva는 그 혼연일체를 이렇게 표현한다.

> 페르난두 페소아는 어떤 사람이었냐면, 보통은 재단사가 먼저 치수를 재고 나서 외투나 바지를 만드는 반면, 페르난두 페소아라고 하는 이 시는 갖다 댈 치수가 없는 셈이다. (…) 페소아가 썼던 시들에 대해 하는 말이 아니다, **페소아라는 시**에 대해 하는 말이다.
>
> —『페소아와 페소아들』, 379쪽

페소아라는 시, 지금도 리스본 시내를 유령처럼 떠돌고 있을 것 같은 시. 그 '불가해성'으로 말하자면 정말로 시를 닮았다고 할 수 있는 페소아를 직접 만났던 사람들은, 거의 한결같이 가면으로 가려진 듯한, 거기에 있으면서도 있지 않은 듯한 그 특유의 알 수 없는 존재감을 이야기한다. 그래서 그를 만나고 돌아서는 길에, 시인 옥타비오 파스가 페소아의 전기 『자기 자신도 누군지 몰랐던 사람 *Fernando Pessoa O Desconhecido de Si Mesmo*』을 맺었던 마지막 문장과 똑같은 질문을 던져보게 된다. "페소아, 그는 대체 누구란 말인가?"

페소아의 문학과 그의 사람됨을 둘 다 잘 아는 집단 하나를 꼽으라면 잡지 『프레젠사』 동인들을 빼놓을 수 없다. 페소아가 지금의 페소아가 아니었던 무명 시절부터 일찍이 그의 진가를 알아보고 그와 개인적으로 교류했으며, 즉 그의 작품들이 세상에 알려지는 데 톡톡히 공헌한 사람들 주제 레지우, 주앙 가스파르 시몽이스, 아돌푸 카사이스 몬테이루가 그 주인공이다.

출중한 편집자이자 시인, 평론가였던 이 세 인물은 1927년 코임브라를 기반으로 문학 잡지를 창간하면서 1940년까지 '오르페우 세대' 이후 포르투갈 문학을 주도하는 문학계의 거물들로 성장한다. 페소아와는 1928년 레지우와의 첫 편지를 시작으로 오랫동안 서신 교환을 유지하고, 같은 해 리스본에서 첫 만남의 자리도 주선된다. 그날 약속 장소에는 레지우와 시몽이스가 나갔는데, 대작가와의 진지하고 깊이 있는 대화를 기대했던 젊은 평론가 레지우는 실망만 안고 돌아서야 했다. 이유인즉슨, 만남의 자리에 페소아가 아닌, 자신을 알바루 드 캄푸스라고 소개하는 괴짜가 나와 있었다는 것! 레지우에게는 농담인지 진짜인지 알 수 없는 시인의 기행이 아무래도 탐탁지 않았는지, 그날 이후 상당 기간 두 사람의 서신 교환마저 끊긴다. 그러나 이런 가면 놀이보다 더 페소아스러운 태도도 없다는 점을 레지우도 결국 인정했어야 하지 않을까 싶다.

이 에피소드를 진술한 동행 주앙 가스파르 시몽이스는 페소아 사후 그의 대표적인 전기 『페르난두 페소아의 생애와 작품*Vida e obra de Fernando Pessoa*』을 쓰게 되는 인물이다. 이 책은 귀중한 자료임에는 틀림이 없지만, 시간이 지나면서 사실관계의 오류들이 여럿 발견되면서 빛이 바랬다. 전기의 특수성상 한번 신뢰가 흔들리면 비교적 정확한 다른 정보들에 관한 믿음까지 도미노처럼 영향을 받기 쉽다. 위 에피소드에서도 구체적으로 무슨 대화가 오갔는지는 저자도 알려주지 않아서 어느 선까지 믿을 수 있을지 독자로서 확신이 서지 않는다. 참고로 시몽이스 역시 친구 레지우와 마찬가지로 페소아의 문학 전반은 대단히 높게 평가했으나 그의 이명에 관해서는 늘 삐딱한 입장을 취했다. 사람들이 페소아가 만들어놓은 덫에 너무 진지하게 '놀아난다'는 투다. 맞는 말일 수도 있다. 하지만 이명을 한낱 장난쯤으로 치부하고 무시해버리면 페소아 문학의 핵심을 간과하게 될뿐더러 그 형식이 품고 있는 새로움을 놓쳐버릴 수 있다.

유명 인물에 관한 이야기들은 늘 새겨들을 필요가 있다. 특히 사망한 인물을 둘러싼 주변 사람들의 증언은 종종 과장과 각색의 과정을 거치면서 정작 궁금한 알맹이는 잃어버린다. 『프레젠사』 삼인방 중 마지막, '이명의 기원'이라는 이름으로 널리 알려진 페소아의 1935년 편지를 받은 영광의 주인공 아돌푸 카사이스 몬테이루는 자신이 페소아를 "보았고, 또 들었다eu vi e ouvi"고 확신에 차서 말했으나, 사실은 서신 관계 이외에 실제로 만남이 있었는지는 확인된 바가 없다. 페소아 관련 학회에 참석차 리스본을 방문한 예일 대학 포르투갈어문학과 데이비드 잭슨David Jackson 교수는, 발표 중간에 '삼천포'로 빠지면서 몬테이루와 관련된 페소아의 일화를 하나 들려주었다.

시인을 깊이 동경하고 늘 직접 만나고 싶어 했던 몬테이루는 어느 날 드디어 약속을 잡는 데 성공한다. '니콜라'라고 하는 리스본의 한 레이타리아Leitaria(직역하면 '우유를 파는 곳'이나 간단한 제과점과 카페로 운영되었다) 앞에서 만나자는 페소아의 제안에 동의하고, 정해진 날 정해진 시간에 맞춰 약속 장소로 나갔다. 한참을 기다리던 몬테이루는 어쩐지 행인들이 자꾸만 흘깃흘깃 쳐다보는 시선을 느낀다. 나중에 알고 보니 그곳이 게이들의 접선 장소로 유명한 곳이었다. 놀라운 점은 이 에피소드가 시시하기 짝이 없게도, 바로 거기서 끝난다는 점이다! 정작 몬테이루가 페소아와 만나서 대체 무슨 얘길 나눈 것인지, 아니 약속 장소에 나타나기는 한 것인지 아무런 정보도 남아 있지 않다. 답답하고 궁금한 마음에 기회를 틈타 따로 잭슨 교수에게 질문을 해보니, 이 별 볼 일 없는 이야기조차 제보자를 가리려면 한참을 거슬러 올라가야 했다. 몬테이루가 카를루스 케이로즈(시인, 오펠리아의 사촌)에게 해준 얘기를, 케이로즈가 친구 조르주 드 세나에게 전했고, 미국으로 망명을 간 세나가 대학교수로 재직할 때 제자 데이비드 잭슨에게 들려주어, 수십 년이 지나 나의 귀에까지 들어온 것이다. 이런 작은 일화 하나도 이 정도로 많은 다리를 건너야 하면 대체 어떤 일화를 얼마만큼 믿을 수 있을지 의문이다. 실제로 몬테이루의 아들에 따르면, 그의 아버지는 한 번도 페소아를 만난 적이 없었다.

조르주 드 세나에 대해서는 짧게나마 소개가 필요하다. 그는 잡지 『프레젠사』의 동인은 아니었지만 동시대 포르투갈 문학계를 풍미한 시인이자 평론가, 또 탁월한 페소아 독해자였다. 그다음 세대가 페소아를 이해할 수 있도록 핵심적인 통찰을 제공한 또 한 명의 주요 인물이다. 널리 알려진 세나의 에세이 「페르난두 페소아: 존재한 적 없는 사람」은 페소아의 대표적인 이미지, 즉 종잡을 수 없고 신비로운 가면을 쓴 시인상을 만드는 데 큰 역할을 했다. 그러나 역설적이게도 그 에세이를 찬찬히 읽어본 독자에게는, 제목과는 반대로 실존했던 한 인간 페소아의 구체적인 이미지가 남는다.

알다시피 현재 박물관 '페소아의 집'으로 변신한 코엘류 다 로샤 거리Rua Coelho da Rocha 16번지는 페소아가 마지막 생애를 보냈던 곳이다. 바로 그 앞집에 세나의 종조모가 살았는데, 페소아는 자기 집에는 없는 전화기를 사용하러 혹은 영어로 된 책을 빌리거나 빌려주기 위해 그녀의 집을 자주 방문했고 둘은 영어로 잡담을 나누곤 했다. 그녀 역시 미국 보스턴에서 살다 와서 페소아처럼 영어에 능통했다. 종조모의 집에 자주 놀러 갔던 세나는 페소아를 생생히 기억했다. 어린 세나로서는 이해하기 힘든 낯선 영국식 유머를 구사하던 매우 친절하고 호감 가는 동네 신사였다. 동시에, 어딘가 섬뜩할 만큼 차가운 내면 또한 느껴졌다고 한다. 치유 불가능한, 시인의 근원적인 고독이었을까? 실제로 페소아는 이명 리카르두 레이스의 입을 빌려 "시란, 차가울수록 더 진실하다"고 말하기도 했다. 다른 많은 평론가들처럼 세나도 페소아를 '차가운 시인'으로 파악하지만, 내가 받은 인상은 차가움이라기보다는 확고한 자기중심성이 없는 사람 특유의 불명확한 존재감이 주는 진공의 에너지가 아닐까 싶다.

유일한 연인이었던 오펠리아 역시 페소아를, 남의 이야기는 잘 경청하지만 정작 자기 이야기는 거의 한 적이 없는 사람으로 회고했다. 가장 친했던 친구 사-카르네이루와의 관계에서도 속을 털어놓는 쪽은 페소아가 아니었다. 다른 친구들의 증언도 대동소이하다. 1913~1915년 사이의 일기를 보면 카페 브라질레이라에서 밤늦게까지 어울리는 일이 잦았는데, 페소아는 친구들의 집에 자주 놀러 갔던 반면 자신의 집에 친구들을 초대하는 경우는 한 번도 없었고, 페소아와 상당히 가까웠던 시인 라울 레알조차 페소아의 집이 어디인지 몰랐다고 한다. 주위에 친구들과 그를 좋아한 이들이 적지 않았음에도, 페소아는 스스로 자초한 고독 속에 칩거하며 이명들과 더 많은 시간을 보냈다. 세나는 이명들에 관해서도 "아이가 없는 삶을 살기 위해 (…) 그는 그에게 그 역할을 해줄 한 무리의 피조물들을 창조해낸 것"이라고 평했다. 페소아는 그저 "이 이명들 모두의 겸손한 기록자, 혹은 그 비워진 자리에 대한 한탄"일 뿐이었다고.

겹겹의 가면 뒤에 무얼 감추고 있었든 간에, 일상적으로 그를 알고 지내던 모든 사람들이 그를 호감 가는 인물로 기억하고 있다. 지금은 할머니가 된 페소아의 질녀 노게이라Maria Manuela Nogueira('미미'라고 불렸다) 여사는 페르난두 삼촌의 손을 잡고 코엘류 다 로샤 거리를 산책하곤 했다. 삼촌이 피곤하지 않을 때면 면도를 하게 해달라고 졸랐고, 때로는 그의 손톱을 정리해주기도 했다. 담배 때문에 노랗게 물든 삼촌의 손톱 끝을 그녀는 생생히 기억한다. 이 '서비스'가 끝나면, 삼촌은 수고했다며 동전을 쥐여주곤 했다. 면도한 걸로 한 닢, 손톱 정리로 또 한 닢. 그러면 그녀는 일하는 아줌마에게 달려가 초콜릿을 사러 가자고 졸랐다. 그녀는 상상해본다. "어쩌면 「담배 가게」의 유명한 시구, '초콜릿을 먹어, 어린 소녀야, 초콜릿을 먹어'가 거기에서 나왔는지도 모르죠. 누가 알아요?"

페소아가 주변 사람들에게 깊은 인상을 남겼듯, 그들 역시 시인에게 적지 않은 영향을 미쳤다. 그중에서도 전속 이발사 마나세스 세이샤스와는 친구 사이라고 할 정도로 돈독했다. 이발사의 아들 안토니우는 지금도 생생히 기억한다. 일요일을 포함해 거의 매일같이 면도하러 이발소를 들르던 중년 신사를. 또 이발소 바로 맞은편 그의 집으로 아버지와 함께 출장 가던 일들을. 언제나 말끔하게 차려입고 집 바깥에서는 절대 모자를 벗는 일이 없었던, 너무나도 친절하고 정중하며 특히 아이들을 좋아했던 페소아 아저씨를 지금도 자기 아버지만큼이나 자주 생각한다고 그는 말한다.

이발사의 아들이 죽었다,
다섯 살배기 아이.
나는 그의 아버지를 알지—지금으로부터 만 1년 전
내게 면도를 해주며 이야길 나눴었지.

그 이야길 내게 했을 때, 내 안에 있는
마음이란 마음은 충격을 받았지
나는 어쩔 줄 몰라 하며 그를 안았고,
그는 내 어깨 위로 울음을 터뜨렸어.

이 바보 같고 평탄한 인생에서
난 한 번도 누굴 터놓고 대할 줄 모르는구나,
하지만, 맙소사, 나도 인간의 고통을 느낀다고!
그 느낌은 절대 앗아가지 마!

—「실바」 중에서, 1934년 3월 28일(『나의 시』)

이 시가 이발사 세이샤스와와 직접 만난 경험을 토대로 했는지 아닌지는 알려진 바 없지만, 일상 속에서 사람들과의 만남이나 대화를 바탕으로 쓰인 페소아의 시들은 이외에도 어렵지 않게 찾을 수 있다. 이런 사례들을 접하다 보면, 페소아를 현실의 삶과 유리된 추상적이고 이지적인 시만 쓰는 차가운 시인으로 치부하는 일부 평론가들의 판단이, 그의 광범위한 시 세계의 한 단면만 보고 내린 성급한 결론임을 알 수 있다.

다른 예를 하나 보자. 『오르페우』 창간 시기의 멤버들 중 전혀 거론되지 않은 안토니우 코베이라António Cobeira라는 인물이 있다. 잡지가 탄생하는 초반에는 멤버들과 자주 어울렸으나 직접 기고를 한 적이 없기에 명단에는 포함되지 않았던 코베이라는, 1953년 8월 11일자 『포르투 상업*O Comércio do Porto*』 지의 페소아 특집판에서 이미 고인이 된 옛 친구 페소아와의 짧은 일화를 회고한다. 잡지 『아테나』의 마지막 호 발간 직후, 리스본에서 실로 오랜만에 마주친 두 친구는 마침 신트라로 가는 방향이 일치했기에 기차에 동승해 창밖 풍경을 감상하며 담소를 나누었다.

> 페소아: ……그래서 자네는 앞으로 뭘 하면서 지낼 생각인가?
> 코베이라: 그럴 수만 있다면, 아무것도 안 하면서 지내고 싶네.
> 페소아: 자네나 나나 똑같군. 단, 자네는 안 하면서 아무것도 안 하고, 난 하면서 아무것도 안 하고.

이날의 대화를 인상적으로 기억한 사람은 코베이라만이 아니었던 듯, 페소아도 대화 내용과 묘하게 공명하는 시 한 편을 짓는다.

> 모든 일은 허무하다, 모든 면에서.
> 허무한 낙엽들을 휘날리는 허무한 바람이,

우리의 노력과 우리의 상태를 형상화한다.

주어졌건 이뤄냈건, 둘 다 운명.

차분히, 네 위에 서서 들여다보아라.

진실이 부질없이 떠오르는

적막하고 무한한 가능성을,

쉿, 생각할 게 아니거든, 느끼지 말 것.

—「주해註解」 중에서, 1925년 8월 14일(『나의 시』)

위의 두 시 모두 흥미롭게도 '느낌의 문제'에 천착하고 있다. 어떤 느낌을 얼마나, 어떻게 느껴야 할지를 두고 고민하고 당혹스러워한다. 페소아는 주위의 사람들을—가장 평범한 사람에서부터 숨은 괴짜까지—면밀하게 관찰하고 그들과 예민하게 상호작용하며 자기만의 방식대로 '몰래', 그들이 **되어보고** 있었으며, 그들에게 전적으로 동의하거나 공감한 것은 아니지만 그들과 **더불어** 무언가를 깊이 느끼고 있었다.

실제로 창조적 영역에 있어서도 그는 자기 세계 안에 매몰되거나 인정 투쟁에 목매는 나르시시스트형 예술가가 아니라, 주위의 다른 예술가들의 작품과 활동에 촉각을 곤두세우는 사람이었다. 그전까지 알려지지 않았던 포르투갈 문학의 숨은 진주들을 발굴하는 한편, 신진 작가들이 등단할 때면 늘 흔쾌하게 서문이나 소개 글을 써주곤 했으며, 때로는 손해 볼 것을 각오하면서도 사회 대다수 사람들이 반대하는 동료를 공개 지지하기도 했다. 주위 사람들이 거의 만장일치로 표하는 깊은 호감은 그가 개인주의자이면서도 이기심의 늪에는 빠지지 않았음을 보여준다(상처를 톡톡히 받았을 연인 오펠리아조차도 그를 미워하지 않았다). 평소에 이명을 통해 '타자 되기'를 연습한 덕분이었을까?

알고 보면 페소아도 마음씨 착한 휴머니스트였다고 주장하려는 게 아니다. 그와는 거리를 두려면 얼마든지 둘 수 있다는 것도 우리는 알고 있다. 알베르투 카에이루는 말했다. "사람들이 대체 나와 무슨 상관이란 말인가?/그들이 고통받는 게, 아니 고통받는다고 가정하는 게?" 리카르두 레이스는 "평민들에게 자유가 무슨 소용이 있겠는가?"라고 말했고, 알바루 드 캄푸스는 "(노동자들은) 모두들 멍청하다"라고 말했다. 페소아 본인은 한술 더 떠서 "노동자보다는 돌멩이가 더 흥미롭다"고 조롱했다. 게다가 정치적으로 왕정복고주의자이자 반공산주의자였으며, 대중의 취향과 집단주의를 혐오했던 그다. 그렇다면 이 사람의 진짜 정체는 뭔가? 도스토옙스키가 날카롭게 비판했던, 허위의식에 찬 지식인 부류였을까?

> 나는 인류애에 불타고 있다. 그런데 스스로 놀랄 일은 내가 인류 전체를 사랑할수록 인간 하나하나에 대한 사랑은 오히려 점점 더 사라진다는 사실이다. 공상 속에서는 지극히 열정적으로 인류에 대한 봉사를 꿈꾸어보기도 하고 또 필요에 따라서는 실제로 인류를 위해 십자가에 못 박힐 수도 있을 것 같은 심정이지만, 그러면서도 나는 그 어떤 사람과도 단 이틀 동안을 같은 방에서 지낼 수가 없다.
>
> — 도스토옙스키, 『카라마조프 형제들』

왠지 그 반대였을 것 같다. 겉으로는 엘리트 냄새를 풍겼고 문학의 영역에서는 비윤리적인 표현조차 서슴지 않고 내뱉었지만, 실생활에서는 오히려 사람들에게 각별한 관심과 애정을 가지고 차별 없이 대했다.

> 꿈속에서 나는 배달부 소년과 여자 재봉사와 똑같다. 나와 그들의 차이는 내가 글을 쓸 줄 안다는 것뿐이다. 그렇다, 글쓰기는 나를 그들과 구별 짓는 하나의 행위, 하나의 현실이다. 그러나 내 영혼 안에서 나는 그들과 다를 게 없다.
>
> —『불안의 책』, 텍스트 18

이것이 그가 따뜻한 인간애를 설파하지도, 참여적인 민중시를 쓰지 않으면서도 동시대 사람들과 긴밀히 호흡한 방법이었다. 일반적인 기준에서 삐딱한 사상을 지닌 사람이라 하더라도, 타인에 대한 비상한 호기심과 '타자 되기'에 대한 열망이 있다면, 결국 어느 정도는 이타적인 성향의 인간이 될 수밖에 없다는 것을 그가 몸소 보여줬다면 과도한 의미 부여일까?

역으로 이런 의문도 든다. 왜 우리들 대부분은 '타자 되기', 아니 타자 자체에 별 관심이 없고 자신의 문제 속에 함몰될까? 또 관심이 있다손 치더라도 왜 타인의 마음을 읽는 데 번번이 실패할까? '가짜 믿음 테스트False Belief Test'라고 불리는 심리학 실험이 있다. 어린아이가 평소에 좋아하는 물건 A(예: 사과) 그리고 A와 확연히 대비되는 다른 물건 B(예: 바나나)를 준비한다. 실험자는 아이에게 바나나에 대한 호감을 확실히 표현한 후, 둘 중에 자신에게 무엇을 주고 싶은지 물으며 아이가 둘 중 하나를 선택해 실험자에게 쥐여주도록 유도한다. 세 살 이하의 아이들은 아무리 반복해도 고집스럽게 자기가 좋아하는 사과만을 쥐여주려고 한다. 자기가 좋은 것이라면 당연히 남도 좋아할 것이라고 가정하는 것. 세 살 이상이 되어야 비로소 '타인의 마음'이라는 것을 읽고 바나나를 준다.

타인의 마음이 자기와 다를 수 있다는 것을 깨닫는 지극히 기본적인 사고조차, 결국 선천적으로 주어지는 게 아니라 사회 속에서 자라면서 길러지는 능력인 것이다. 바꿔 말해, 인간 사회에서 '정상적으로' 성장한 사람이라면 타인의 마음을 모를 수 없고, 타인의 입장에서 생각할 수 있는 기본 능력을 갖춘다는 말도 된다. 그러나 우리는 의외로 그 능력을 최소한으로 발휘하면서 산다. 마치 어느 나이 이상이 되면 다시 세 살 이하로 돌아가야 한다는 듯이……. 나는 나이가 들면 들수록 타자 되기에 점점 더 능해진 페소아가 세 살배기 아이와 일반 성인들 사이 어딘가에 위치해 있다고 생각한다.

리스본에 관한 이 챕터를 나는 포르투에서 마무리하는 중이다. 어느 따스까(식사가 가능한 카페)의 테이블 맞은편에서 메뉴를 훑어보던 친구이자 소설가인 우고가 내게 포르투풍 창자 요리를 추천하며 씩 웃는다. 채식주의자인 나를 놀리려는 의도도 있지만, 페소아가 지었던 동명의 시를 염두에 두고 던지는 농담이다.

어느 날 식당에서, 시공간 바깥에서
나에게 사랑을, 차가운 창자 요리처럼 내왔지.
나는 부엌의 전도사에게 공손하게 말했지.
데워주시면 좋겠다고 말이지.
창자 요리(게다가 포르투풍의 경우에는 더더욱)는 절대 차갑게 먹는 법이 없다고.

그들은 내 말에 언짢아했어.
맞는 말을 하면 안 되나봐, 심지어는 식당에서도.
결국 안 먹었어, 다른 걸 시키고, 계산을 마치고,
골목을 따라 걷기로 했지.

이게 과연 무슨 의미일지 누가 알랴?
난 모르겠어, 그저 내게 일어난 일…….

(…)

대체, 사랑을 주문했는데 어째서
차가운 포르투풍 창자 요리를 내오는 거냐고?
차갑게 먹을 수 있는 요리가 아닌데,
차갑게 내온 거야.
불평하진 않았지만, 차가웠어.
절대 차갑게 먹을 수 없는데, 차갑게 나온 거라고.

세상이 내가 주문한 것과 다른 것을 손에 쥐여줄 수 있음에 무지한 어린아이도, 세상은 어차피 내가 주문한 대로 나오는 법이 없다고 **단정한** 어른도 아니었던 페소아. 그 중간쯤의 회색 영역 어딘가에서, 세상과 더불어 영원한 의문과 호기심을 품고, 적극적으로 항의하지 않고, 치러야 할 대가는 치른 채, 그저 볼멘 내면의 목소리 혹은 시를 중얼중얼거리며, 포르투갈 특유의 타일 보도블록 '칼사다 포르투게사Calçada portuguesa'가 깔린 골목을 지나 어느 언덕 너머로 사라졌던 사람……. 리스본 시민 페소아는 내게 그런 사람이었다.

칼사다 포르투게사
여행자의 시선을 끄는 리스본의 보도블록 '칼사다 포르투게사'. 포르투갈 특유의, 검은색과 흰색 타일로 된 보도블록이 곳곳에서 문양을 이루고 있다. 이 타일은 수작업으로 제작되기 때문에 크기와 모양이 조금씩 다르며, 포르투갈의 식민지였던 브라질, 마카오 등지에서도 볼 수 있다.

SAÍDA

11

FERNANDO PESSOA

사-카르네이루와 페소아

문학적 이상을 공유하다

사-카르네이루 없이는 페소아도 없었다

내가 좋아하는 작가들은 대부분 외톨이였다. 평생 베스트 프렌드 같은 것을 둬본 적이 없으며 생의 대부분을 고독 속에서 글과 씨름하며 보낸 사람들이다. 하지만 한편으로 그들은 친구를 참 잘 둔 사람들이기도 했다. 사교성이 있었다는 뜻도 아니고, 폭넓게 사귀었던 것도 아니고, 단짝이라고 부를 만큼 오래 유지된 관계가 있었던 것도 아니지만 적어도 한 명, 인생에서 꼭 필요한 특별한 친구가 있었다는 공통점이 있다. T. S. 엘리엇에게는 에즈라 파운드가 있었다. 엘리엇의 가장 놀라운 시 「황무지」도 날카로운 편집자 파운드가 없었다면 세상에 나오지 못했으리라. 다소 우유부단한 성격을 지닌 엘리엇의 원고를 지나치다 싶을 정도로 가차 없이 손질을 가해 탄생시킨 작품이 바로 유럽 모더니즘 문학의 시초로 여겨지는 「황무지」이다. 엘리엇은 친구의 이런 가위질을 기꺼이 받아들였음은 물론 시 머리에 "에즈라 파운드, 최고의 장인 Il miglior fabbro 에게"라는 헌사를 바치기까지 했다. 이 말은 단테가 음유시인 아르노 다니엘에게 바친 말을 따온 것이다.

다른 예로, 폴란드의 두 작가 브루노 슐츠와 비톨트 곰브로비치 Witold Gombrowicz가 있다. 극히 내성적이고 섬세한 슐츠와 날카롭고 까칠한 곰브로비치가 우애를 맺었다는 얘기는 역사적 사실임에도 좀처럼 믿기지 않는다. 곰브로비치는 대개의 인간들을 혐오했으나 슐츠에게만은 예외적으로 관대했고 공공연히 호감을 내비치기까지 했다. 나는 곰브로비치가 단순한 인간 혐오자가 아니었다는 것을 슐츠와의 관계를 통해 깨달았다.

로베르토 볼라뇨Roberto Bolaño에게는 마리오 산티아고 파파스키아로가 있었다. 마리오는 소설 『야만스러운 탐정들』의 주인공 울리세스 리마의 모델이었으며, 극중 등장하는 '내장內臟 사실주의'의 모태인 '인프라레알리스모infrarealismo'를 실제로 창시했던 급진적인 괴짜 시인이었다. 볼라뇨는 친구를 늘 아끼고 존경했지만 내심 한 가지 불만이 있었다. 산티아고가 자신의 책을 너무 자주 빌려갔던 것. 문제는 빌리는 것 자체가 아니라, 책이 늘 쭈글쭈글한 상태로 돌아온다는 점이었다. 짜증이 났지만 볼라뇨는 친구가 자초지종을 친절히 설명해줄 위인이 아니라는 것을 잘 알고 있었기에 그저 돌려줬다는 사실에 감사해하며 모른 척해야 했다. 한참 후, 우연한 기회에 웬만해서는 아무도 초대받은 적 없는 마리오의 집을 방문하고 나서야 볼라뇨는 알게 되었다. 산티아고에겐 한번 책을 잡았다 하면 샤워를 하는 와중에도 멈추지 않고 계속 읽어나가는 괴이한 습관이 있다는 걸. 종이가 흠뻑 젖고 있는데도 아랑곳하지 않고 마치 물 따위

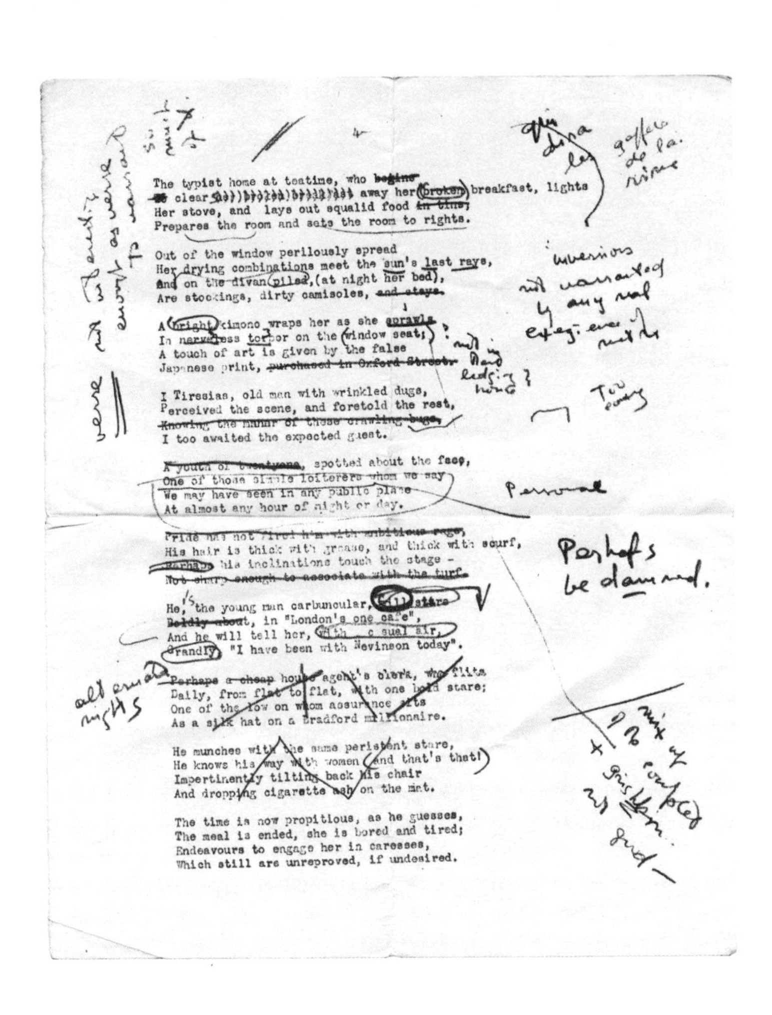

The typist home at teatime, who begins
To clear away her broken breakfast, lights
Her stove, and lays out squalid food in tins,
Prepares the room and sets the room to rights.

Out of the window perilously spread
Her drying combinations meet the sun's last rays,
And on the divan piled,(at night her bed),
Are stockings, dirty camisoles, and stays.

A bright kimono wraps her as she sprawls
In nerveless torpor on the window seat;
A touch of art is given by the false
Japanese print, purchased in Oxford Street.

I Tiresias, old man with wrinkled dugs,
Perceived the scene, and foretold the rest,
Knowing the manner of these crawling bugs,
I too awaited the expected guest.

A youth of twentyone, spotted about the face,
One of those simple loiterers whom we say
We may have seen in any public place
At almost any hour of night or day.

Pride has not fired him with ambitious rage,
His hair is thick with grease, and thick with scurf,
Perhaps his inclinations touch the stage -
Not sharp enough to associate with the turf.

He, the young man carbuncular, will stare
Boldly about, in "London's one cafe",
And he will tell her, with a casual air,
Grandly, "I have been with Nevinson today".

Perhaps a cheap house agent's clerk, who flits
Daily, from flat to flat, with one bold stare;
One of the low on whom assurance sits
As a silk hat on a Bradford millionaire.

He munches with the same persistent stare,
He knows his way with women (and that's that!)
Impertinently tilting back his chair
And dropping cigarette ash on the mat.

The time is now propitious, as he guesses,
The meal is ended, she is bored and tired;
Endeavours to engage her in caresses,
Which still are unreproved, if undesired.

에즈라 파운드가 수정한 T. S. 엘리엇의 「황무지」 원고는 존재하지도 않는다는 듯 유유히 독서를 하는 마리오…….

그가 어떤 종류의 인간이었는지 가장 잘 보여주는 행동은 매일 저녁, 드넓은 멕시코시티를 하염없이 배회하던 그의 길고 긴 산책이었다. 그냥 산책만 했다면 마리오 산티아고 파파스키아로가 아니리라. 그에게는 길을 건널 때 절대 양옆을 살피지 않는 치명적인 버릇이 있었다! 이런 형편이니, 서울 못지않게 공격적인 운전자들이 많은 멕시코의 수도 한복판에서 한두 번 접촉 사고를 당한 게 아님은 물론이다. 차에 치여 발을 절면서도 마리오는 그 습관을 고칠 생각을 하지 않았고, 결국 죽음도 그렇게 맞았다.

오로지 앞만 보고 차도를 건너는, 한 번도 본 적 없는 그 장면은 내 눈앞에 영상으로 생생히 맺혀 그 이후 자기 파괴적이고 불가해한 예술가의 상징처럼 굳건하게 자리 잡았다. 아무도 공감할 수 없는 이유로 자신에게 유리한 것과는 정반대 방향으로 돌진하는 인간, 나든 남이든 아무도 고려하지 않는 인간, 상식이 통하지 않는 것은 물론, 기존의 틀로 전혀 설명이 되지 않는 인간. 그냥 '미친놈'이라고 치부하면 쉽겠지만, 그가 내 친구일 때는 입장이 달라진다. 이렇게 선을 넘는 인간을 옆에 둔다는 것은 대체 어떤 느낌일까? 그 관계는 친구 사이에 어떤 영향을 미치고, 한 작가를 어떻게 변화시킬까?

우리에게 알려진 '큰' 작가들은 대개 엄청나게 흥미로운 삶을 직접 살아낸 인물들이라기보다, 그런 삶을 산 누군가를 유심히 지켜보거나 상상하기를 즐기는 일종의 전문 관찰자들이다. 평생을 나무 위에서 내려오지 않은 형의 이야기를 그린 이탈로 칼비노의 소설『나무 위의 남작』의 극중 화자인 '동생'처럼, 그들은 성실한 증인 혹은 목격자의 역할을 선호한다. 물론 이것은 지나친 일반화이다. 당장, 실제 삶이 소설 못지않게 파란만장했던 세르반테스가 떠오른다. 그래도 한 가지는 분명히 말할 수 있다. 어떤 친구 관계는 다음과 같은 표현이 가능하다는 것. "그 사람 덕에 좀 더 멀리 갈 수 있었다." 페소아에게도 그런 친구가 있었다.

사-카르네이루와 페소아. 누군가는 이 두 시인의 관계를 이카로스와 다이달로스에 비유했다. 사-카르네이루가 이카로스처럼 너무 높이 오르려고 무리하다가 일찍 추락해버린 반면, 페소아는 생명이 허락하는 한까지 문학에 전념하는 삶을 살아내 일가를 이루었다는 의미에서 그렇다는 것이다. 그럴싸한 비유 같지만, 나는 거꾸로 해석하는 편이 낫다고 생각한다. 비록 사-카르네이루가 요절하긴 했어도 그는 대부분의 작품을 완성하여 젊은 나이에도 일정한 성취를 이루었다. 반면 페소아는 완성작보다는 시작만 하고 끝을 맺지 못한 파편적인 글들을 훨씬 더 많이 남겼다. 그렇게 본다면 실은 페소아가 이카로스일지도 모른다. 아니, 어쩌면 매일 바위를 언덕 위로 굴리지만 그럴 때마다 미끄러져 다시 굴려 올려야 하는 굴레에 갇힌 신화 속 인물 시시포스가 더 적절하겠다. 한 번의 화끈한 추락 대신 매일 조금씩 고꾸라진 셈이다. 죽음에 있어서도 페소아는 문학을 통해서만 끊임없이 자살을 고민하지, 정작 현실에서는 자살할 용기가 없었다. 자신에게 행동력이 결여되어 있다는 것을 잘 알기에 이런 변명을 늘어놓기도 한다.

> 행동하는 인간은 자기도 모르게 사고하는 인간에게 종속된다. 모든 일들의 가치는 해석에 달려 있기 때문이다. 어떤 이들은 무언가 만들어내지만, 거기에 의미를 부여해 생명을 불어넣는 것은 다른 사람들이다. 사는 것은 살아지는 것일 뿐, 무엇에 대해 말하는 것이 그것을 창조하는 것이다.
>
> —『불안의 책』, 텍스트 163

이런 그도 고독과 번민이 점점 깊어갈수록, 이를 문학만으로 해결하는 데는 한계를 느꼈다. 그 여파로 음주와 흡연에 의존하는 일도 갈수록 잦아지기만 했다. 페소아 역시 일종의 '느린 자살'을 택한 셈이라고 말한다면 억지일까? 반면 사-카르네이루는 돌연한 자살로 인생의 확실한 마침표를 찍는다. 혹자는 그것이 사-카르네이루다운 결말이라고, 자살하지 않았다면 그것은 사-카르네이루가 아닐 거라고, 자살이 그의 생을 완성했다고까지 말한다. 이 사람, 한국에는 전혀 알려지지 않았고 책 한 권 번역된 적 없지만 20세기 포르투갈 최고의 시인 중 한 명으로 꼽히는 사-카르네이루는 과연 어떤 사람인가?

프랑스 전기 작가 프랑수아 카스텍스가 "포르투갈의 랭보"라고 표현한 사-카르네이루의 인생은, 요절한 프랑스의 천재 시인보다도 더 짧았다. 1890년 5월 19일, 유복한 부르주아 집안에서 태어난 사-카르네이루는 그러나 세 살이 되기도 전에 장티푸스로 어머니(스물세 살의 젊은 나이였던)를 잃고, 이 죽음은 그를 평생 괴롭힌다. 어릴 때부터 문학에 심취해 카몽이스, 세자리우 베르드, 안토니우 노

마리우 드 사-카르네이루

'포르투갈의 랭보' 마리우 드 사-카르네이루는 20세기 포르투갈의 대표적인 시인으로 꼽힌다. 『오르페우』의 핵심 멤버로 페소아와 문학적 이상을 공유했으며, 페소아와 깊은 우정을 나눈 거의 유일한 친구라고 할 수 있다. 두 사람은 사-카르네이루가 파리로 간 이후에도 꾸준히 편지를 주고받았으나, 사-카르네이루는 스물여섯 살에 자살로 생을 마감한다.

브레 등 포르투갈 작가들뿐만 아니라 보들레르, 말라르메, 쥘 베른, 도스토옙스키, 에드거 앨런 포를 즐겨 읽었고, 특히 오스카 와일드를 탐독했다. 평소 와일드에 반감이 많았고 모범생에 가까운 학창 시절(비록 대학은 중퇴했지만!)을 보낸 페소아와 대조적으로, 사-카르네이루는 와일드의 말 "아무것도 하지 않는 예술the art of doing nothing"을 몸소 실천하며 친구들과 수업을 빼먹고 문학을 논하는 보헤미안적인 삶을 향유하는 한편, 극작으로 시작해 시와 소설 등 습작을 쓰며 일찍부터 남다른 재능을 뽐냈다.

손자를 유달리 아꼈던 할아버지는, 직장 때문에 자주 집을 비워야 했던 아버지를 대신해 사-카르네이루를 돌본다. 사-카르네이루는 자신의 문학적 열정을 지원해주는 가족과 크게 반목하는 일 없이 경제적 실속을 챙겨가며 상류층 댄디의 생활을 즐기지만, 한편으로는 부르주아 사회에 대한 반감도 대단해서 고등학교 때는 한 콘퍼런스 도중 전교생 앞에서 포르투갈 주류 문학계를 신랄하게 공격하는 선언문을 발표해 물의를 일으키기도 한다. 아버지의 뜻을 따라 1911년에 코임브라 법과대학에 진학하러 리스본을 떠나지만, 곧 학업을 중단하고 돌아온다. 어릴 때부터 이미 로마, 베니스, 스위스를 여행하며 유럽의 대도시를 맛본 그에게는 수도인 리스본조차 촌구석 같은데, 코임브라처럼 작은 지방 도시가 성에 찰 리 없었다.

결국 리스본으로 돌아온 그는 1912년 4월, 자신의 인생에서 가장 중요한 친구인 페소아와 처음으로 만나게 되고, 둘의 우정은 『오르페우』 잡지 창간을 거쳐 죽을 때까지 변하지 않는다. 문학적 성취만 놓고 보자면 『오르페우』의 핵심적인 성과는 모두 이 두 친구의 합

작품이었고, 페소아가 진정 문학적으로 인정한 동시에 진짜 친구로 여긴 사람도 사-카르네이루뿐이었다고 할 수 있다.

아들의 미래를 걱정한 아버지는 사-카르네이루가 유일하게 좋아하던 도시 파리의 소르본 대학 법학부로 아들을 유학 보낸다. 예상대로 파리에 깊이 매혹된 이 보헤미안 시인은, 그러나 학교는 가는 둥 마는 둥 바와 카페들만 전전했고, 페소아처럼 마음을 터놓고 문학적 이상을 공유할 친구는 만나지 못한 채 방황을 거듭했다. 그래도 고독감을 맛본 그 시간은 작가로서는 크나큰 행운이어서 그의 대표작 『루시우의 고백*A Confissão de Lúcio*』을 낳는 토대가 된다. 방황하는 시인상에 늘 매혹되는 볼라뇨가 사-카르네이루를 좋아하는 것도 놀랍지 않다. 특히 「큰 게蟹, Caranguejola」를…….

> 내 방의 문이 영원이 닫혀 있기를,
>
> 심지어는 거기 있는 게 너라고 할지라도 열리지 않기를,
>
> (…)
>
> 더 할 수 있는 게 없어, 자기. 아이는 잔다. 나머지는 전부 끝났어.
>
> —1915년 11월(마리우 드 사-카르네이루, 『시*Poemas Completos*』)

1914년 전쟁이 발발하자 그는 잠시 고향으로 피신해 그리운 친구 페소아와 오랜만에 재회한다. 페소아를 향한 사-카르네이루의 흠모와 신뢰는 가히 절대적인 것이어서, 벗의 우월함을 인정하는 데 주저함이 없었으며, 그 흔한 질투 한 번 표현한 적 없다. 페소아에게도 사-카르네이루의 존재는 결정적이었다. 정신적 교류는 물

론 창작 세계에서도 둘은 서로에게 필수 불가결한 존재였다. '뮤즈'를 여성이라고 가정하는 것이 얼마나 편협한 생각인지, 두 친구가 주고받은 영감과 교감을 보면 새삼 깨닫게 된다. 흔히 페소아가 창시했다고 알려진 '습지주의'가 탄생하는 데는 물론, 가장 대표적인 이명이자 '이명들의 스승'인 알베르투 카에이루가 만들어지는 과정에서도 사-카르네이루는 결코 없어서는 안 될 역할을 했다.

상상해보자. 리스본의 어느 카페에서 머리를 맞대고 난데없이 동부 내륙 지방 리바테주에 사는 한 전원시인을 상상하며 '시 놀이'를 하는 두 친구를. 둘 다 시골살이 경험이라고는 전무하다시피 한 철저한 도시인들이며, 가진 것은 시적 상상력과 온갖 전원시를 읽은 간접경험뿐이다. 먼저 사-카르네이루가 몇 행을 쓴다. "들판과 나무/생기 넘치는 삶……." 거기서 문장이 뚝 끊긴다. 시행을 차마 마무리 짓기도 전에 그만 박장대소를 터뜨린다. "하하, 이건 내가 봐도 엉터리군! 생기라니, 이 시를 봐, 생기 빼곤 다 있겠군!" 둘은 서로를 쳐다보며 한참을 웃는다. 사-카르네이루, 그는 애초에 자연은 물론 사회에도 정치에도 관심이 없었다. 그는 '타자' 자체에 관심이 없었다. 철저히 자기 안, 실존의 울타리 속에 갇혀 있기를 자처했던 시인이다. 친구를 따라 웃던 페소아가 바통을 이어받아 시를 써 내려간다. 그나마 끝을 맺긴 맺지만 결과는 마찬가지, 졸작이다.

우리에게 남아 있는 것은 이들이 끄적거린 시(메모)뿐이고 정확히 어떤 말과 영감이 오갔는지는 아무도 모른다. 이 둘의 우정을 주제로 만들어진 주앙 보텔류 감독의 영화 〈끝나버린 대화〉(1981)의 제목처럼 우리는, 우리에게 최소한의 힌트만 남기고 영원한 침묵에 갇혀버린 이들의 문답을 그저 상상하고 재구성해볼 수 있을 뿐이다.

사-카르네이루와는 정반대로, 자기 안에 머물기보다 끊임없이 타자(들)를 향해 뻗어나갔던 페소아. 사-카르네이루가 시를 쓰기 위해 자기 자신이 되어야 했던 시인이라면, 페소아는 시를 쓰기 위해 타인이 되어야 했던 시인이었다. 그는 정치, 사회, 이교도, 자연, 기계문명 등 새로운 것들에 대한 왕성한 호기심으로 늘 자기 바깥으로 나돌았다. 이런 경향이 그를 친구들보다 좀 더 집요한 사람으로 만든 것일까? 별 볼 일 없는 위의 습작 메모들을 들고 귀가한 페소아는 마음을 다잡고 펜을 들었다. '타자 되기'에 능통했던 시인은 친구와의 교감을 바탕으로 마침내 역작을 완성하는 데 성공한다. 이것이 알베르투 카에이루의 시들이다. 둘의 대화는 페소아 속에서 끝나버리지 않았던 것이다.

그런데 여기까지 꼼꼼하게 읽은 독자라면 한 가지 의문을 품을지도 모르겠다. 이게 대체 무슨 얘긴가? '4장 오르페우는 계속된다'에서 언급한 '이명의 기원'이라는 그 편지는 뭔가? 페소아가 분명히 말하지 않았던가, '승리의 날'이라고 이름 붙인 1914년 3월 8일, 갑작스레 엄청난 시상이 밀어닥쳐 서재에 선 채로 30여 편의 시를 단숨에 써 내려간 거라고? 그렇다, 독자의 기억은 정확하다. 많은 사람들이 그렇게 알고 있었다. 그렇다면 왜 페소아가 친구의 '공로'에 대해서는 언급하지 않고, 자기 혼자 모든 것을 한 번에 해낸 것처럼 지어냈느냐고? 글쎄, 그가 언젠가 이런 말을 남긴 적이 있긴 하다. "진짜 천재는, 완전한 무에서 발명을 한다기보다, 이미 있는 봉우리들을 합쳐 더 높은 것을 만들 줄 아는 자이다."

"다음 주 월요일 자네의 친구는 세상에서 사라질 것이라네"

『오르페우』 2호의 발간 이후 사-카르네이루가 리스본에 좀 더 머물지 않고 다소 급하게 파리로 돌아간 이유는 여전히 의문으로 남아 있다. 잡지에 대한 세간의 악평이 부담스러웠을 것 같지는 않다. '인시류lépidoptères'(멍청하고 교양 없는 부르주아를 비꼬기 위해 그가 고안한 말)들에게 악평을 듣는 것은 그에게 되레 더없이 영광스러운 훈장이었을 것이기 때문이다. 그러면 대체 왜 떠났을까? 새어머니와의 미묘한 관계가 점점 불편해진 이유였을까? 결국 남아 있는 편지들을 통해 추측할 수밖에 없다. 잡지에 관한 흥미가 식은 것은 아니었다. 파리에 가서도 그는 페소아에게 연거푸 소식을 묻는다. "자네와 문학, 『오르페우』에 관한 것 말고는 아무 얘기도 하지 말아줘!" 이는 리스본에는 철저히 정이 떨어졌음을 표현하는 말이기도 하다. 이 마지막 10개월 남짓의 파리 체류는 우울증이 그 어느 때보다 더 자주, 더 강도 높게 찾아오는 시기이다. 그리고 그럴수록 더욱더 페소아에게 의지한다. "당장 **답장을 줘!!!**"

1916년 4월 26일 파리. 사-카르네이루가 친구 주제 아라우주의 사무실을 방문한다. 일주일 넘게 코빼기도 안 비치던 그였다. 평소 무절제한 삶을 살던 시인을 걱정하는 마음에 아라우주는 항상 도움을 주려 했지만 그럴 때마다 역효과만 발생하곤 했다. 사실 사-카르네이루가 동거녀 엘렌에게 이용당하고 있다고, 친구를 아끼는 마음에 우려를 표현한 것이 그간 연락이 뜸해진 원인 중 하나였다. 오후 4시경, 아무 일 없었다는 듯이 말끔하게 차려입고 나타난 사-카르네이루는, 잠시 담소를 나누고는 한 가지 부탁을 한다. "아라우주, 자네 오늘 내 호텔 방에 꼭 들러줘야겠네, 8시 정각에 말이야."

아리송한 기분에 시간을 맞춰 찾아간 호텔 드 니스, 사-카르네이루는 말끔하게 차려입고, 단정하게 머리를 빗은 모습으로 쓰러져 누워 있었다. 머리가 아프냐고 물어보니, 그는 스트리크닌 Strychnine(신경 자극제로 쓰는 유독물로 양이 지나치면 죽음에 이른다) 다섯 병을 복용했다고 대답했다. 사태의 심각성을 알아차린 아라우주는 당장 도움을 청하러 뛰어 내려갔다. 호텔 종업원에게 마실 것을 가지고 올라가라고 지시하고 다급히 의사와 응급차를 부르러 경찰서로 달려갔다. 두 명의 요원, 그리고 응급차와 함께 아라우주가 방에 도착한 것이 약 8시 20분경, 사-카르네이루는 끔찍한 고통을 겪은 것이 역력한, 충혈되고 일그러진 얼굴을 하고 있었다. 그리고 잠시 후 그 자리에서 숨을 거두었다.

아라우주는 또 다른 친구 카를루스 페레이라와 함께 고인을 팡탱 묘지에 묻고, 이 유해는 나중에 공동묘지로 이장된다. 향년 26세. 이상의 사실은 모두 주제 아라우주의 진술에 따른 것이다. 사실 이미 약 한 달 전 3월 31일, 페소아에게 편지로 예고한 자살이었다.

> 기적이 일어나지 않는 한, 다음 주 월요일, 3일(아니 어쩌면 그 전날)에 자네의 친구 마리우 드 사-카르네이루는 스트리크닌을 과다 복용해 세상에서 사라질 것이라네. 말 그대로야……. 하지만 이 편지

를 쓰는 게 정말로 쉽지 않군, '작별 편지' 특유의 그 어리석음 때문에…….

—『마리우 드 사-카르네이루가 페르난두 페소아에게 보낸 편지들*Cartas de Mário de Sá-Carneiro a Fernando Pessoa*』

이것이 첫 예고는 아니었다. 한번은 숙소를 바꾸는 과정에서 동거녀 엘렌에게 자살을 선언하는 메모 한 장만 남기고 사라져버린다. 놀란 그녀가 수소문 끝에 발견한 것은, 다름 아니라 어느 카페에서 유유히 맥주를 마시고 있는 사-카르네이루였다.

장례를 마치고 아라우주는 남은 유품을 모두 정리해 가방에 담지만, 호텔 주인이 밀린 월세를 이유로 가방을 내주지 않았고, 그의 아버지가 뒤늦게 찾아갔을 때는 아무것도 남아 있지 않았다. 그나마 불행 중 다행으로 그가 남긴 대부분의 작품들은 그전에 친지들에게 전달이 되어 출판으로까지 이어졌으나, 가장 안타까운 것은 페소아가 보낸 편지들이다. 두 친구가 파리와 리스본을 오가는 서신을 열렬히 교환한 결과, 사-카르네이루가 페소아에게 보낸 약 100여 통의 편지들은 리스본에 잘 보존되어 전해지지만, 페소아의 편지는 단 3통, 그리고 완성되지 않은 메모 한 장만 남아 있을 뿐이다. 그나마 사-카르네이루가 편지에서 자주 페소아의 말을 다시 받아썼기 때문에 행간에서 상대방이 말한 내용과 감정의 추이 등을 짐작할 수 있을 뿐이다.

여담 하나. 모든 페소아, 사-카르네이루 연구자들은 사라진 페소아의 편지들이 어느 날 거짓말처럼 나타나기를 꿈꾼다. 물론 실현 가능해 보이는 꿈은 아니다. 만약 아직 어딘가에 존재한다면, 이미 100년이 지난 오늘날에는 경매를 통해서라도 세상에 모습을 드러냈을 만도 하니 말이다. 사람들은 편지들이 이미 소각되었거나 파리의 어느 다락방에 처박혀 있을 것이라 믿지만, 잘 생각해보면 사-카르네이루가 리스본과 파리를 세 차례 오가는 과정에서 최소한 반 이상의 편지들은 리스본에 옮겨졌을 것이다. 그가 소중한 편지들을 버렸을 리도 없고, 파리에 고정된 숙소가 있어 짐을 맡겨놓은 채 여행을 다닐 상황도 아니었으니 말이다. 그렇다면 상당수의 편지들은 포르투갈에 남아 있어야 할 터인데……. 생각할수록 의문스러운 편지들의 행방은 마치, 잡힐 듯 말 듯 희미한 단서만 남기고 의문 속에 증발해버린 브루노 슐츠의 미발표 장편 『메시아』의 원고처럼 아직도 연구자들을 '희망 고문'시키고 있다.

그런데 2016년 6월, 이 편지들이 거짓말처럼 리스본에 나타났다!……라고 말할 수 있다면 얼마나 좋을까? 그러나 완전한 거짓말도 아니다. 실제로 한 독창적인 페소아 연구자가 그 편지들을 '대신' 써서 책으로 냈다. 나는 리스본에서 열린 사-카르네이루 학회에서 그 주인공인 작가이자 평론가, 포르투 대학 문학과 교수 페드루 에이라스Pedro Eiras를 만났다. 에이라스가 이런 독특한 발상을 하게 된 것은 수년 동안 두 시인의 편지들을 읽고 또 읽으면서였다. 열정적이고 진심 어린 동시에 가상의 독자를 염두에 두고 연출한 듯한 편지들의 이중적인 성격이 흥미를 끌었다. 한마디로 서간문인 동시에 픽션이기도 했다. 어떤 편지들에서는 그들이 후대에 유명해져서 이 편지들이 공개되리라는 것을 확신하고 있는 듯했다.

> 자네 말이 맞아, 1970년에 세간의 이목을 집중시키는 문학계 뉴스, 페르난두 페소아와 마리우 드 사-카르네이루의 서신들—드디어 출판되다…….
>
> —1914년 7월 20일, 사-카르네이루가 파리에서 보낸 편지

에이라스는 사라진 빈칸을 채워보기로 결심했다. 다시 말해, 페소아로 '빙의'해보기로 한 것이다. 기존의 편지들을 엄격히 존중하면서, 빠진 부분들을 메워나가는 작업은 만만치 않은 상상력을 필요로 했다. 또 사립 탐정처럼 모든 맥락과 세부 사항들을 샅샅이 조사해야 했다. 사-카르네이루가 『오르페우』의 매출에 대해 스무 번을 물어보면 스무 번 그 상황에 맞게 답해야 했다. 시간적인 간극도 맞추어야 했다. 당시 리스본과 파리 사이에 편지가 오가는 시간은 평균 사흘. 그 안에 서신 교환 주기와 일어난 사건들의 선후 관계 등을 치밀히 계산해서 오류가 없도록 해야 했다. 마냥 상상에만 의존해서 쓰는 게 아니라, 마치 체스 게임처럼 정해진 규칙 안에서 최대한의 기지를 발휘해 써야 한다는 점이 난점이자 가장 큰 묘미였다.

그러고 보니 에이라스도 지금 내가 하는 것과 비슷한 일, 즉 '페소아 되기'를 끊임없이 시도하는 사람 중 한 명이었다. 나, 리처드, 에이라스……. 이 도시에서 최소한 세 명 이상의 사람이 페소아의 머릿속으로 들어가보려고 분투하고 있는 셈이다. 하긴 『불안의 책』에서도 그러지 않았는가, "인생이란 타자가 되는 것"(텍스트 94)이라고.

어쩌면 우리는 '페소아 되기'를 하는 동안 자신도 모르게, 그가 고안한 '이명 기계' 속에 자진해서 우리를 집어넣음으로써 또 하나의 이명을 찍어내는 데 기여하고 있는 것인지도 모른다.

유일한 친구의 갑작스러운 죽음은 페소아에게 평생 떨쳐버리지 못하는 짐이 된다. 그것은 어머니의 죽음과 더불어 인생에서 가장 견디기 힘든 사건이었으리라. 이제 외로움의 공이 고스란히 페소아에게 넘어왔다. 그동안은 주로 사-카르네이루가 '보채는' 역할, 즉 사-카르네이루가 토로를 하면 페소아가 받아주는 식이었다. 사-카르네이루의 감정이 격해질 때는 읽기가 편하지만은 않다. 그는 친구에게서 어머니나 연인에게서 구하지 못한 심리적 안정감을 찾고 싶어 했다. 심할 때는 어린아이처럼 떼를 쓴다는 인상을 받을 정도다. 감정 기복이 심한 친구를 대하면서도 페소아는 끝까지 인내심과 평정을 잃지 않았다. 바로 그 점이 깊은 우정의 증거였지만 한편으로는 답답함을 촉발했을 수도 있다. 세상에 둘도 없는 특별한 사이였음은 분명하나, 페소아의 모든 인간관계가 그랬듯 어딘가 지나치게 문학적인 구석이 있었다. 친해지고 나서도 둘의 편지에서는 존칭 등 거리감을 보여주는 표현들이 사라지지 않았다(물론 당시 언어 습관이 지금보다 좀 더 격식을 갖추는 편이었다는 요인도 있겠지만, 페소아가 다른 친구들과 주고받은 편지들을 비교해보면 그 차이가 드러난다).

근원적인 허무와 고독을 극복하지 못한 사-카르네이루는 수차례 자살을 결심하고 포기하기를 반복하다가 때로는 침착성을 잃고 친구에게 매달린다. 공감 아니 '동참'을 호소하며 곧바로 답장해줄 것을 닦달하다시피 요구한다. 페소아는 본의 아니게 답장이 늦어진 데 대해 사과하고, 좀 더 친밀하게 우정을 표시하면서 친구를 달래 본다.

> 내가 얼마만큼 자네의 친구인지, 자네에게 어느 정도로 헌신하고 있고 애착을 느끼는지 자네가 잘 알고 있는지 모르겠네. 사실은, 자네의 커다란 정신적 위기는 곧 나의 위기나 마찬가지였고, 자네의 편지들에서도 말한 것뿐만 아니라, 이미 전보를 통해서도 얘기한 것처럼 '영적인 투시'로 자네의 고통을 느꼈다네.
>
> —1916년 4월 26일 편지

이 편지가 쓰인 4월 26일은, 친구가 이미 세상을 등져버린 바로 그날이었다.

카페 브라질레이라 앞의 페소아
시아두 지역에 위치한 카페 브라질레이라 앞에는 페소아의 동상이 있다. 카페에서 만나기로 한 사-카르네이루를 기다리는 모습 같기도 하다. 지금은 많은 관광객들이 그곳을 지나다니며 그의 동상을 사진에 담는다.

HOTEL

12

FERNANDO PESSOA

페소아와 정치

꿈꾸는 편을 선호하다

문학을 위한, 문학에 의한, 문학적 정치성

리스본에서 만난 한국 관광객들 중에는 소설 『리스본행 야간열차』를 읽거나 동명의 영화를 보고 왔다는 사람들이 유난히도 많았다. 저자 파스칼 메르시어가 그려낸 포르투갈의 신비스럽고 매혹적인 분위기도 인상적이었지만, 무엇보다 '카네이션 혁명'이라는 말을 통해 어렴풋이만 알던 포르투갈의 독재 체제가 우리의 1960~1970년대 못지않게 서슬 퍼렜다는 것을 알게 되고 새삼 놀랐다는 반응들이다. 이 독재의 장본인이 바로 살라자르라고 하는 문제적인 정치가이다. 경제학자 출신의 경제부 장관이었던 안토니우 드 올리베이라 살라자르António de Oliveira Salazar가 정권을 잡게 된 것은 1932년이었고, 그로부터 3년 후 신정국Estado Novo을 표방한 그의 독재정치가 본격적으로 전개된 1935년에 페소아는 숨을 거두었다. 페소아는 살라자르 임기 초반에 그를 지지했던 몇몇 글들 때문에 명예에 먹칠을 당할 뻔했다가 비교적 최근에 '복권'되었지만, 아직까지도 혹자에게는 반동적인 친親살라자르 인사로 여겨지고 있다. 실제로 그의 정치적 입장은 어땠을지 궁금해진다.

페소아 스스로는 제법 명확한 정의가 있다. "영국식으로 보수적인, 다시 말해, 보수주의 내에서 진보적이며, 절대적으로 반反반동주의적임." 이 말이 그의 입장을 어느 정도는 잘 요약해주지만, 페소아의 모든 말이 그렇듯이 있는 그대로 다 믿어주기에는 망설여진다. 다음 글부터 읽으며 시작하면 좋을 듯하다.

> 만약 이상하고 설명할 수 없는 사실이 있다면, 한 사람의 지능과 감수성이 똑같은 생각에 정주해서 유지되는 것, 항상 자기 자신과 일관성이 있는 것이다. 모든 것의 끊임없는 변화는 우리의 몸에도 해당되고, 고로 우리의 뇌도 마찬가지다. 그러니 어떻게, 만약 병이 아니라면, 어제 했던 생각을 오늘도 똑같이 하기를 원하는 비정상성에 어떻게 빠지며, 그것이 어떻게 재발될 수 있겠는가, 오늘의 두뇌가 이미 어제의 두뇌가 아닐 뿐은 물론, 오늘이라는 날조차 어제와는 다를진대? 일관성이 있다는 것, 그것은 병이고, 어쩌면 격세유전이다.
>
> (…) 현대적인 두뇌와, 장막 없는 지성, 그리고 깨인 감수성을 갖춘 사람이라면, 하루에도 수차례, 생각과 확신에 변화를 가할 지적 의무를 가지고 있다. 종교적 신념, 정치적 의견, 문학적 편애를 가져서는 안 될 것이며, 오히려 종교적 감각, 정치적 인상, 문학적 감탄에 대한 충동을 가져야 할 것이다.
>
> —페르난두 페소아, 『생전에 출판된 산문들*Prosa Publicada em Vida*』,

1915년 4월 5일, '지나가는 인생에 대한 기록Crónica da vida que passa'이라는 고정 칼럼에 기고한 글이다. 글 후반부에 그는 이런 결론을 내린다.

> 깊은 확신은, 깊이 없는 존재들에게만 있는 것이다.

이런 생각을 가진 사람에게 어떤 일관성 있는 정치관을 도출해내려는 시도가 의미가 있을지, 시작부터 회의감을 주는 대목이 아닐 수 없다. 바꿔 말하자면 페소아라는 인물은 그가 살았던 시대와 긴밀하게 조응하며 일관성 있는 정치적 행보를 보여준 지식인이라기보다는, 오히려 "당신의 정치적 입장은 뭐냐?"라는 질문의 무의미함 혹은 시대착오성을 보여주는 예로서 더 도움이 될 사람이다. 페소아에게 인간은 '정치적 동물'이기 이전에 '변화의 동물'이었고, 따라서 그에게 '말 뒤집기'보다 더 자연스러운 것도 없었다.

이러한 변덕스러움은 대학 시절 때부터 그 싹이 보여, 가령 「사형 제도에 대한 반대」와 「사형 제도에 대한 찬성」이라는, 정반대 논조의 글 두 편이 나란히 발견되는 식이었다.(『자전적, 자동적, 개인적 성찰의 글들』) 둘 다 출판되지 않은 미완성 글들이며, 청년 시절에 쓴 것들이라 사형 제도에 대한 그의 최종 입장을 가늠하기는 힘들지만, 이미 그때부터 양극단의 관점을 자유로이 오가며 생각을 전개시키는 습관을 키웠음을 확인할 수 있다.

그 시기에 고민했던 또 다른 주제는 왕정주의였다. 그는 처음에는 반왕정주의자였으나, 공화국이 들어서고 얼마 지나지 않아 현실에 크게 실망하고 열렬한 공화주의 비판자로 돌아선다. 나아가 "포르투갈처럼 근본적으로 제국적인 국가에는 군주정이 맞을 수 있다"며 생각을 뒤집기도 한다(물론 이것이 현실적으로는 완전히 불가능하다는 점은 인정한다). 문학사조에서도 어느 하나에 정착하지 못했던 그가, 현실의 파고와 부딪히며 이론적 한계를 드러낼 수밖에 없는 정치 사조 중 어느 하나에 만족스러워했을 리 만무했을뿐더러, 사실은 자신의 정치관부터 흠잡힐 만한 논리의 비약과 작위적 해석으로 가득했다. 1922년에 발표한 단편소설 「무정부주의자 은행가」를 보면, 그가 어떤 식으로 정치 논리와 역사를 임의로 비틀며 말도 안 되는 이야기를 그럴싸하게 풀어내는지 볼 수 있다. 이 소설의 주인공과 마찬가지로, 페소아를 진지한 무정부주의자로 봐줄 수 없음은 물론이다. 그에게 정치란 어떤 실천적 좌표라기보다 문학적 영감을 제공하는 일종의 재료나 글감으로 보인다.

한 가지 확실한 것은, 그가 개인의 자유와 표현의 자유를 억압하는 것이라면 무엇이건 발끈하는 '투쟁적인' 개인주의자였다는 점이다. 집단적인 운동에는 질색해서 공산주의 혁명에 대해서도 알레르기에 가까운 반응을 보였다. 그런가 하면, 공동체나 민족의 일들에 대해 아예 무관심하지도 않았다. 대단히 참여적이라고 말할 수도 없지만, 절대 비정치적이진 않았다. 오히려 그 반대였다. 지칠 줄 모르는 관심으로 수많은 정치 평론과 정치인들을 향한 무수한 공개서한들을 썼으며(비록 보내지 않은 것이 대부분이지만), 조국의 미래에 대해서는 둘째가라면 서러울 정도로 근심과 고민이 많았다. 문제는 많은 경우 그의 정치적 입장이 지나치게 비현실적이거나 별로 신선하지 못했다는 점이다. 독재자 살라자르에 관한 지지 입장도 당시 그의 임기 초반에는 흔한 일이었다. 살라자르도 초반 경제부 장관 시절에는 경제 개혁을 이루는 긍정적인 면모를 보였으니 무리도 아니다. 냉정하게 말해 정치와 관련된 페소아의 글은 그의 문학만큼 독창적이거나 앞서가거나 날카롭지 못하다. 그렇기에 그 속에서 깊은 통찰력이나 정치적 올바름을 기대하기보다는, 차라리 그의 정치적 부침이 현실 정치의 첨예한 지형 속에서 어떻게 '페소아스럽게' 변모해가는지 그 과정을 관찰하는 편이 생산적이다.

무엇보다 흥미로운 점은 그의 머릿속에서 일어나는 정치와 문학의 기묘한 결합이다. 그의 정치적 야망은 예외 없이 문학적이었다. 그의 정치관은 문학과 분리되지 않았고, 그의 정치성은 문학을 위한, 문학에 의한, 문학적 정치성이었다. 자주 인용되는 그의 문장 "나의 조국은 포르투갈어"에서 볼 수 있듯, 그의 관심은 텍스트 바깥에 있지 않았다. 단, 저 문구는 종종 맥락 없이 인용되는 바람에 단순히 애국심을 고취하는 뜻으로만 이해되는데, 문단 전체를 봐야 그 본의가 읽힌다.

> 나에게는 정치적, 사회적 감성이 전혀 없다. 그러나 한 가지 의미에서 나는 아주 우월한 애국적 감성을 갖고 있다. 내 조국은 포르투갈어다. 포르투갈이 정복을 당하든 침략을 당하든 나는 내 일신이 위협받지 않는 한 전혀 신경 쓰지 않는다. 그러나 내가 정말 혐오하는 것, 내가 느낄 수 있는 단 하나의 증오로서 미워하는 것이 있으니, 그것은 포르투갈어를 틀리게 쓰는 사람도 아니고, 문장론을 모르

는 사람도 아니고, 철자를 잘못 쓰는 사람도 아니다. 나는 글이 잘못 쓰인 종이 자체를 마치 사람인 양 증오하고, 잘못된 문법을 마치 때려 마땅한 사람인 양 혐오하고, 철자를 혼동해 쓴 단어를 누가 뱉었는지 상관없이 나를 메스껍게 만드는 가래침인 양 증오한다.

그렇다, 철자법도 인격이기 때문이다.

—『불안의 책』, 텍스트 259

그가 자신의 나라와 민족에 동질감을 느낄 수 있는 매개는 언어뿐이다. 그러나 언어도 결국은 사회적인 약속이고, 더군다나 철자법은 그보다 더 좁은 의미에서 맺은 사회적 규약의 산물이 아닌가. 철저한 개인주의자가 이런 말을 하는 것이 다소 의아하게 느껴졌다면, 아니나 다를까, 페소아는 다른 글에서 말을 살짝 바꾸며 또 다른 속내를 드러낸다.

나는 포르투갈어로 쓰지 않는다. 나 자신으로 쓴다

—『불안의 책』, 텍스트 443

그가 창조했던 문학의 공간은 전통적이고 보편적인 의미에서의 포르투갈어라기보다 그만의 고유한 포르투갈어였고, 그런 언어로써 상상하고 구축하던 세계는 도래할 포르투갈의 새로운 전성기, 바로 '제5제국'이었다. 이는 동 세바스티앙Dom Sebastião의 귀환 신화와 밀접한 연관이 있다. 포르투갈의 15대 국왕 동 주앙 3세의 손자이자 왕위 계승자였던 동 세바스티앙은, 경험 많은 현지 군사 전문가들의 말을 무시하고 1578년 모로코 원정에 무리하게 나섰다가 알카세르 퀴비르 전투에서 완패하고 실종된다. 그의 시체가 발견되지 않자 온갖 소문이 나도는데, 나중에 포르투갈 북동부 지역의 도시 트랑코수의 구두 수선공 출신 음유시인 반다하가 동 세바스티앙이 어느 구름 낀 날 구세주로 돌아올 것이라는 내용의 예언적인 음유시를 민간에 퍼뜨린다. 그렇게 해서 왕자의 귀환을 다룬 전설은 많은 포르투갈인들에게, 마치 영국의 아서 왕 이야기처럼 일종의 집단적 신화로 자리 잡았다.

> 전설에서 말하듯, 세바스티앙 왕은 돌아올 것이다, 어느 안개가 자욱한 아침에 백마를 타고, 이 결정적 순간이 오기를 기다리고 있었던 어느 먼 섬으로부터.

> (…) 문화적 제국이 되기 위한 현재의 열망을 정당화하기 위해 지적할 수 있는 것으로써, 포르투갈에서 그런 제국의 전통이 끊어졌다는 사실 말고도, 아직까지 위대한 문학이 없었다는 행복한 사실도 있다. 대단히 빈약하고 옹색한 문학밖에 없는 바람에 이 분야는 그야말로 해야 할 일투성이, 모든 걸 할 수 있는, 그것도 제대로 할 수 있는 가능성 천지가 되는 것이다.
>
> (…) 우리가 설령 이 목적을 이루지 못한다손 치더라도, 문화적 지배를 위해 준비하는 데 있어서 나쁠 게 뭐가 있겠는가? 우리는 피 한 방울 흘리는 것도 원하지 않는 동시에, 지배에 대한 인간적인 갈망도 피하지 않는다. 그럼으로써 우리는 인도적인 보편주의의 허

무에 빠지지 않게 됨은 물론, 비문화적인 민족주의의 야만성에도 빠지지 않는다. 우리는 물리적인 힘이 아니라, 언어를 강제하고 싶은 것이다. (…) 실패할 경우에도, 우리는 여전히 무언가를 성취하는 셈이다: 우리 언어의 완성도를 높일 수 있다. 최악의 경우를 가정해도, 최소한 우리는 보다 잘 쓸 수 있게 될 것이며, 문화와 문명 일반에도 직접적으로 공헌하게 되는 것이다: 우리가 무언가 더하지 않는 한, 우리가 죄를 저질렀다고 비난받을 순 없으리라.

—『페소아와 페소아들』

말하자면 이것이 페소아의 정치적 비전이었다. 문학과 문화로 통치를 한다는 지극히 이상주의적인 상상. 실제로 이 열망을 포르투갈 제4대 대통령 시도니우 파이스Sidónio Pais에게 투영해보기도 했다. 평소 페소아가 싫어했던 민주당의 아폰수 코스타Alfonso Costa를 상대로 반동을 일으켜 집권에 성공했으나, 1년도 채 지나기 전에 암살당하고만 군인 정치가 파이스. 몇몇 지식인들은 당시 포르투갈 상황에서 그의 독재 정부가 필요악이었다고 여기기도 했는데, 이런 생각에 동조한 페소아의 판단 근거에는 조국을 제5제국의 영광으로 이끌 적임자라는 해석, 그리고 세바스티앙주의가 스며들어 있었다.

사실 세바스티앙주의는 오늘날에도 완전히 사라지지 않았다. 당연히 세바스티앙이 육체적으로 환생해 돌아온다는 황당무계한 미신은 아니고, 포르투갈이 어떤 강력한 리더십 아래 과거의 영광을 재현하는 초강대국이 되리라는 민족주의적 열망의 형태로 잠재한다고 볼 수 있다. 동 세바스티앙의 무모한 도전은 역사적으로는 완

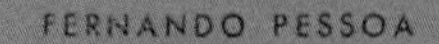

포르투갈어로 발표한 유일한 책 『메시지』

『메시지』는 페소아 생전에 포르투갈어로 출간된 유일한 책이다. 이 책으로 국가공보처에서 주관하는 공모전에서 수상한다. 페소아의 지인이자 국가공보처장이었던 안토니오 페루가 정치적으로 페소아를 포섭하고자 수상을 적극 지원했다. 하지만 페소아는 결국 시상식에 불참했다.

벽히 실패한 전투이자 그릇된 정치적 판단으로 결론이 났고 그런 이유로 마땅한 비판을 받지만, 문학적 영감의 원천으로서는 폐기되지 않은 것이다. 세바스티앙주의적 상상력을 창조적으로 승화시킨 예 중 하나가, 바로 페소아가 생전에 유일하게 출판한 포르투갈어 책 『메시지』이다.

페소아여, 나를 자네의 친구가 되게 해다오

포르투갈의 국민 영웅 카몽이스의 서사시 『루지아다스』와 쌍벽을 이루는 시집 『메시지』는, 평소 미완성 작품이 많은 페소아가 완성을 '못해서 안 한 것은 아니'라는 점을 확실히 증명해주는 작품이다. 1934년 페소아는 『메시지』를 국가공보처에서 주관하는 공모전에 출품하여 상을 받는다. 참고로 그가 2등 상을 탔다고 널리 알려져 있었으나, 정확히 알아보니 순위로서의 1, 2등이 아니라 두 번째 부문의 수상이었다. 해당 공모전에는 시, 소설 등 다양한 부문이 있었고, 시 부문에는 단행본 부문과 단일 시 또는 시 묶음 부문이 있었다. 페소아의 『메시지』는 단행본 부문의 요구 사항인 100장 이상의 분량에 못 미쳤다. 그래서 페소아는 두 번째 부문, 즉 단일 시 또는 시 묶음 부문의 상을 받게 된 것이다. 정확하지 않은 정보로 인해 포르투갈 안에서도 괜한 혼란이 빚어졌다. 『메시지』 한 판본의 서문에서 어떤 편집자는 "만약 이런 작품이 2등이라면 1등은 얼마나 위대한 작품이겠나!"라는 탄식으로 대작을 못 알아본 심사 위원들을 비꼬았고, 여전히 많은 사람들이 시인이 살아생전 제대로 대우받지 못한 대표적인 사례로 기억하고 있다.

일견 사소해 보이는 이 공모전을 둘러싸고 상당한 함의를 지니는 두 가지 뒷얘기가 있다. 첫째로, 안토니우 페루라는 인물의 '활약상'이다. 한때 페소아의 지인이자 잡지 『오르페우』의 동인이었던 페루는 당시 국가공보처장을 맡고 있었다. 그는 장차 살라자르의 최측근으로 거듭날 정부 핵심 인사였고, 이미 그 시절에 주요 문화 정책들의 근간을 닦고 있었다. 독재 정권에게 문화 예술 분야, 그리고 지식인 통제는 언제나 중요한 과업이다. 마치 나치 정부가 니체의 철학을 전유했듯이 말이다. 이제 기틀을 잡기 시작한 신정국에서 문화가 나아갈 방향은 '정신의 정치Política do Espírito'라는 비전으로 대표되는데, 그들에게는 이 가치를 예술적으로 구현하고 효과적으로 선전해줄 출중한 문인들이 필요했다. 일찍부터 잡지 활동을 통해 페소아의 비범한 재능을 알아봤음은 물론, 그의 독특한 애국심과 신비주의적인 성향도 알고 있었으며, 공통의 친구 페레이라 고메즈로부터 『메시지』라는 작품(아직 완성되기 전)의 존재와 그 성격을 전해 들은 페루는, 다른 친구들(페레이라 고메즈, 알마다 네그레이루스)과 함께 페소아가 공모전에 출품하기를 적극적으로 독려한다. 페소아 본인도 페루의 이런 의도를 몰랐던 것 같지 않다.

그러나 모든 것이 페루의 의도대로 원활하게 진행되지는 않았다. 심사 위원들은 『메시지』가 풍기는 이교적 신비주의에 대체로 부정적이어서, 어느 프란체스코회 신부가 쓴, 가톨릭으로 개종한 전 볼셰비키주의자에 관한 작품 『로마리아*Romaria*』를 대상으로 선정한다.

페루는 꾀를 낸다. 『메시지』의 분량이 적다는 점을 이유로 들어 다른 부문을 편성하고, 그 부문에서 다른 입상자가 없는 점을 활용해 책정되어 있던 상금을 보태 페소아가 다른 부문의 대상작과 똑같은 상금을 받도록 조처했다. 이런 정성과 배려는 그가 얼마나 페소아의 환심을 사고 싶어 했는지, 어떻게든 그를 설득시켜 신정권에 도움이 되도록 동원하고 싶어 했는지 잘 보여준다.

페소아의 개인주의적 기질과 정권에 비판적인 성향을 익히 알고 있었기에 페루 역시 그를 손쉽게 포섭할 수 있으리라 생각하지는 않았지만, 실제로 제5제국에 대한 그의 비전은 신정권이 표방하는 새로운 포르투갈의 미래상으로 제법 어울리는 면이 없지 않았다. 그 결과, 전혀 다른 두 의도들 사이에 있을 법하지 않은 협력의 가능성이 열린 것이다. 페루뿐만 아니라 정권의 또 다른 기수 역할을 했던 역사가이자 작가 주앙 아미엘도 거들었다. 친정부 매체인 『디아리우 드 마냐』에 기고한 글에서, 그는 『메시지』가 포르투갈의 내일을 얼마나 예언적으로 잘 보여주는지 칭송을 늘어놓았고, 시의 유명한 마지막 행 "이제 그 시간이 왔다É a Hora!"를 반복 인용하면서 페소아의 작품을 정권에 유리한 대로 해석했다. 예술 작품이 창작자의 의도와는 무관하게 특정한 정치적 수단으로 쓰이는 일은 드물지 않은데, 『메시지』 또한 이런 오해 때문에 한동안 그 진가가 가려진 면이 있다.

둘째로, 페소아의 시상식 불참이다. 선정되기 위해 스스로 출품했으면서 왜 시상식에는 불참했을까? 이런 행동을 정치적인 메시지로 읽을 수 있을까? 살라자르 정권과의 관계는 차치하고서라도, 그를 아는 사람이라면 불참 자체가 놀라운 일은 아니었다. 1910~1920년대까지는 그나마 대외 활동이 잦았고, 사회성이 아예 없지는 않았지만 공식적인 단체 행사는 가족 모임, 가령 세례 같은 것조차 참석을 꺼렸던 사람이었기 때문이다. 그러니 아무런 유감이 없었다 하더라도 그런 자리에 나타나지 않았으리라는 게 그를 아는 사람들의 대체적인 의견이다. 그러나 그게 다는 아니었다.

출품일이 1934년 10월, 수상 소식은 연말에 알게 된다. 이듬해인 1935년, 페소아는 『디아리우 드 리스보아』 지 2월 4일자에 프리메이슨을 금지하는 법안의 제정에 격하게 반발하는 논조의 글 「비밀결사들Associações Secretas」을 기고한다. 이 글이 실린 호외는 곧바로 매진될 정도로 커다란 반향을 일으켰는데, 이미 표현의 자유가 상당 부분 억압되어 있던 상태에서, 특히나 정부에 대한 노골적인 비판이 극히 드물던 시기에 이 글의 효과는 엄청난 것이었다. 본인 역시 폭발적인 반응에 고무된 흔적이 역력하다.

> 태어나서 처음으로 폭탄을 만들었다. (…) 만든 후에, 프리메이슨 반대자들에게 던졌다. 그리고 그 효과는 그저 울려 퍼졌을 뿐만 아니라 기적적이었다. 그들은 완전히 정신머리를 잃었다, 원래 없었기도 했지만.

'적'을 향한 선동적인 글의 톤도 신랄했지만, 무엇보다 대담했던 것은 그 내용이었다. 신정국의 주춧돌 중 하나인 가톨릭교회는 당시 프리메이슨을 하나의 위협으로 간주하고 있었기에 금지 법안을 통해 그 조직의 영향력을 포르투갈에서 뿌리째 뽑고자 한 것인데, 같은 편으로 포섭하려고 했던 한 지식인이 이 정책에 정면으로 반대를 표하고 나선 것이다. 놀랍게도 이 글까지는 용케 검열을 통과해 신문에 게재되었지만, 당연히 그 이후 이어지는 논박이나 추가 게재는 일절 허용되지 않았고, 글로써 저항할 수단을 잃게 된 페소아는 자신이 정치적으로 억압당하고 있다고 확신하게 된다. 이렇게 1935년 초 포르투갈 지식인들이 두 편으로 갈라질 때, 페소아는 신정국에 반대하는 명예로운 편을 대표하게 되었고, 정부에 반대하는 극소수의 매체 중 하나였던 『디아부』는 1면에 그의 사진을 실어 그의 정치적 개입을 기린다.

그러나 페소아가 신정국에 결정적으로 등을 돌리게 된 계기는 다름 아니라 앞서 말한 시상식, 더 정확히 말해 행사 도중 살라자르가 낭독한 연설문 때문이었다. 같은 달 21일, 『메시지』를 비롯한 공모전 선정작 시상식에 불과 2주 전 칼럼을 통해 '물의'를 일으킨 페소아가 나타나지 않은 것은 어찌 보면 당연하다. 다음 날 신문을 통해 연설문을 접한 페소아는 크게 분노했다. 신정국의 기치, 즉 '정신의 정치'를 요약하고, 새로운 국가 정립을 위해 예술가들의 표현의 자유를 제한하는 것을 노골적으로 합리화하는 그 내용은 페소아가 추구해온 근본 가치들에 정면으로 위배되었고, 이는 이미 정권에 충분히 부정적이었던 그를 더욱더 멀어지게 만들기에 충분했다. 문화 엘리트와 아방가르드 작가들을 회유하여 신정국에 봉사하도록 만들려던 페루의 전략은 적어도 페소아에게는 완벽하게 실패하고 만 것이다.

그 이후로 신정국에 대한 시인의 불만은 점점 커져 죽는 날까지 계속되었고, 조국의 미래에 대해서도 지극히 비관적인 전망을 갖게 되었다. 생애 마지막 9개월 동안 본명으로 쓰인 포르투갈어 시 50편 중 4분의 1가량이 신정국 체제를 강도 높게 비판하는 내용이다. 가령 6월에 쓴 「그림자 속 비가Elegia na Sombra」는 '안티 메시지'로 불리기까지 한다. 또 그가 쓴 정치 관련 시들 중 '살라자르'라는 제목의 시는 비밀리에 유통되다가 1960년경에서야 출판된다. 이런 사실들이 뒤늦게 하나하나 밝혀지면서 페소아가 독재 정권의 동조자라는 오해는 현재 많이 풀린 상태이다.

페소아의 마지막 사진을 한참 들여다본다. 항상 의문이었다. 마흔일곱의 나이인데 벌써 일흔은 되어 보인다……. 무엇이 당신을 이토록 조로하게 만들었는가? 술과 담배 때문에? 너무 많은 사람의 삶을 사느라고? 아니면 그의 말처럼 "너무나 많은 철학과 시학을 살아내느라?" 순전히 개인적인 생각이지만, 인생 후반부의 정치적 압박과, 그의 바람과는 정반대로 역행하는 국가 정세가 그에게 상상 이상의 스트레스와 실망감을 안겨준 듯하다. 절망만큼 사람을 지치게 만드는 것도 없다.

페소아는 작가들이 정치에 휘둘릴 때 어떤 결과를 맞는지 잘 인지하고 있었다. 좋든 싫든 정치적으로 편 갈리고 재단되고 평가될 수밖에 없기에, 지식인은 파벌주의나 정치적 열정으로부터 철저하게 독립을 지킬 것을 맹세해야 한다고, 작가란 "난투전 저 위au-dessus de la mêlée"[*], 즉 정치와 종교를 초월한 곳에 위치해야 한다고 굳게 믿어왔다. 하지만 정치적 격변기의 포르투갈은 결국 그가 원하는 만큼 거리를 두고 멀리서 지켜만 보도록 놓아두지 않았다.

정치적 올바름을 잣대로 재단당해 궁지에 몰린 작가는 적지 않다. 그 대표적인 예로 호르헤 루이스 보르헤스를 들 수 있다. 독재자 비델라와 친분을 나누고, 또 다른 독재자 피노체트로부터 훈장을 받은 전력 때문에 그는 지금도 '우파 작가'로 낙인이 찍혀 있다. 당시 아르헨티나가 여섯 번의 쿠데타와 세 명의 독재자를 거치지만 않았어도, 정치 성향과 관련된 압박에 그가 이렇게까지 노출되지는 않았을 것이다. 그러나 시대 탓만 할 수는 없다. 논란의 소지를 일으킨 장본인들은 죽을 때까지 집요하게 따라다니는 곤혹스러운 질문들에 응답하는 것으로 '죗값'을 치를 수밖에 없는 모양이다. 아르헨티나의 나치에게 그가 얼마나 동조하는지를 묻는 한 인터뷰어에게 그는 이렇게 대답했다.

> 보세요, 저는 제 나라를 이해한다고 주장하지 않습니다. 저는 정치적인 마인드도 없습니다. 저는 정치를 피하기 위해 최선을 다합니다. 저는 어떤 정당에도 속하지 않습니다. 저는 개인주의자입니다.
>
> — 호르헤 루이스 보르헤스, 『여든 살의 보르헤스: 대화들*Borges at Eighty: Conversations*』

* 프랑스 소설가 로맹 롤랑이 제1차 세계대전 당시 쓴 글의 제목.

1935년의 페소아
마흔일곱 살, 사망하던 해에 남긴 마지막 사진이다. 젊은 시절의 모습과 비교해보면 외적으로 급격히 쇠했음이 느껴진다. 페소아는 많은 양의 술을 마시고 담배를 피웠으며, 사인은 간경변으로 추정된다. 무엇이 그를 그토록 괴롭게 했을까.

'나는 꿈꾸는 편을 선호합니다'라는 제목이 붙은 다른 인터뷰에서도, "위협받는 사회 속에서 예술가의 역할은 무엇이냐"라는 질문을 받자 그는 비슷한 자세로 일관한다.

> 저는 정치에는 쓸모가 없는 사람입니다. 저는 정치적으로 생각하는 사람이 아닙니다. 저는 미학적으로 생각하는 사람이죠, 어쩌면 철학적으로요. 저는 어떠한 정당에도 속하지 않아요. 사실은 정치와 국가 자체를 믿지 않습니다. 저는 부도 가난도 믿지 않아요. 그런 것들은 환상입니다. 하지만 저는 좋거나 나쁘거나 혹은 무관심한 작가로서의 제 운명을 믿습니다.
>
> —『여든 살의 보르헤스: 대화들』

페소아가 더 오래 살았더라면 그 역시 보르헤스의 전철을 밟았을까. 1985년 보르헤스가 반세기 전에 세상을 등진 '동지' 페소아를 향해 쓴 편지에는 어쩐지, 그간 쏟아진 비판에 대한 서운함, 그리고 모종의 동지애마저 엿보인다.

> 페소아여, 내게 흐르는 보르헤스 데 몬코르부, 그리고 아세베두의 피는, 내가 자네를 지리학 없이도 이해하는 데 도움을 줄 수 있지.
>
> — 주제 블랑쿠José Blanco, 「호르헤 루이스 보르헤스와 페르난두 페소아의 만남에 관한 짧은 노트」, 『잡지 옥시덴테*Revista de Occidente*』 통권 94호

참고로 보르헤스의 본명은 호르헤 프란시스코 이지드로 루이스

보르헤스 아세베두Jorge Francisco Isidoro Luis Borges Acevedo이다. 그는 할아버지 이지드로 아세베두가 포르투갈 아세베두 가문 출신임을, 증조부 프란시스코 보르헤스가 아르헨티나로 이민 오기 전에 포르투갈의 북부 도시 몬코르부에서 살았음을 잘 알고 있었고, 그래서 그에게 포르투갈인의 피가 흐르고 있음을 늘 의식하고 있었다. 편지는 이어진다.

> 학파들이나 그것들의 교조, 수사를 부리는 허영스러운 인물들, 한 나라, 한 계층 혹은 한 시대를 대변하는 수고스러운 노력, 그것들을 포기하는 것이 당신에게는 조금도 곤란한 문제가 아니었지. 분명히 당신은 문학사에서 당신의 자리에 관해서는 생각도 해보지 않았어. 나는 또 확신하지, 이렇게 목소리 높여 하는 칭송들에 자네가 질겁하리라는 걸, 질겁하면서 또 감사해하리라는 걸, 미소 지으면서 말이네. 오늘날 자네는 포르투갈의 시인이지. 누군가는 당연히 카몽이스의 이름을 입에 올리겠지만. 모든 기념에는 필연적으로 날짜와 얼굴들이 빠질 수 없지. 자네는 자기 자신을 위해 썼어, 자네의 영광을 위해서가 아니라. 우리는 함께, 자네의 시들을 나누었지. 나를 자네의 친구가 되게 해다오.
>
> — 스위스 제네바에서, 1985년 1월 2일 편지

페소아의 마지막 문장

죽기 하루 전인 1935년 11월 29일에 영어로 쓴 마지막 문구는 "I know not what tomorrow will bring (나는 내일이 무엇을 가져다줄지 모른다)"였다.

29-11-195

페소아의 마지막 조언,
사물 너머를 본다는 것은

리스본 관광 책자에 빠짐없이 등장하는 '페소아의 집' 또는 '페소아 박물관'은 작가가 말년(1920~1935)을 보냈던 집을 개조해 만든 작은 박물관이다. 수없이 이사를 다녔기에 엄밀한 의미에서 페소아의 집이라고 명명할 장소는 리스본에만 열 군데가 넘겠지만, 그중에서 가장 오래, 그러니까 약 15년간 머물렀던 곳이다.

누군가가 나의 솔직한 의견을 묻는다면 이곳을 강력히 추천하지는 못하겠다. 시인의 열성 팬이 아니라면 말이다. 오해는 말라, 나름대로의 매력은 분명히 있다. 규모는 작아도 전 세계에서 출판된 페소아 관련 책들을 총망라한 도서관이 있어서 나도 한동안 출근하다시피 했고, 직원들도 굉장히 친절한 데다가 박물관이 자리한 동네가 관광객 밀집 지역을 살짝 벗어나 있어 리스본 사람들의 진짜 일상을 엿볼 수 있다는 장점도 있다. 특히 근처 프라제르스 공동묘지Cemitério dos Prazeres는 내가 즐기던 산책 코스였다(이곳에 페소아의 묘가 처음 안장되었다가 1985년에 제로니무스 수도원으로 이장되었는데, 2016년 그의 연인 오펠리아가 이곳으로 이장되어 들어왔다. 두 사람은 이렇게 저세상에서 한 번 더 엇갈렸다).

그러나 '집' 자체로 말할 것 같으면, 시간의 흔적이 묻어나는 낡은 공간을 기대하는 사람들의 미감에는 지나치리만치 깔끔하게 새로 단장된 느낌을 준다. 전시의 상당 부분도 요새 유행하는 터치스크린으로 구성되어 있어 흥미가 떨어진다. 왜 전시 기획자들은 사람들이 멀리서 작가의 생가까지 찾아와 평소에 지겹게 반복하는 동작, 즉 디지털 화면 터치를 되풀이하고 싶어 한다고 생각하는지 모르겠다. 사람들은 가상현실 속 정보가 아닌 무언가 '진짜'를, 적어도 그 흔적이라도 보러 오는 게 아닐까? 그나마 작가 생존 당시의 모습과 가장 가깝게 연출된 곳은 페소아의 방이라고 할 수 있을 텐데, 이곳이 흥미를 끄는 이유는 그 유명한 트렁크의 존재 때문이다. 생전에 출판과는 별 인연이 없었던 작가의 방대한 미출간 원고들이 잔뜩 들어 있던 트렁크……. 물론 모조품이다.

2012년, 페소아에 관한 가장 성공적인 전시로 기억될 〈우주처럼 복수인Plural Como o Universo〉의 리스본 전시 큐레이터를 담당했던 리처드 제니스는, 뜻깊은 전시에 모조품을 선보이는 것이 마음에 걸렸다. 수소문을 해본 결과, 트렁크는 이미 예전에 경매에서 팔려 어느 개인 수집가가 소장하고 있었다. 신분은 물론 주소도 극구 밝히길 꺼리는 그에게 어렵사리 연락을 취해 첩보 작전을 방불케 하는

페소아의 미출간 원고들이 가득 들어 있었던 트렁크
페소아가 남긴 트렁크에는 미발표 원고를 포함해 3만여 장에 달하는 수많은 기록들이 들어 있었다. 『불안의 책』 원고 역시 이 트렁크 안에 있었다. 페소아 연구자들은 지금도 미발표작들을 분석하는 작업을 꾸준히 진행하고 있다.

페소아의 방
'페소아의 집'(페소아 박물관)에서 볼 수 있는 페소아의 방은 아쉽게도 실제로 페소아가 살았던 방은 아니다. '페소아의 집'이 개조된 건물이기 때문이다. 하지만 그의 생에서 가장 긴 시간, 마지막 15년을 보낸 장소로서 '페소아의 집'은 의미가 있고, 그 거리는 리스본 사람들의 진짜 생활상을 느낄 수 있는 곳이다.

과정을 거치면서 행사 실무자가 겪어야 했던 고생담은 지면 한계상 생략하겠지만, 독자가 쉽게 예상할 수 있듯이 그토록 힘들게 모셔온 진짜 트렁크는 외관상 모조품과 별 차이가 없었다. 오로지 진품의 '아우라' 때문에 사람들이 얼마만큼의 수고를 감내할 용의가 있는지 보여주는 좋은 예라 하겠다.

사실 문제는 트렁크의 진품 여부보다도, 그 방이 실제 페소아의 방이 아니라는 점에 있었다. 뒤늦게 고백하지만, 나의 안내로 페소아의 집을 찾은 몇몇 친구들에게 차마 이 말은 하지 못했다. 멀리 한국에서 이곳까지 찾아와 좋아하는 작가의 방에 두 발로 서서 한껏 상상의 나래를 펼치는 순간을 내가 무슨 권리로 방해한단 말인가. 게다가 나 역시 처음에는 사실관계를 전혀 모르는 상태로 방을 구경했지만 시인을 이해하는 데 아무런 걸림돌이 되지 않았으니 말이다. 앞서도 언급했지만, 페소아에게 진짜/가짜보다 중요한 것은 사물로부터 촉발된 상상의 결과이다.

사실 우리가 죽은 작가의 방을 방문해서 할 수 있는 의미 있는 행동이 있다면, 그것은 거기 놓인 물건들을 감정하거나 남들과 똑같은 사진을 한 장 더 찍는 게 아니라, 사물 너머에 있는 것들을 보는 것일 테다. 아니면 알베르투 카에이루의 말처럼, 사물은 그저 사물임을 깨닫는 것이 필요하다.

사물 내면의 유일한 의미는
그것들이 아무런 내면의 의미도 없다는 것뿐이다.

나는 신을 믿지 않는다, 한 번도 본 적이 없으므로.
내가 그를 믿기를 원한다면
당연히 나에게 와서 말을 하겠지.
그리고 내 문을 열고 들어오며 말하겠지.
나한테 이렇게 말하면서, 나 여기 있소!

(이 말은 터무니없게 들릴지도 모른다.
사물을 관찰한다는 게 뭔지 몰라서,
그들을 관찰하며 배운 말투로 그들에 대해
말하는 사람을 이해 못하는 자들에게는)

— 알베르투 카에이루, 「양 떼를 지키는 사람」 중 다섯 번째 시, 1925년 1월

제대로 볼 줄 아는 사람에게는, 물건들이 모두 가짜로 판명 나더라도 경험의 깊이와 기반이 흔들릴 일이 없을 것이다. 이렇게 나름대로 설명을 해보지만 여전히 찜찜하다. 진짜를 희구하는 마음이 그렇게 간단히 처리될 리 없다. 진짜 유품의 무게가 다르다는 것을 우리는 경험을 통해 안다. 가령, 갑작스럽게 가까운 사람을 잃어본 사람에게는 더욱 그럴 것이다.

세상을 떠난 사람의 공간에서 남겨진 자들이 하는 행동들이 있다. 죽음을 예상치 못한, 다시 돌아오리라는 사실에 하등의 의심도 없이 등졌던 그/그녀의 텅 빈 방 속에 우두커니 서서 바라보는 사물들의 배치. 그 어떤 큐레이팅도, 기획도, 모조품도 없는, 모든 것이 '진짜'인 그 풍경. 동시에 아무것도 진짜가 아닌 그 죽은 풍경. 죽음

은 그런 것이다. 죽음의 출석을 부정해줄 삶이 결석한 상태. 지속적으로 그 공간을 서성이면서 우리는 본능적으로 또 하염없이 그곳에 **없는** 존재의 동작들을 본다. 이때 하지 말아야 할 행동이 있다. 존 버저가 조언해주듯이, 사랑하는 사람이 남기고 간 신발을 신어보는 어리석은 짓은 하지 말라.

우리가 신어도 좋을 만한 페소아의 신발이 있다면, 아무리 많은 사람이 신어봐도 닳지 않을 그의 '시'리라. 그중에서도 마지막이 될 줄 모르고 마지막으로 출판한 시, 즉 페소아가 죽기 두 달 전에 쓴 「조언」을 읽는다.

> 네가 꿈꾸는 사람을 커다란 벽들로 둘러싸라.
> 그러고 나서, 대문의 쇠창살을 통해
> 정원이 보이는 곳에다, 가장 유쾌한 꽃들을 심어라,
> 너란 사람도 그렇게 여기도록.
> 아무도 안 보는 곳에는 아무것도 심지 말고.
>
> 다른 사람들이 가진 것처럼 화단을 꾸며라,
> 남들에게 보여줄 너의 정원
> 눈길들이 들여다볼 수 있는 그곳에.
> 하지만 네가 너인 곳, 아무도 안 볼 곳에는,
> 땅에서 나는 꽃들이 자라게 놔두어라.
> 그리고 잡초들이 무성하게 놔두어라.

너를 보호된 이중의 존재로 만들어라,

그래서 보거나 응시하는 그 누구도

알 수 없도록, 너라는 정원 이상은—

속마음 모를 겉치레 정원,

그 뒤에 토박이꽃에 스치는

너무 초라해서 너조차 못 본 풀……

— 1935년 9월 추정(『나의 시』에 수록)

페소아의 집은 완전히 헐리고 새로 지어졌다. 그의 실제 방은 집 중간쯤에 위치한 뒷방이었다. 그의 방에 관해 자세히 알게 된 것은 '페소아와 창문'이라는 화두에 사로잡힌 적이 있었기 때문이다. 건물 창문에 서서 거리를 내다보는 시선은 시인의 작품들에 특징적으로 자주 등장한다. 『불안의 책』의 베르나르드 수아르스, 「금욕주의자의 일기」의 바랑 드 테이브, 『양 떼를 지키는 사람』의 알베르투 카에이루, 「담배 가게」의 알바루 드 캄푸스, 그리고 그의 유일한 여성 이명인 마리아 주제도, 모두 창문이라는 매개를 통해 바깥세상을 경험하면서 시상과 사색을 전개했다.

눈썰미 좋은 여행자라면 창문턱에 몸을 걸치고 따로 하는 일 없이 물끄러미 바깥 거리를 쳐다보는 사람들이 포르투갈에 유난히 많음을 발견할 수 있을 것이다. 오죽하면 포르투갈어에는 '창문하다janelar'라는 동사도 있다. 일상에서 자주 쓰이는 말이라기보다 문학적 표현에 가깝지만 말이다. 한때 한국의 정서를 특징지었던 '한恨'처럼, 포르투갈을 대표하는 '사우다드saudade'의 정서를 일상에

'페소아의 집' 도서관

'페소아의 집' 1층은 페소아와 관련된 온갖 책들을 만날 수 있는 도서관으로 꾸며놓았다. 이 책을 쓰는 동안 나는 이곳을 자주 들렀고, 이곳에서 다른 페소아 연구자들과 만나 이야기를 나누기도 했다.

이따금 '창문하기'에 빠지곤 하는 리스본 사람들
포르투갈어에는 '창문하다janelar'라는 동사가 있다. 창문을 매개로 바깥세상을 만나며 사색하는 사람이 유난히 많기 때문이리라. 페소아 역시 창밖으로 시선을 돌리곤 했으며, 그의 작품 속에도 건물 창문에 서서 거리를 내다보는 시선이 자주 등장한다.

서 보여주는 행동 중 하나가 바로 '창문하기'가 아닐까 생각한다.

사우다드. 참 알쏭달쏭한 말이다. 그리움이긴 하되 단지 과거에 대한 향수뿐만이 아니라 오지 않은 것, 미지의 것, 미래에 대한 그리움까지 포함하는 넓은 말이다. 아니 적어도 많은 포르투갈인들은 그렇게 믿고 싶어 한다. 대항해 시대 당시, 바다에 나갔다가 죽어 돌아오는 사람이 유난히 많았던 포르투갈 역사의 특징 때문에 여러 문인들이 앞장서 이를 나라의 '대표 정서'로 삼고 싶어 하기도 했다. 그래서인지 이 말에 반감이 있는 사람들도 적지 않다. 적지 않은 한국인들이 '한의 정서'라는 말을 듣기 싫어하듯이 말이다. 역설적이게도, 외국인들이 보사노바 음악을 통해 '싸우다지'(브라질식 포르투갈어 발음)라는 말을 처음 접하는 경우가 점점 많아지면서 어느덧 브라질을 연상시키는 말로 정착해가고 있다.

창밖으로 자주 시선을 돌렸다는 페소아. 그러나 실제로는 창문에 기대 바깥 풍경을 바라본 적이 별로 없었을 것 같다. 그의 방의 위치가 창가 쪽이 아니라서 하는 얘기는 아니고, 순전히 나의 직감이다. 행동의 가치를 늘 평가 절하했고, 행동 자체보다 그 행동에 대한 생각과 상상을 즐겼던 그의 독특한 세계관을 알면 알수록 이런 예감은 더 강해진다. 페소아는 차라리 '창문하고 있는' 사람들을 보면서, 그들에게 이입하고 그들이 되어봤을 사람이다.

또다시 페소아의 집에 왔다. 추천하지도 않으면서 참 자주도 온다. 단, 이번에는 도서관에서 책을 보러 온 게 아니다. 도서관 사서 테레사와 친해지면서 한국 문화, 특히 한글에 관심을 보이는 그녀의 열한 살짜리 아들 미겔 이야기를 듣게 되었는데, 오늘은 바로 미겔에게 한글을 가르쳐주기로 약속한 날이다. 엄마와 아들은 이미 도서관 2층 사무실에 도착해 있었다. 내가 바쁜 와중에도 굳이 이렇게 시간을 낸 것은, 특별히 아이들을 좋아해서도 아니고 한국인으로서 막연한 책임감을 느껴서도 아니었다. 단지 한글을 배우려는 미겔의 동기가 너무나 마음에 들었기 때문이었다. 왜 배우고 싶으냐는 나의 질문에 그는 묵묵부답으로 일관했다. K-팝도 아니었고 드라마도 아니었고 누군가의 권유도 아니었고, 정말 아무것도 아니었다. 그냥 배우고 싶어서 배운다는 식이었다.

이 영특한 아이와 나에게는 공통점이 하나 있었다. 동물을 좋아한다는 점. 미겔은 어제 텔레비전 뉴스에서 본 소식을 알려준다. 멸종됐다고 생각하던 중국 어느 강의 돌고래가 어제 다시 발견됐대! 아, 혹시 '양쯔강'이야? 응, 맞아, 그런 것 같아. 그런데 돌고래가 어떻게 생겼대? 글쎄, 돌고래 사진은 못 찍었고, 걔네끼리 이야기하는 목소리가 녹음되었대…….

아마 과학자들이 기록하는 음파를 말하는 것이리라. 구체적으로 어디에 어떤 모습으로 서식하는지는 아직 아무도 모르지만, 그 넓은 양쯔강 어디쯤 살아 있다는 사실만으로도 우리 둘은 기쁨을 공유한다. 아시아는 물론 포르투갈 밖을 한 번도 가본 적 없는 미겔에게, 양쯔강, 돌고래, 한글…… 이 모든 것이 얼마나 진기하게 느껴질까?

도서관 1층에 한 무리의 관광객이 소란스럽게 입장하는 소리가 들린다. 수백 번은 반복해서 들은 가이드의 설명, 항상 똑같은 유머 레퍼토리, 항상 같은 곳에서 터져 나오는 웃음, 늘 비슷비슷한 질문들 그리고 적당한 마무리. 나는 오래전에 페소아의 집에서 쫓겨났다는 직원 한 명이 문득 그리워졌다. 동료들 사이에서 정신 나간 사람 취급을 받았던 그는, 방문객들을 안내하면서 페소아의 유령이 이 집을 떠돈다느니 하는 알 수 없는 말을 하고 다니다가 다른 곳으로 전근되었다고 한다.

어쩌면 대부분의 방문객들은 전시된 작가의 유품들이 진짜인지 아닌지, 방의 위치가 정말로 어디인지에는 전혀 관심이 없을지도 모른다. 가령, 시인 랭보의 에티오피아 생가는 진짜가 아님이 판명났음에도 불구하고, 여전히 관광객들이 찾고 있고 열심히 사진을 찍어 인터넷에 올린다. "아무려면 어떤가? 진짜가 이 근방에 있으면 됐지. 그래서 뭔지 모를 아우라가 느껴지면 그뿐이지!" 점점 불확실성이 증가하는 시대에 적응해 살아가는 우리의 태도이다. 최소한 이 근처 언저리 어딘가 있었겠거니. 그 넓은 양쯔강 어딘가에는 있겠거니…….

'진짜'가 여전히 엄청난 위력을 발휘하는 영역은 따로 있다. 바로 진품의 시장이다. 역사적 부가가치가 덧붙여진 진품들의 값은 날이 갈수록 상상을 초월하는 고공 행진을 한다. 2014년에는 나폴레옹의 모자 하나가 26억 원에 경매되었다. 페소아의 경우도 예외가 아니다. 2008년 11월에는 페소아 유가족들이 시인의 유품 중 일부를 경매로 내놓은 적이 있다. 갈겨쓴 메모 한 장에 약 8,000유로(약

1,000만 원 상당), 그가 소장하던 잡지 한 권에 3,000유로……. 이 정도면 유가족에게는 상당한 도움이 되었을 것이다. 경매 전문가들에 따르면 이 정도는 가격이 부풀려진 것도 아니라는데, 이 모든 게 무의미한 돈거래 같다는 인상을 지울 수 없다.

이 지점에서 사소한 딜레마가 발생한다. 이 '실물 페티시'의 어리석음을 앞장서서 비판하고 싶으면서도, 나 역시 작은 물욕이 없지 않음을 자각한다. 페소아의 물건들, 즉 모자나 안경 따위에는 조금도 관심이 없지만, 작가의 육필 원고를 직접 보고 싶다는 작은 소망 하나는 있다. 물론 박물관에서 또는 이따금 관련 전시가 열릴 때면 육필 원고들이 대중에게 공개되기는 한다. 유리 전시장을 통해서나마 보는 그의 필체와 수정의 흔적들도 복제될 수 없는 감흥을 자아내긴 하지만 여전히 아쉬움은 남는다. 같은 책, 같은 종이라도 직접 손에 쥐어보고, 앞뒤로 페이지를 넘겨보고, 종이와 곰팡내를 맡는 것은 또 다른 체험이기 때문이다. 그렇다고 이런 별 볼 일 없는 사적인 오감의 욕구를 충족시키기 위해 페소아에게 관심 있는 모든 사람이 전부 직접 한 번씩 만져보고 쓰다듬어봐야 한다면 아무것도 성히 남아나지 못할 것임은 두말할 나위도 없다.

놀랍게도, 『오르페우의 시대*A Era do Orpheu*』 저자이자 시인인 누노 주디스에 따르면, 그가 대학을 다니던 1970년대 초반까지만 해도 이런 일들이 버젓이 일어나곤 했단다. 그는 일개 대학원생이었던 동기가 어느 날 카페에 페소아의 육필 원고를 아무렇지도 않게 들고 나타나 놀랐던 경험을 생생하게 회고한다. 실제로 그 시절에는 국립도서관에 복사 시설이 제대로 구비되어 있지 않았기 때문에 복

Meu querido Antonio:

Tenho, para lhes responder, um postal seu de Paris (temperatura normal), um postal seu de Roma (quarenta graus), e, por fim, o postal e a carta, ambos da mesma Cidade Eterna, que são tambem quarenta graus, mas do lado amigo do thermometro.

Antes de hontem appareceu-me o João de Figueiredo, que me disse não ter ainda encontrado o Magalhães. Creio mesmo que a inencontrabilidade é um dos principaes caracteristicos d'esse africanista. Cá espero, mas sem saber com que proverbio - se com o "quem espera, desespera", se com o "quem espera sempre alcança". O Destino o dirá, se tiver telephone para o assumpto.

Registrei a nova versão do poema sobre o Box, e será esta, pois, que passarei á machina para o Magalhães, quando elle fizer a descoberta da Rua da Prata, guiado, presumivelmente em passo de dança do seculo XVIII (fêtes galantes), pelo João de Figueiredo.

A proposito: o João disse-me, respondendo a uma pergunta casual minha, que estava "muito frio" com o Chico Graça, mas o meu escasso conhecimento da industria do gelo, incluindo a de sorvetes, não me deu psychologia para esta revelação.

São noticias que lhe vou dando, á medida que me occorrem, e que não sei se terão interesse para si. E poucas mais noticias lhe poderei dar além d'estas.

O Raul manda-lhe muitas saudades, e diz-me que um dia d'estes (os d'este mundo) lhe escreverá. Elle está agora publicando um pamphleto semanal monarchico intitulado "O Rebelde". Sahiu já um numero, e o segundo sahirá amanhã. Tem tido venda; e nos numeros publicados até agora (um) elle tem evitado a metaphysica.

Ha muito tempo que não vejo o Gualdino. Como o Antonio sabe, os meus encontros com elle costumam ser casuaes - episodios, em geral, dos electricos da linha Estrella-Camões, quando não, para variar, da linha Camões-Estrella. Mas, logo que encontre o Gualdino, lhe transmittirei o seu recado. Talvez o encontre na Bibliotheca, onde de aqui a dias terei que ir, em serviço de El-Rei D. Sebastião.

Não estou hoje em estado mental para lhe escrever, meu querido Antonio, uma carta que possa interessal-o. Não quero, porém, deixar de escrever-lhe. E estas linhas com que nada se cose (Antonio Ferro - que aliás se cose com varias) são o triste resultado.

Adeus, meu querido Antonio; desculpe a ausencia de electricidade nesta carta, que não deixa de transmittir-lhe, do mesmo modo que as realmente electricas, a minha muita affeição.

Sempre e muito seu,

25/3/1927. (a) Fernando

페소아가 친구 안토니우 보투에게 쓴 편지

편지에는, 길에서 마주친 친구 이야기, 오랫동안 엇갈려 못 만난 친구 이야기, 공통의 친구가 전한 안부, 공통의 지인이 페소아 본인에게 내린 평가 등 리스본의 소소한 일상이 담겨 있다.

사를 핑계로 원본을 외부로 반출하는 일도 가능했던 것이다. 시간이 흐르고 페소아에 대한 인지도가 훨씬 높아지면서 대출은 곧 금지되었지만, 불과 6~7년 전만 해도 그 자리에서 열람은 얼마든지 가능했다. 신청만 하면 상자 가득한 원고들을 마음껏 볼 수 있었던 것이다. 사실 누군가 나쁜 마음만 먹었다면 얼마든지 한 장쯤 '슬쩍'할 수도 있는 상황이었고, 실제로 그런 일이 일어났을 수도 있다. 그나마 페소아 연구자들이 대체로 양심적인 사람들이었는지, 원고들이 이렇다 할 분실 사고 없이 제법 온전한 상태로 전해진 듯하지만 이제 와서 일일이 확인할 길도 없다.

2016년 현재는 직접 열람이 원칙적으로 모두 불가능하다. 도서관이 소장한 페소아의 원고들은 대부분 디지털화되어 리스본 국립도서관 홈페이지를 통해 열람할 수 있고, 극히 예외적인 경우를 제외하면 일반인이 실제 원고를 손에 직접 쥘 수 있는 방법은 없다. 특별 허가를 받더라도 원고들은 플라스틱 커버 안에 보관되어 있어 담당자 이외에는 꺼낼 수 없다. 아, 딱 몇 년만 더 일찍 포르투갈에 도착했더라면!

리스본을 떠날 날도 얼마 남지 않았다. 출국을 앞두고 며칠간 자료 조사차 국립도서관을 방문해야 했던 리처드와 동행했다. 도서관 일반 열람실 입구 오른쪽에 있는 외부인 출입 금지 구역 앞에, 일주일 전에 약속을 잡아놓은 직원이 우리를 기다리고 있었다. 리처드가 이미 국립도서관과 여러 차례 협업을 했기에 이런 연구 지원도 한결 수월하게 이뤄졌다. 나도 그저 구경 삼아 따라온 것은 아니었고 일종의 조수 자격으로 조사를 도왔다. 나의 임무는 1920년대 신문들을 훑는 일이었다. 가령 1926~1927년 사이에 발간된 신문들에서 페소아의 친구인 시인 라울 레알에 관한 기사들을 추려내거나, 전자오락실 기계처럼 생긴 마이크로필름 열람기로 일간지 『디아리우 드 노티시아스』의 1926년 겨울판을 모조리 뒤져 페소아의 친구 안토니우 페루 특파원이 진행한 인터뷰 시리즈 중 무솔리니 관련 기사를 찾는 등의 일이었다. 『디아리우 드 노티시아스』처럼 연구자들이 자주 찾는 신문은 마이크로필름 혹은 디지털화되어 있지만, 발행 부수가 많지 않은 신문/잡지들은 특별 허가를 받아 원본으로 봐야 한다. 사람들이 많이 찾지 않는 것들은 아직도 복제품에 의존하지 않아도 되는 것이다. "주의—상태 매우 안 좋음"이라는 표식이 붙어 있는 이 신문/잡지들은, 조금만 부주의해도 종이 끝이 바스락 소리를 내며 부서졌기에 극히 조심스럽게 페이지를 넘겨야 했다.

리처드의 연구 조사 과정을 곁에서 지켜보고 도우면서 배우는 바가 많았다. 페소아 본인과 그의 주변 핵심 인물들은 물론이고, 부차적이라고 할 수 있는 라울 레알, 안토니우 페루 같은 인물들까지 포함해 페소아가 속한 '생태계' 전체를 가능한 한 치밀하고 다층적으로 파고드는 것에 비해 나의 접근이 얼마나 엉성하고 얕은지 저절로 반성이 되었다. 배운 것은 이뿐만이 아니다. 그는 나보다 늦게 자고 나만큼 일찍 일어나며, 나보다 훨씬 많이 알지만 늘 나보다 더 알려고 노력한다. 이미 뛰어난데도 늘 좀 더 잘하려고 노력한다.

아마데우 소자-카르도수
아마데우는 포르투갈 역사상 가장 뛰어난 화가로 꼽히는 인물이다. 『오르페우』 3호가 예정대로 발행되었더라면 그의 작품이 실린 것을 볼 수 있었으리라.

8시 반. 어느새 열람실 폐쇄를 알리는 안내 방송이 울려 퍼지고 우리는 최대한 늑장을 부리며 맨 마지막으로 짐을 챙겨 나온다. 제법 쌀쌀해진 바깥 공기를 느끼고 옷깃을 여미는데, 입구에서 낯익은 여자가 인사를 건네왔다. 안녕 마르타! 여긴 어쩐 일이야? 마르타 수아르스는 포르투갈 역사상 가장 뛰어난 화가 중 한 명으로 손꼽히는 아마데우 소자-카르도수Amadeo de Souza-Cardoso를 연구하는 친구였다. 아마데우와 페소아는 동시대인으로 서로 안면도 있었는데, 시인은 화가의 작품을 높이 평가해 『오르페우』 3호에 실으려고 했으나 결국 잡지 발간이 중단되면서 성사되지는 못했다.

『오르페우』 3호에 실릴 예정이던 아마데우의 작품이 무엇이었는지는 오랫동안 의문으로 남아 있었다. 바로 그 의문을 밝혀줄 결정적인 단서를 찾아낸 주인공이 그녀, 마르타 수아르스였다. 이 우연한 만남이 반가워 셋이서 잠시 수다를 나누던 중, 그녀가 마침 생각났다는 듯 나와 리처드에게 흥미로운 제안을 했다. 내년에 있을 아마데우의 파리 그랑 팔레Grand Palais(파리 8구에 있는 대형 전시장이자 박물관) 전시와 관련해 곧 아마데우의 유가족을 방문할 예정인데, 이 참에 화가의 생가를 함께 방문해보지 않겠느냐는 제안이었다. 지난번에 함께 만난 바 있는 포르투갈 모더니즘 연구자들 대여섯 명과 다 같이 말이다. 일반인에게 공개되지 않은 곳을 가볼 절호의 기회인 데다, 마침 페소아로부터 잠시 거리를 둘 필요를 (또다시!) 느끼고 있던 나는 빠듯한 출국 일정에도 불구하고 두 번 생각 않고 선뜻 응했다.

여행 날 아침은 지난주보다 기온이 더 내려가 있었다. 두꺼운 옷을 모두 짐 편에 미리 부쳐버린 나에게 리처드가 친절하게도 스웨터 한 벌을 빌려줬다. 포르투갈에 살아보지 않은 사람들은 이곳 날씨를 만만하게 생각하다가 낭패를 보기 쉽다. 실제 기온은 낮지 않지만, 돌로 된 집들이 많고 실내 난방이 거의 안 되다시피 하기 때문에 체감상 더 춥게 느껴진다. 특히 우리가 향하는 아마데우의 생가는 포르투갈 북부, 아마란트Amarante 시 서쪽의 마뉴프Manhufe라는 작은 마을에 위치했으니 남쪽보다 좀 더 쌀쌀할 테다.

당일치기 여행이었지만 여정 내내 흥미로운 토론과 잡담이 끊이지 않았다. 포르투갈 문학과 미술 연구자들과 이렇게 오랜 시간을 같이 보내기는 처음이었다. 리스본에서 차로 네 시간 반을 달려 도착한 아마데우의 마뉴프 집은 아름다운 포르투갈 시골 풍경이 내려다보이는 양지바른 언덕에 자리 잡은 지방 영주의 작은 성 같았다. 가족들에게 환대를 받으며 집에 들어선 우리 일행은, 곧 아마데우 특유의 절충적 입체파 기법을 보여주는 작품 〈마뉴프 집의 부엌Cozinha da Casa de Manhufé〉(1913)의 모델이 된 실제 공간을 발견하는 성과를 거두기도 했다. 그런데 우리가 가족과 이런저런 이야기를 나누는 동안, 나는 점점 답답하고 묵직하게 내리누르는 듯한 집안의 무게가 느껴졌다. 온갖 '이즘'들을 자유롭게 넘나들며 거침없는 실험을 했던 화가가 보여준 형형색색의 화려한 예술혼과 이 집안 분위기가 어쩐지 부조화스러워 보였다.

한참 후, 포도밭을 지나 집에서 남쪽으로 조금 떨어진 아마데우의 아틀리에에 가보고 나서야 비로소 이해가 되었다. 여기서 화가가 숨통을 틔울 수 있었겠구나. 실제로 그는 아침 일찍 집을 나서 이

아마데우 소자-카르도수, 〈마뉴프 집의 부엌〉, 1913

곳에서 하루 종일 그림을 그리고 밤늦게야 잠을 자러 돌아가곤 했다고 한다. 아틀리에는 현재 정비가 안 되어 있어 버려진 헛간 같았으나, 바로 그 이유 때문인지 한때 왕성했던 창작의 산실만이 줄 수 있는 폐공장 같은 분위기를 잘 간직하고 있었다. 페소아의 집과 정반대라는 생각에 왠지 웃음이 나오는 한편, 마음 한편이 차분해지고 경건해지는 것을 느꼈다. 어쩌면 그때나 지금이나 다르지 않았을, 그리고 화가에게는 그 무엇보다 중요했을 햇빛이 저 위에서 비스듬히 떨어지고 있었기 때문일지도 모른다.

리스본으로 돌아가기 전에, 유족들이 풍성한 간식을 대접해왔다. 어느새 반나절을 함께 보내면서 정이 들었는지 분위기가 점점 화기애애하게 무르익어갔다. 나는 이미 리스본에서 처리해야 할 일들을 머릿속에 떠올리며 힐끔힐끔 시계를 보기 시작했다. 하지만 서둘러 먼저 떠나지 않기를 얼마나 잘했던지! 가족의 신뢰를 얻게 된 우리 일행은 평소 외부인에게는 좀처럼 공개하지 않는다는 2층 아마데우의 방까지 볼 수 있는 행운을 얻었다. 중앙에 놓인 침대 하나로 꽉 차는 아담한 방이었다. 침대도 참 작았다. 사진으로 보는 것보다 아마데우의 체구가 상당히 작았거나, 웅크리고 잤거나 둘 중 하나였으리라. 문간에서 주춤거리는 우리에게 가족들은 염려 말고 어서 들어가보라는 손짓을 했다.

오랫동안 밟지 않은 나무 바닥의 삐걱거리는 소리로 온 방이 가득 찼다. 마치 유령이 기거하는 공간에 들어서듯 모두 목소리를 낮추며 조심스럽게 행동했다. 아마데우가 죽은 후 아무도 이 방을 쓰지 않고 있는 그대로 보존된 상태라고 설명하는 누군가의 음성을 흘려들으며 가구와 벽의 장식 등 방 구석구석을 찬찬히 뜯어보았다. 얼마나 지났을까. 떨어지지 않는 발길이지만 귀한 기회를 준 가족에게 더는 폐를 끼치기 싫어 이제 그만 방에서 나오려던 참에, 문득 침대 맞은편 액자에 걸린, 건축도면 같은 그림이 눈에 들어왔다.

아마데우는 원래 파리로 건축을 공부하러 갔지만 곧 학업에 흥미를 잃고 캐리커처가 하고 싶어졌다. 아들이 안정적인 길을 가기를 원했던 아버지와 갈등을 겪던 건축 지망생 시절, 아마도 학교 설계 수업 시간에 그렸을 어느 공원의 구상에 관한 입면도였다. 그림 속 건물의 철제 입구 밖에서 구부정하게 몸을 수그리고 안을 들여다보는 남자가 눈에 띄었다. 보통 이런 건축 그림에는 인물이 없거나 있다 하더라도 축척을 나타내기 위해 개성 없이 표현하는 정도인데, 과연 캐리커처를 꿈꾸던 건축학도라서 이런 재미난 결합이 탄생한 것일까? 창살 사이로 공원을 들여다보는 시선이라…….

"대문의 쇠창살을 통해/정원이 보이는 곳에다, 가장 유쾌한 꽃들을 심어라,/너란 사람도 그렇게 여기도록./아무도 안 보는 곳에는 아무것도 심지 말고."

시 「조언」에서 그리는 장면이 아닌가? 남들에게 보여주지 않는 뒷마당 뜰에는 잡초가 자라도록 놔두라, 그게 바로 너다……. 이 조언을, 자신의 일거수일투족을 노출하느라 정신이 없는 시대를 사는 우리가, 받아들일 수 있을까? 일반인, 연예인, 학자, 작가, 시인, 언론인, 논객 할 것 없이 수많은 사람들이 '공유'라는 이름 아래 자신의 생각과 활동, 일상사와 신변잡기를 끊임없이 올리고, 알리고, 리트윗한다. 노출증과 관음증이 절묘하게 결합한 소셜 미디어의 시대에 만약 페소아가 태어났더라면, 수십 개의 아바타를 만들어 몰래 소셜 네트워크 활동을 즐겼을까, 아니면 등을 돌렸을까? 출판이 되건 안 되건, 피드백이 있건 없건, 인정을 받건 못 받건, 죽는 날까지 자신이 구축한 세계 속에서 시어 하나, 생각 하나, 시상 하나 놓치지 않으려는 노력으로 인생을 소진한 그가 이런 '대세'에 호의적이었을 것 같지는 않다.

> 고대 그리스 사람들이 유명세와 스포츠에서 인정받기를 갈망한 것은, 모든 방면에서 명예를 희구했기 때문이다. 우리가 스포츠와 취미를 갈망하는 것은 다른 곳에서는 인정받을 길이 없기 때문이다.
>
> —『헤로스트라투스 그리고 불멸에의 탐색』

> 한편으로는, 너무나 많은 사람들이 글을 쓰고, 그림을 그리거나 그렇지 않으면 예술을 망치고 있다. 이는 혼란을 조성한다. 다른 한편으로는, 바로 이 예술가 부대가 자기선전이나 과시를 통해 가장 낮은 차원에서 무명에 대항하고 있다.
>
> —『헤로스트라투스 그리고 불멸에의 탐색』

> 나는 내가 유명해지기를 꿈꾸는가? 그런 꿈을 꾸는 순간, 나는 유명세와 더불어 겪을 공공연한 노출이 부담스럽다. 사생활과 익명성을 모두 잃게 만들 명예가 고통스럽게 느껴진다.
>
> —『불안의 책』, 텍스트 425

세 시간 전 마뉴프를 떠난 차가 휴게소 표시를 보고 속도를 늦춘다. 화장실에 갔다 돌아오니 페소아 박사들, 아마데우 전문가들이 카페 테이블에 자리를 잡고 여전히 토론에 몰입해 있다. 갑자기, 이 모든 것이 덧없고 시시콜콜하게 느껴졌다. 물론 참으로 본받을 만한 학자적 자세이고, 나도 조금 전까지 저 속에 푹 빠져 있었다. 그렇지만 저토록 날카로운 혜안을 갖춘 전문가들 중 과연 누가, 지금 저 어느 골방에서 고뇌하며 행과 연을 갈고닦는 무명의 시인을, 외딴 시골의 헛간 같은 아틀리에에서 형태와 씨름하는 화가를 알아볼 수 있을까 생각해보면, 어쩐지 의구심이 들었다. 이미 인정받은 '동시대인'을 연구하고 파고들기는 쉽지만, 과연 진짜 동시대의 숨은 예술가도 알아볼 수 있을까?

페소아의 광대하고 독창적인 세계만큼이나 감동적인 것은 그의 안목이었다. 사람들이 눈여겨보지 않던 세자리우 베르드를, 카밀루 페사냐를, 안젤루 드 리마를 알아보는 눈 말이다. 우리는 어떤가? 언젠가 평론가 에두아르두 로렌수가 따끔한 질문을 던졌다. "우리는 페소아를 말할 자격이 있는가?" 생전에 몰라보고 이제 와서 칭송하는 것은 가장 쉬운 일이다.

밖이 어둑해지며 리스본이 멀지 않았음을 알리는 표지판이 보인다. 곧 이 도시를 떠나는구나. 페소아의 시선으로 보고 느끼려 했던 이 도시. 그 시선을 연마하면서 얻은 게 뭘까? 그다지 뿌듯하진 않다. 그가 살던 도시에 와서 제법 살아봤지만 떠나기 직전까지 여전히, 서울에서 페소아의 시에 기대어 지내던 때보다 그를 더 이해하

제로니무스 수도원

페소아는 제로니무스 수도원에 대해 다음과 같이 남겼다. “리스본을 방문하는 이방인이라면 누구나 이 석조 건축의 걸작을 방문할 것이고 또 영원히 잊지 못할 것이다. 사실 제로니무스 수도원이야말로 리스본에서 가장 인상적인 건물이다.”(『페소아의 리스본』) 현재 그의 묘가 이곳에 안장되어 있다.

게 되었다고 말하지는 못하겠다. 그러나 무의식적인 연습의 과정 속에서 도시와 시인의 보이지 않는 관계에 대해 천착하게 되었고, 그전까지 없던 시각을 획득한 것은 분명하다. 지금도 저 어디선가, 군중 속에서 자신만의 시를 읊으며 활보하는 무명 시인의 환영이, 그 어느 때보다 자주 어른거린다. 그 이름 모를 시인의 발표되지 않은 원고들을 담은 트렁크가 어딘가 또 있을 거라는 착각. 그리고 그것들이 세상의 빛을 보지 못하고 불타 없어질지도 모른다는 아찔한 상상. 이런 말을 사람들에게 하면 대개는 핀잔을 준다. "원래 시인의 운명이란 당대에 인정 못 받는 것"이라거나, "이제 세상 탓하던 시대는 지났다. 매체가 워낙 발달하고 창구가 다원화돼서 웬만한 좋은 건 다 알려지게 되어 있다"며……. 과연 그럴까.

나는 사람들이 페소아를 모를 때 그를 알아봤다고 생각해왔다. 그를 포르투갈어로 읽고 제대로 이해하고 싶어서 이곳까지 왔고, 이 점에 나름의 의미를 부여해온 것도 사실이다. 하지만 이것은 오로지 내가 처한 우물 안에서 통하는 얘기였을 뿐, 조금만 더 넓은 관점에서 보면 나 역시 이미 위대해진 인물의 발자취를 좇고, 속속들이 연구하고, 그러면서 학위를 받고, 소위 전문가 역할을 하고, 또 이미 신화가 된 사람을 또 다른 나라에서 신화화하는 데 기여하고 있는 것뿐……. 이 모든 게 얼마나 쉬운 일인가, 정말로 관심을 받아 마땅한 숨겨진 동시대인을 단 한 명이라도 알아보는 것에 비하면?

출국 전날. 마지막 짐을 챙기다 아차! 리처드에게 빌린 스웨터를 돌려주지 않고 아직까지 입고 있었다는 것을 깨달았다. 급히 연락을 했더니 다행히도 그에게서 답장이 왔다. 내일 공항 가는 길에 그의 집을 들르기로 했다. 다음 날 아침 일찍, 이미 작별 인사를 나눈 터라 조금은 겸연쩍게 웃으면서 다시 나를 맞이한 리처드. 그가 방금 생각났다는 듯 말했다. 네가 입고 있는 그 옷, 원래 누구 건지 알아? 타부키 거야.

페소아 '전도사' 타부키라고? 타부키의 미망인 마리아 드 란카스트레 여사와 오랜 친분이 있었던 리처드는 생전에 타부키와도 수차례 만남을 가졌는데, 2012년 남편이 세상을 떠나고 나서 란카스트레 여사가 이젠 입을 사람도 없다며 남편이 자주 입던 옷 한 벌을 우정을 기리는 의미로 리처드에게 선물했던 것이다.

가만히 얘기를 듣고 있으려니 물리적으로는 아무것도 달라진 게 없는데, 어딘가 신기한 기운이 옷감 위에 감도는 듯한 착각이 일었다. 그러고 보니 그 옷을 입고 있던 동안은 '글발'이 올랐던 것 같기도 하다. 내가 비판하던 진품 페티시라는 게 바로 이런 식으로 작동하는 거로군! 타부키의 유령이 깃든 스웨터를 벗어 친구에게 건네며, 우리는 다시 한 번 작별 인사를 했다. 계단을 내려와 창문을 향해 손을 흔들면서, 그렇게 리스본을 등졌다. 계속 그 옷을 입고 있었더라면 적어도 며칠간은 글 잘 써지는 마법이 지속되지 않았을까 상상하며.

페소아의 묘비
페소아의 묘는 1935년 12월 2일 프라제르스 공동묘지에 묻혔다가 1985년에 제로니무스 수도원으로 이장되었다. 묘비에 "위대해지려면, 전부가 되어라"로 시작되는 리카르두 레이스의 시구가 새겨져 있다.

PARA SER GRANDE, sê inteiro: nada
Teu exagera ou exclui.
Sê todo em cada coisa. Põe quanto és
No mínimo que fazes.
Assim em cada lago a lua toda
Brilha, porque alta vive.

14.2.1933 Ricardo Reis

FERNANDO
PESSOA

1888-1935

13 JUNHO 1985

ERNANDO PESSOA
DO SEU NASCIMENTO

01 이명

페소아에 대해 이야기하려면 '이명'에 대해 언급하지 않을 수 없다. 페소아는 어린 시절부터 가공의 인물들을 창조했다. 최초로 이명을 쓴 것은 여섯 살 무렵이라고 스스로 밝힌 바 있다. 고등학교 시절에는 이미 여러 인물을 창조해내 그들의 일상을 메모하거나 그들의 이름으로 편지를 쓰기도 했다. 페소아는 여러 문학적 인물들을 창조해내 그들 각각의 인생을 설계했다. 가장 대표적인 이명 삼인방이 알베르투 카에이루, 알바루 드 캄푸스, 리카르두 레이스이다(대표 이명을 제외한 나머지는 『불안의 책』에 등장한 수아르스처럼 '준이명'이거나 '이명'의 개념을 고안하기 전에 탄생한 '전 이명'으로 볼 수 있다). 그는 자신의 이름뿐만 아니라 이명들의 이름으로도 많은 작품을 남겼다. 심지어 연인이었던 오펠리아에게 이명의 이름으로 편지를 보내기도 했다. 그만큼 이명이라는 개념은 그의 삶과 문학에 깊숙이 침투해 있었다. 페소아는 평생에 걸쳐 대표 이명 삼인방을 비롯해 문체와 정체성이 서로 다른, 70여 명이 넘는 문학적 캐릭터들을 만들어내며 왕성하게 창작 활동을 펼쳤다.

02 리스본

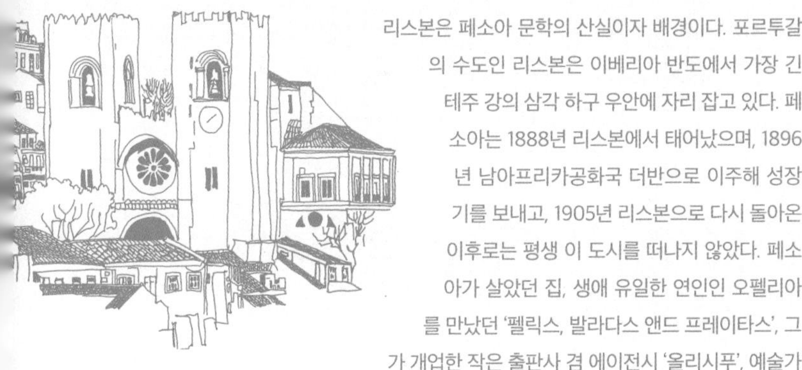

리스본은 페소아 문학의 산실이자 배경이다. 포르투갈의 수도인 리스본은 이베리아 반도에서 가장 긴 테주 강의 삼각 하구 우안에 자리 잡고 있다. 페소아는 1888년 리스본에서 태어났으며, 1896년 남아프리카공화국 더반으로 이주해 성장기를 보내고, 1905년 리스본으로 다시 돌아온 이후로는 평생 이 도시를 떠나지 않았다. 페소아가 살았던 집, 생애 유일한 연인인 오펠리아를 만났던 '펠릭스, 발라다스 앤드 프레이타스', 그가 개업한 작은 출판사 겸 에이전시 '올리시푸', 예술가들과 교류하며 『오르페우』 창간을 위해 집결하던 카페 마르티뉴 다 아르카다와 카페 브라질레이라, 작품의 배경이 된 지역 등 그와 관련된 장소들이 곳곳에 있다.

03 오르페우

페소아는 『아기아』 『프레젠사』 등 당시 포르투갈에서 발행되었던 최고의 잡지들에 작품을 발표했다. 또 『오르페우』와 『아테나』 등 새로운 잡지를 주도적으로 창간하기도 했다. 문예지를 만들며 활동했던 점은 페소아를 이해하는 데 중요한 부분이다. 『오르페우』는 페소아가 사-카르네이루를 비롯한 문학 동료, 예술가들과 함께 1915년 3월 창간한 잡지이다. 이 잡지는 단 두 호만이 발행되었지만, 포르투갈 모더니즘 문학의 시초로 평가받으며 포르투갈 현대문학사에 큰 획을 그었다. 또한 『오르페우』는 페소아 문학 세계의 주요 특성이 기틀을 잡는 계기가 되기도 했다. 이 잡지 발행에 참여한, 문

학과 예술 분야의 작가 열댓 명을 일컬어 '오르페우 세대'라 불렀고, 그들은 이후로 포르투갈 문화 전반에 큰 영향을 미쳤다. 하지만 당시 『오르페우』의 전위적이고 급진적인 시도는 보수적인 사회에서 받아들여지지 못했고, 정치적으로도 오해를 사면서 결국 발행이 중단되고 말았다. 페소아 생전에 끝내 발행되지 못했던 『오르페우』 3호는 1984년에 후배 문인들에 의해 발행되었다.

04 메시지

페소아는 자신이 운영하는 출판사에서 영어로 된 시집을 몇 권 펴내긴 했으나, 생전에 모국어로 발표한 책은 『메시지』뿐이다. 이 시집은 1934년 국가공보처에서 주관하는 공모전에 출품하기 위해 자비 출판한 책이었다. 이 공모전은 민족주의적 성격의 시 경연대회였고, 페소아의 지인이자 국가공보처장이었던 안토니오 페루가 페소아를 정치적으로 포섭하기 위해 수상에 힘썼다. 하지만 대외 활동을 줄이는 한편 신정권에 대한 불만도 높아진 페소아는 결국 시상식에 모습을 나타내지 않았다.

05 불안의 책

페소아는 1913년부터 『불안의 책』을 처음 쓰기 시작해 1920년까지 쓰다가 약 8년간의 공백 이후 1929~1934년 동안 다시 붙잡았으나 끝내 완성하지 못했다. 『불안의 책』은 사후에 흩어진 원고 상태로 봉투 속에서 발견되었다. 『불안의 책』은 페소아가 'Livero do Desassossego'라고 써서 한 덩어리로 묶어놓은 원고와, 훗날 페소아 연구자들이 『불안의 책』과 관련이 있다고 판단하여 넣은 원고로 구성되었다. 그가 죽은 지 47년 후, 즉 1982년에야 처음으로 원고의 체계를 구성해 『불안의 책』이 출판되었다. 『불안의 책』은 베르나르두 수아르스라는 인물의 일기로, 수아르스의 모습에는 페소아 자신이 상당 부분 투영되어 있다. 페소아 자신도 "그의 개성이 나의 개성은 아니지만, 나의 인생과 다르지 않다"고 말했으며 "논리력과 활동성이 없는 나"라고 밝히기도 했다. 책 속에서 수아르스는 "이 책은 일종의 한탄이다. 완성되면 포르투갈에서 가장 슬픈 책인 『나 홀로』를 능가할 것이다"(텍스트 412)라고 썼다. 오늘날 『불안의 책』은 페소아의 작품 가운데 가장 널리 읽히고 사랑받는 책으로 자리매김했다.

06 오펠리아

오펠리아 케이로즈는 페소아의 유일한 연인이었다. 스무 살 되던 해에 오펠리아는 취직을 결심하고 '펠릭스, 발라다스 이 프레이타스'를 찾아갔다. 면접을 기다리며 대기실에 앉아 있을 때 처음 나타난 사람이 바로 페소아였다. 면접에 통과해 첫 출근을 하게 됐을 때도 페소아가 그녀를 맞아주었다. 두 사람은 귀갓길에 자주 동행을 하며 점차 가까워졌고, 시를 주고받고 산책을 하며 사랑에 빠진다. 하지만 페소아는 사랑이 점점 사그라들었고, 자신이 결혼이나 가정생활과는 맞지 않는다고 느꼈다. 두 사람은 결국 이어지지 못했고, 오펠리아는 페소아가 죽은 지 3년이 되던 1938년에야 다른 사람과 결혼해 가정을 이루었다. 페소아 사후 시간이 지난 뒤 페소아가 오펠리아에게 보낸 편지가 먼저 출판되었고, 오펠리아 사후에 그녀가 보낸 편지들까지 묶여 책으로 출간되었다.

07 고독

페소아는 태생적으로 고독했다. 가족에게 이해받는다고 느끼지 못했으며, 가깝게 지낸 친구도 거의 없었다. 유일한 연인이었던 오펠리아와도 결국 이어지지 못했다. 평생 동안 그에게 위안이 되었던 것은 오로지 문학이었다. 독서를 하며 다른 작가들에게서 동질감을 느꼈고, 스스로 여러 문학적 인물들을 창조해내면서 고립감을 달래기도 했다. 어쩌면 그토록 많은 이명들이 탄생하게 된 것은 그의 내면에 깊은 고독이 깔려 있었던 탓인지도 모른다. "때때로 나는 서글프면서도 기쁜 마음으로 이런 생각을 한다. 언젠가 내가 더 이상 살아 있지 않은 미래에, 지금 내가 쓰는 이 글들이 찬사를 받는 날이 오고, 마침내 나를 '이해'하는 사람들이 생기고, 진정한 가족들 사이에서 태어나 사랑받을 수 있을 거라고. 하지만 그 가족의 일원으로 태어나기 한참 전에 나는 이미 죽어 있을 것이다. 죽은 자가 살았을 때 겪었던 냉대를 애정이 보상해줄 수 없을 때, 나는 단지 우표 속 초상으로 이해될 것이다."(『불안의 책』, 텍스트 191)

08 여행

사실 페소아는 여행에 대해 매우 부정적이었다. 리스본에 정착한 이후에는 그곳을 거의 떠난 적이 없다. 그는 "여행은 느낄 줄 모르는 이들이나 하는 것"이며 "여행을 떠난다는 생각만 해도 멀미가 난다"고 했다. 또 "내 안에 자유가 없다면 세상 어디에 가도 자유로울 수 없다"고도 했다. 하지만 그가 창조해낸 인물들은 전 세계를 넘나들었다. 남아공에 살던 당시 미국 보스턴에 사는 가공의 시인을 만들어내 동남아시아의 말레이시아로 여행을 보내고, 그가 오세아니아의 호주를 들러 광부들과 어울리며 시를 썼다고 상상하며 창작을 하기도 했다. 어린 시절부터 그는 시를 통해 온갖 상상력을 동원하여 굳이 떠나지 않고도 전 세계를 여행하는 법을 이미 알았던 것이다!

p. 99

appareceu ou desapparec

O pastor amoroso perdeu o cajado
E as ovelhas tresmalharam-se pe
E, de tanto pensar, nem tocou a
Ninguem lhe agradeceu... Nunca n
Outros, praguejando contra elle,
Nunca mais tocou flauta na encos
Quando se ergueu da encosta e da
Os grandes valles cheios dos verd
As grandes montanhas de longe,
O ampla
(E de novo o ar, que lhe faltara ta
pulmoẽs)
E sentiu que de novo o ar

Os grandes montanhas longe, mais reais
A realidade toda, com o

1930년 7월, 페소아가 타이핑하고 수정한, 알베르투 카에이루의 『사랑의 목동 *O Pastor Amoroso*』 시들 중 하나.

67-64

12

10/7/1930

por amor

sta,
que trouxe para trar
ontrou o cajado.
eram-lhe as ovelhas.
inguem o tinha amado, afinal.
e falsa, viu tudo:
~~x xxxxxx e de brilho de rios~~
~~os que qualquer sentimento,~~
sol limpo, o azul certo,
po, lhe entrou fresco nos
uma liberdade
bria, uma frescura no peito.
com dor,

ndos de sempre
alquer sentimento,
ar e os campos que existem, estão presentes.

페소아 생애의 결정적 장면

1888 6월 13일, 페르난두 안토니우 노게이라 페소아, 오후 3시 20분에 리스본에서 출생하다.

1893 7월 13일, 페소아의 아버지 조아킹 드 시아브라 페소아, 결핵으로 사망하다.

1895 7월 26일, 첫 번째 시 「사랑하는 나의 어머니께」를 쓰고, 어머니가 받아 적다.
12월 30일, 어머니가 남아프리카공화국 더반에서 근무하는 포르투갈 영사 주앙 미겔 로사와 재혼하고, 이듬해 어머니와 종조부와 함께 더반으로 떠나다.

1899 4월 7일, 더반 고등학교에 입학하다. 이때 고전과 인문학적 조예가 깊은 니콜스 교장 선생을 만나 큰 영향을 받다. 셰익스피어와 디킨스의 등 영국 고전문학에 심취하다.

1902 7월 18일, 일간지 『임파르시아우*O Imparcial*』에 자신의 시 「아픔이 나를 괴롭힐 때Quando a dor me amargurar」를 처음으로 발표하다.

1903 11월, 희망봉 대학에서 주관하는 대학 입학시험에 응시, 영어 에세이 부문에서 총 899명의 응시자 가운데 최우수작으로 선정되어 빅토리아 여왕 기념상을 수상하다.

1904 2월, 더반 고등학교로 돌아와 대학 준비를 시작하다(대학 학부 1학년 과정에 해당). 이 시기에 셰익스피어, 밀턴, 바이런, 셸리, 키츠, 테니슨, 칼라일, 브라우닝, 에드거 앨런 포, 휘트먼 등의 작품을 탐독하다.
7월 9일, 상당 분량의 원고를 남긴 첫 번째 분신 찰스 로버트 아넌의 이름으로 『나탈 머큐리*The Natal Mercury*』 지에 시를 발표하다.
12월 16일, 희망봉 대학의 예술 과목 중간고사를 치르고 전체 2등급, 나탈 지역에서는 최고 성적을 거두다. 고등학교를 그만두다.

1905 리스본에 돌아오다

포르투갈에서 대학을 다니기로 결정하고, 8월 20일 헤르조그호에 승선하여 아프리카 서쪽 해안을 따라 리스본으로 돌아오다. 10월 2일, 리스본 대학의 인문학부를 다니기 시작하다. 귀국 이후 약 4년간 영어로 시를 쓰며 107편의 영시를 남기다.

1907 알렉산더 서치라는 이명이 1906년에 처음 등장한 이후 다양한 언어로 글을 쓰는 여러 분신들이 등장하다.
6월(추정), 독학을 하기로 결심하고 대학 학업을 중도 포기하다.
9월, 몇 개월간 견습으로 다니던 무역 정보 회사(R. G. Dun)를 그만두다.

1908 늦은 가을, 『포르투갈어권-브라질 기념 신연감』에 해학 작가 가우덴시우 나부스라는 이름으로 시 형식을 취한 글자 수수께끼를 기고하다. 12월 14일, 괴테의 동명 소설에서 영감을 받은 극작품 「파우스투」를 처음으로 쓴 기록이 있다.

1909 8월, 인쇄기 구입을 위해 포르투갈 동부의 포르탈레그르로 여행하다. 몇 개월 후 리스본에 출판사 '이비스'를 개업하지만, 엽서나 봉투 등 우편 인쇄물 이외에는 단행본 한 권 출판하지 못하고 이듬해 폐업하다.

1911 사촌 마리우의 사업(광산, 매매업 등)을 돕다.
5월, 영어와 스페인어권 작가들로 이루어진 『세계 명작 문고*Biblioteca Internacional de Obras Célebres*』 전 24권의 포르투갈어 번역에 들어가 1912년경에 출판되다.

1912 4월, 근작 시들을 사회적 관점에서 비평한 첫 비평문 「사회학적으로 고찰한 포르투갈의 새로운 시」를 포르투에서 발행하는 잡지 『아기아』에 발표하다. 10월 13일, 절친한 시인 마리우 드 사-카르네이루가 파리로 이주하면서 두 사람의 서신 교환이 시작되다.

1913 10월 14일, 『아기아』에 『불안의 책』 원고 중 일부로 확인되는 「소외의 숲에서」를 자신의 이름으로 발표하기 시작하다.

1914 대표 이명 삼인방이 탄생하다

리스본에서 발행하는 잡지 『레나센사*A Renascença*』에 「내 마을의 종소리」와 「황혼의 인상들Impressões de Crepúsculo」을 기고한다. 사-카르네이루를 비롯한 젊은 시인, 예술가들과 자주 만남을 가지며 이제까지 없었던 새로운 잡지에 대한 구상을 구체화한다. 3월 4일, 알베르투 카에이루의 이름으로 기록된 첫 시가 등장한다. 6월에는 이듬해에 잡지 『오르페우』에 실릴 「승리의 송시」와 함께 알바루 드 캄푸스가 처음으로 등장하며, 리카르두 레이스의 이름으로 기록된 첫 시가 등장한다.

1915 『오르페우』의 해

1915년은 사-카르네이루 등 동인들과 함께 만든 잡지 『오르페우』가 탄생하고 (결과적으로) 막을 내리게 된 해이다. 3월 24일 발행된 『오르페우』 1호에 「선원O Marinheiro」과 알바루 드 캄푸스의 「아편쟁이」, 「승리의 송시」 등이 실린다. 6월 말에 발행된 『오르페우』 2호에는 「기울어진 비Chuva Oblíqua」와 캄푸스의 「해상 송시」 등을 발표한다. 7월 6일, 알바루 드 캄푸스의 이름으로 『카피타우*A Capital*』 지에 보낸 글에서 아폰수 코스타에 관해 조롱하는 논조의 내용이 포함되어 『오르페우』 동인을 비롯해 다수의 공분을 산다. 이는 결과적으로 『오르페우』의 다음 호 발행에 악영향을 끼친다.

1915 4월 4일, 『조르나우*O Jornal*』에 같은 달 21일까지 10편의 산문을 기고하다. 그중 6편은 '지나가는 인생에 대한 기록Crónica da vida que passa'이라는 고정 칼럼에 실리다.

5월 13일, 독재 정부의 수장 피멘타 드 카스트루 장군을 비판하는 팸플릿 「질서의 선입견」을 발행, 다음 날 군사 혁명이 일어나 피멘타 드 카스트루의 독재 정부가 몰락하다.

6월 23일, 제1차 세계대전의 여파 및 스캔들을 일으킨 잡지의 주동자로 낙인찍힌 탓에 일거리가 줄어들면서 심각한 재정난을 겪다.

1916 4월 26일 마리우 드 사-카르네이루가 파리에서 자살하다.

9월, 이름 'Pessôa'에서 곡절악센트circumflex를 제거하고 사용하기로 하다.

1917 5월 12일, 『오르페우』 3호의 내용을 결정하고 출간 준비를 마치지만, 3호의 발행은 페소아 생전에는 끝내 이루어지지 못한다. 같은 날, 시집 『광기 어린 바이올린 연주자*The Mad Fiddler*』를 영국의 출판사에 보내지만 약 한 달 뒤 출판사로부터 거절 답장을 받는다.

6~7월, 동업자 두 명과 함께 'F. A. 페소아'라는 상업 거래 중개 회사를 설립하다.

10월, 잡지 『포르투갈 푸투리스타』에 캄푸스의 「최후통첩」을 기고하다. 그다음 달에 경찰이 『포르투갈 푸투리스타』에 대해 판매 금지 및 압수 조치를 내리다.

1918 5월 1일, 'F. A. 페소아'를 닫다.

7월, 영어 시집 『안티누스*Antinous*』와 『35편의 소네트*35 Sonnets*』를 자비 출판하다. 견본들을 영국의 여러 매체에 보내 리뷰가 몇 편 실리고 대체로 호평을 받다.

10월 13일, 리스본 일간지 『템푸*O Tempo*』에 통치 체제로서의 공화국은 실패라는 통념을 반박하는 글 「실패」를 기고하다.

1919 일생의 유일한 연인 오펠리아를 만나다

10월 8일, 왕래하던 회사 '펠릭스, 발라다스 이 프레이타스'에서 면접을 보러 온 오펠리아 케이로즈를 처음 만난다. 이후 두 사람은 함께 산책을 하고 시를 주고받으며 점차 가까워진다.

1920 권위 있는 영국 문예지 『아테네움*Athenaeum*』에 시 「그동안Meantime」 발표하다.
3월 1일, 오펠리아에게 첫 연애편지를 쓰다.
3월 29일, 코엘류 다 로샤 거리 16번지로 이사하다(이곳에서 여생을 보낸다).
11월 29일, 오펠리아와 편지로 헤어지다.

1921 '올리시푸'를 개업하다

작은 출판사 겸 에이전시 '올리시푸'를 개업한다. 올리시푸는 출판업 이외에도 포르투갈 광산들과 외국 투자사들을 중개하는 일을 했다. 10월 19일, 올리시푸에서 자신의 『영시집 I-II *English Poems I-II*』과 『영시집 III *English Poems III*』 및 『오르페우』의 동인이었던 주제 드 알마다 네그레이루스의 『맑은 날의 발명*A Invenção do Dia Claro*』을 출판한다.

1922 5월, 리스본 잡지 『콘템포라네아*Contemporânea*』에 「무정부주의자 은행가」를 기고하다. 동성애로 물의를 일으키던 안토니우 보투의 시집 『노래들』을 올리시푸에서 재출판하다.

7월, 안토니우 보투를 옹호하는 글 「안토니우 보투와 포르투갈에서의 미학적 이상」을 『콘템포라네아』에 기고한다.

11월(추정), 중개 상업 회사 'F. N. 페소아'를 차려 3년간 운영하다.

1923 2월, 알바루 드 캄푸스의 「리스본 재방문」을 『콘템포라네아』에 기고하다. 올리시푸에서 라울 레알의 소품 『신격화된 소돔*Sodoma Divinizada*』을 출간하다.

2월 19일, 보수 성향의 학생들의 모임 '행동하는 학생들 연합'의 회원들이 집회를 조직, 『신격화된 소돔』에 반대하는 운동을 전개하다. 학생들의 집단 항의를 받아들인 정부 당국이 『신격화된 소돔』과 『노래들』을 포함한 몇몇 '부도덕'한 책들을 금서로 지정하고 압수 조치하다. 페소아는 알바루 드 캄푸스의 이름으로 학생들을 비판하고, 라울 레알을 옹호하는 선언문 「도덕이라는 명분의 공지」를 발표하다. 4월, 라울 레알이 「리스본 학생들을 위한 도덕에 관한 교훈, 그리고 교회의 후안무치」라는 팸플릿을 내자, 학생들은 시위로 응답하다. 페소아는 라울 레알을 옹호하는 전단지 「학생들의 시위에 관하여」를 본인의 이름으로 써서 배포하다.

9월 11일, 그의 「제사題詞」 5편이 시인 로겔리오 부엔디아Rogelio Buendía에 의해 스페인어로 번역되어 스페인 남서부 지방 우엘바의 지역 신문 『라 프로빈시아*La Provincia*』에 실리다.

1924 『아테나』를 창간하다

10월, 화가 루이 바스Rui Vaz와 함께 잡지 『아테나』를 창간한다. 아방가르드적 실험 이후 '질서로의 귀환'을 표방한 이 잡지는 리카르두 레이스와 알베르투 카에이루가 활약하기에 적절한 성격의 지면이었다. 창간호에 그때까지 대중에게 알려지지 않았던 레이스의 송시 20편을 기고한다. 알바루 드 캄푸스도 에세이 「비非 아리스토텔레스적 미학을 위한 단상」을 기고한다. 알마다 네그레이루스, 안토니우 보투와 엔히크 로사도 이 잡지에 참여했다. 12월에는 『아테나』 2호를 발행한다. 「마리우 드 사-카르네이루가 마지막으로 남긴 시들」 및 형이상학에 관해 페소아와 의견을 달리하는 알바루 드 캄푸스의 글 「형이상학이란 무엇인가」 등이 실린다.

1925 1월(또는 2월) 『아테나』 3호를 발행하다. 본명으로 서명한 시 16편과 엔히크 로사의 시 3편이 수록되다.

3월 17일, 어머니가 사망하다.

3월, 『아테나』 4호를 발행하다. 시집 『양 떼를 지키는 사람』 중 23편의 시를 실어 알베르투 카에이루의 존재를 대중에게 처음 공개하다.

6월, 『아테나』 5호를 발행한다. 카에이루의 『엮지 않은 시들』 중 16편의 시를 기고하다.

8~12월, 너새니얼 호손의 『주홍 글씨』를 포르투갈어로 번역하다.

10월 27일, '종합 연감Anuário Sintético' 발명에 대한 특허권을 신청한다.

1926 6월, 매제인 프란시스쿠 카에타누 디아스와 함께 『레비스타 드 코메르시우 이 콘타빌리다드*Revista de Comércio e Contabilidade*(비즈니스와 회계 잡지)』를 창간하고, 이 잡지에 사업이나 정치 및 시사 이슈에 관한 글을 기고하다.

1927 『프레젠사』에 기고하다

6월 4일, 본명으로 서명한 시와 알바루 드 캄푸스의 산문 「주위Ambiente」의 기고를 시작으로, 3개월 전 코임브라에서 창간된 잡지 『프레젠사』와의 긴밀한 공동 작업이 시작된다.

7월 18일, 리카르두 레이스의 송시 3편을 『프레젠사』에 기고한다.

1928 1월 26일, 『프레젠사』의 공동 창립자이자 소설가·시인이며, 1년 전 페소아 문학의 중요성에 대해 처음으로 언급한 글을 쓴 주제 레지우에게 첫 편지를 쓰다.

3월, 「정권 공백 기간: 포르투갈 군사 독재의 옹호 및 정당성」을 기고한다. 알바루 드 캄푸스의 「난외 주석欄外註釋, Apostila」을 『노티시아스 일루스트라두』에 발표하다.

8월, 페소아의 마지막 이명으로 추정되는 바랑 드 테이브Baron de Teive가 처음으로 등장하다.

1929 2~3월경(추정) 1913년 첫 공개 이후 16년간 기고가 중단되었던 『불안의 책』의 글 11편이 리스본 잡지 『레비스타*A Revista*』에 1929~1932년 사이에 실리다. 이 글들의 저자를 '준이명' 베르나르두 수아르스로 결정하다.

6월 26일, 페소아의 작품 세계를 정식으로 연구하여 첫 번째 비평문을 낸 『프레젠사』 공동 편집인 주앙 가스파르 시몽이스에게 감사 편지를 쓰다.

9월 9일, 이별한 오펠리아가 그녀의 사촌이자 페소아의 친구인 카를로스 케이로즈를 통해 페소아의 사진을 보다. 그녀는 사진을 한 장 갖고 싶다는 뜻을 전하고, 사진과 감사 편지가 오가며 오펠리아와의 서신 교환이 재개되다.

12월 4일, 마술사 알레이스터 크롤리의 책을 출판한 출판사에 점성 차트 부분의 오류를 지적하면서 크롤리와 서신 교환이 시작되다.

1930 1월 11일, 오펠리아에게 마지막 편지를 보내다. 그 후에도 오펠리아는 1년 넘도록 계속 편지를 보내고(1931년 3월 29일까지), 둘은 가끔 전화 통화를 하거나 만나다.

6월 13일, 알바루 드 캄푸스의 「생일Aniversário」을 쓰고, 캄푸스의 '생일' 날짜에 맞춰 10월 15일로 서명한 후 『프레젠사』에 기고하다.

7월 23일, 알베르투 카에이루의 『사랑의 목동』 중 날짜가 기록된 2편의 시를 쓰다.

9월 2일, 알레이스터 크롤리가 영국에서 리스본으로 도착하여 페소아와 만나다.

9월 23일, 크롤리가 가짜 자살 소동을 일으키는 데 페소아가 도움을 주고, 이 사건이 주요 일간지에 대대적으로 보도되다. 이 일을 소재로 페소아는 미완성 추리소설 『지옥의 입』을 쓰다.

1931 2월, 『양 떼를 지키는 사람』의 시 8편과 알바루 드 캄푸스의 이름으로 「내 스승 카에이루를 기억하는 노트들Notas para a Recordação do meu Mestre Caeiro」 외 5편을 『프레젠사』에 발표하다. 이후에도 이명 삼인방의 이름 및 본명으로 서명한 시들을 『프레젠사』에 기고하며, 크롤리의 시 「목신에의 찬가Hino a Pã」를 번역 소개하다.

1932 9월 16일, 리스본 근교 카스카이스에 자리한 카스트루 기마라이스 백작 박물관 겸 도서관의 사서(관리)직에 지원하나 떨어지다.

1933 이전 해 10월경부터 시작된 신경쇠약 및 우울 증세가 연초까지 이어지지만, 「세바스티앙주의 그리고

제5제국」과 관련된 글들을 포함해 많은 시와 산문을 쓰다.

1월, 그의 시 5편이 피에르 호케드Pierre Hourcade에 의해 프랑스어로 번역되어 마르세유 잡지 『카이 에 뒤 쉬드 *Cahier du Sud*』에 실리다.

7월, 1928년 1월 15일에 쓴 캄푸스의 시 「담배 가게」를 『프레젠사』에 발표하다.

1934 7월 11일, 나중에 '대중시'라고 부르게 될 4행시를 쓰기 시작하다(1935년 8월까지 350편 이상 완성한다).

12월 1일, 생전에 포르투갈어로 출간된 유일한 책이자 시집 『메시지 *Mensagem*』를 출간하여 국가공보처 문학상을 수상하다.

1935 1월 13일, 아돌푸 카사이스 몬테이루에게 이명의 기원에 관한 유명한 편지를 쓰다.

2월 21일, 독재자 살라자르가 직접 참석해 연설한 국가공보처 문학상 시상식에 불참하다.

6월 13일, 그의 생일에 오펠리아가 안부 전보를 보내오다.

10월 21일, 캄푸스의 이름으로 남긴 마지막 시 「모든 연애편지는Todas as cartas de amor são」을 쓰다.

11월 13일, 레이스의 이름으로 남긴 마지막 시 「우리 안에는 셀 수 없는 것들이 산다Vivem em nós inúmeros」를 쓰다.

11월 19일, 포르투갈어로 남긴 마지막 시 「병보다 더 심한 병이 있다Há doenças piores que as doenças」를 쓰다. 마지막 연은 다음과 같다. "내게 와인이나 좀 더 다오, 삶이란 아무것도 아니니까."

11월 22일, 마지막 영시 「기쁜 태양이 빛난다The happy sun is shining」를 쓰다.

11월 29일, 고열과 심한 복통을 느끼고 리스본의 상 루이스 프랑스 병원으로 이송되어 입원하다. 그곳에서 마지막 글귀를 쓰다. "나는 내일이 무엇을 가져다줄지 모른다(I know not what tomorrow will bring)."

11월 30일, 사촌이자 의사인 자이메 드 안드라데와 목사, 간호사, 이렇게 세 사람의 입회하에 저녁 8시경 사망하다.

12월 2일, 『오르페우』 일원이었던 루이스 드 몬탈보르가 소수의 조문객들 앞에서 짧은 연설문을 낭송하는 가운데 프라제르스 공동묘지에 묻히다.

읽어볼 만한 책

페소아에 대한 높은 평가와 문학적 위상, 그리고 점점 커지는 국제적인 관심에 비해 한국어로 된 번역물이나 소개서는 아직도 대단히 부족한 실정이다. 1994년에 한국외국어대학교의 송필환 교수의 번역으로 페소아의 대표적인 이명 중 하나인 알베르투 카에이루의 시집 『양 치는 목동』이 출간되었으나 안타깝게도 현재는 절판되어 주요 도서관에서도 구하기 힘든 희귀본이 되었다. 그나마 일반 독자들이 쉽게 접할 수 있는 책은 페소아가 남긴 유일한 산문집 『불안의 책』 정도인데, 이 작품도 비교적 최근(2015년)에 와서야 포르투갈어 원전 번역이 출판되었다. 이 외에도 본인이 번역한 책으로는 페소아의 산문선이 있으며, 『페르난두 페소아 시선집』(워크룸프레스)의 출판을 준비 중이다. 또한 대표적인 페소아 소개자이자 포르투갈 문학 연구자인 이탈리아의 작가 안토니오 타부키가 페소아에게 영감을 받아서 쓴 작품들도 번역되어 있다.

이 책과 함께 읽어보기를 권하고 싶은 페소아 관련 글들을 아래에 정리해보았다.

페르난두 페소아의 작품

페르난두 페소아, 『내가 얼마나 많은 영혼을 가졌는지』, 김한민 옮김, 문학과지성사, 2018.
페르난두 페소아, 『불안의 책』, 오진영 옮김, 문학동네, 2015.
페르난두 페소아, 『시는 내가 홀로 있는 방식』, 김한민 옮김, 민음사, 2018.
페르난두 페소아, 『초콜릿 이상의 형이상학은 없어』, 김한민 옮김, 민음사, 2018.
페르난두 페소아, 『페소아와 페소아들』, 김한민 엮고 옮김, 워크룸프레스, 2014.
(특히 「내 스승 카에이루를 기억하는 노트들」, 「포르투갈의 감각주의자들」, 「편지들」과 「옮긴이의 글」)

논문

송필환, 「페르난두 뻬쏘아와 가상인물의 세계」, 『포르투갈-브라질 연구』 제2권 제1호, 한국포르투갈-브라질학회, 2005.

페소아에 관한 안토니오 타부키의 작품들

안토니오 타부키, 『페르난두 페소아의 마지막 사흘』, 김운찬 옮김, 문학동네, 2015.
안토니오 타부키, 『사람들이 가득한 트렁크』, 김운찬 옮김, 문학동네, 2016.

인용 및 참고 문헌

· 도스토옙스키, 『카라마조프 형제들』, 채수동 옮김, 동서문화사, 2014.
· 지젝, 슬라보예, 『신체 없는 기관』, 이성민 외 옮김, 도서출판비, 2006.
· 페소아, 페르난두, 『불안의 책』, 오진영 옮김, 문학동네, 2015.
· 페소아, 페르난두, 『페소아와 페소아들』, 김한민 엮고 옮김, 워크룸프레스, 2014.
· 페소아, 페르난두, 『페소아의 리스본』, 박소현 옮김, 컬처그라퍼, 2017
· 하위징아, 요한, 『호모 루덴스』, 김윤수 옮김, 까치, 1998.

· Azevedo, António, *Fernando Pessoa Outramento e Heteronímia*, Instituto Piaget, 2005.
· Beckett, Samuel, "Three Dialogues with Georges Duthuit", *Transition* Vol.49-5, Paris, 1949.
· Blanco, José, "Breve Nota Bibliográfica Sobre Los Encuentros de Jorge Luis Borges y Fernando Pessoa", *Revista de Occidente* Vol.94, 1989.
· Borges, Jorge Luis, *Borges at Eighty: Conversations*, ed. by Willis Barnstone, New Directions e-book, 2013(초판 1982).
· Botto, António, *Canções*, Guimarães, 2010.
· Castex, François, *Mário de Sá-Carneiro: Lisbonne 1890-Paris 1916*, Centre Culturel C. Gulbenkian, 1999.
· Castro, Ivo, *Editar Pessoa*, Imprensa Nacional-Casa da Moeda, 1990.
· Derrida, Jacques, "Che cos'è la poesia?", *Inimigo Rumor 10*, trans. by Tatiana Rios e Marcos Siscar, 7 letras, 2003(초판 1992).
· Dix, Steffen et al., *1915, O Ano do Orpheu*, Tinta da China, 2015.
· Gil, José, *Fernando Pessoa ou a Metafísica das Sensações*, Relógio d'Água, 1986.
· Júdice, Nuno, *A Era do Orpheu*, Editorial Teorema, 1986.
· Lewis, Wyndham et al., *Blast* Vol. 1, Black Sparrow Press, 1997(초판 1914).
· Martins, Fernando Cabral, *Dicionário de Fernando Pessoa e do Modernismo Português*, Editorial Caminho, 2008.
· Martins, Fernando Cabral, *Introdução ao Estudo de Fernando Pessoa*, Assírio &[e] Alvim, 2014.
· Martins, Patrícia, *Central de Poesia—A recepção de Fernando Pessoa nos anos '40*, Centro de Literaturas e Culturas Lusófonas e Europeias da Faculdade de Letras da Universidade de Lisboa, 2011.
· Pascoaes, Teixeira de, *Ensaios de Exegese Literária e Vária Escrita*, Assírio &[e] Alvim, 2004.
· Pasi, Marco, *Aleister Crowley and the Temptation of Politics*, Acumen, 2013.
· Patrício, Rita, *Episódios: Da Teorização Estética em Fernando Pessoa*, Húmus, 2012.
· Paz, Octavio, *Fernando Pessoa, o desconhecido de si mesmo*, Vega, 1992.
· Perec, Georges, *Espcès d 'espaces*, Éditions Galilée, 1985.
· Pessoa, Fernando, *A Centenary Pessoa*, ed. by Eugenio Lisboa, Carcanet Press, 1995.
· Pessoa, Fernando et al., *Cartas de Amor de Fernando Pessoa*, Ática, 1978.

· Pessoa, Fernando, *Cartas Entre Fernando Pessoa e Os Directores da Presença*(Crítica Colecção Estudos #2), ed. by Enrico Martines, Imprensa Nacional-Casa da Moeda, 1998.

· Pessoa, Fernando, *Correspondência de Fernando Pessoa 1923-35*, Assírio &[e] Alvim, 1996.

· Pessoa, Fernando, *Escritos Autobiográficos, Automáticos e de Reflexão Pessoal*, ed. by Richard Zenith, Assírio &[e] Alvim, 2014(초판 2003).

· Pessoa, Fernando, *Escritos Sobre Génio e Loucura*(Edição Crítica #7), ed. by Jerónimo Pizarro, Imprensa Nacional-Casa da Moeda, 2006.

· Pessoa, Fernando · Queiroz, Ofélia, *Fernando Pessoa & Ofélia Queiroz-Correspondência Amorosa Completa*, ed. by Richard Zenith, Capivara, 2013.

· Pessoa, Fernando, *Heróstrato e a Busca da Imortalidade*, ed. by Richard Zenith, Assírio &[e] Alvim, 2000.

· Pessoa, Fernando, *Livro do Desassossego*, Ática, 1982.

· Pessoa, Fernando, *Mensagem*, Ática, 1972(초판 1934).

· Pessoa, Fernando, *O Livro do Desassossego*, ed. by Richard Zenith, Assírio &[e] Alvim, 2013(초판 1998).

· Pessoa, Fernando, *Obra Poética e em Prosa* Vol. 2, ed. by António Quadros et al., Lello, 1986.

· Pessoa, Fernando et al., *Orpheu* Vol. 1, A Bela e o Monstro, 1915.

· Pessoa, Fernando et al., *Orpheu* Vol. 2, A Bela e o Monstro, 1915.

· Pessoa, Fernando et al., *Orpheu* Vol. 3, Ática, 1984.

· Pessoa, Fernando, *Páginas Íntimas e de Auto-Interpretação*, ed. by Coelho, J. P. et al., Ática, 1966.

· Pessoa, Fernando, *Pessoa por ConhecerII—Textos para um Novo Mapa*, ed. by Teresa Rita Lopes, Estampa, 1990.

· Pessoa, Fernando, *Poesia do Eu*(Obra Essencial de Fernando Pessoa #2), ed. by Richard Zenith, Assírio &[e] Alvim, 2006.

· Pessoa, Fernando, *Poesia dos Outros Eus*(Obra Essencial de Fernando Pessoa #4), ed. by Richard Zenith, Assírio &[e] Alvim, 2010(초판 2007).

· Pessoa, Fernando, *Portugal,* Sebastianismo e Quinto Império, Europa-América, 1986.

· Pessoa, Fernando, *Prosa Íntima e de Autoconhecimento*, ed. by Richard Zenith, Assírio &[e] Alvim, 2007.

· Pessoa, Fernando, *Prosa Publicada em Vida*, ed. by Richard Zenith, Assírio &[e] Alvim, 2006.

· Pessoa, Fernando, *Quaresma, Decifrador. As Novelas Policiárias*, ed. by Ana Maria Freitas, Assírio &[e] Alvim, 2008.

· Pessoa, Fernando, *Sensacionismo e Outros Ismos*(Edição Crítica, Série Maior Vol. 10), ed. by Jerónimo Pizarro, Imprensa Nacional-Casa da Moeda, 2009.

· Pessoa, Fernando et al., *Sobre Orpheu e o Sensacionismo* Vol. 3, ed. by Richard Zenith et al., Assírio &[e] Alvim, 2015.

· Pessoa, Fernando, *Sobre Portugal: Introdução ao Problema Nacional*, Ática, 1979.

· Pessoa, Fernando, *Selected prose of Fernando Pessoa*, ed. by Richard Zenith, Grove Press, 2001.

· Pessoa, Fernando, *Teoria da Heteronímia*, ed. by Fernando Cabral Martins · Richard Zenith, Assírio &[e] Alvim, 2012.

· Pizarro, Jerónimo, *Eu Sou Uma Antologia*, Tinta da China, 2013.

· Pizarro, Jerónimo, *Pessoa Existe?: Ensaistica Pessoana*, Ática, 2012.
· Richard Zenith et al., *Os Caminhos de Orpheu*, Biblioteca Nacional de Portugal: Babel, 2015.
· Sá-Carneiro, Mário de, *Poemas Completos*, Assírio &[e] Alvim, 2005(초판 1996).
· Sá-Carneiro, Mário de, *Cartas de Mário de Sá-Carneiro a Fernando Pessoa*, ed. by Manuela Parreira da Silva, Assírio &[e] Alvim, 2001.
· Schlegel, Friedrich von, *Philosophical Fragments*, trans. by Peter Firchow, University of Minnesota Press, 1991.
· Sena, Jorge de, *Fernando Pessoa & Ca Heterónima*, Edições 70, 2000.
· Simões, João Gaspar, *Vida e obra de Fernando Pessoa: História duma Geração*, Livraria Bertrand, 1950.
· Susan Canty Quinlan .Fernando Arenas eds., *Lusosex: Gender and Sexuality in the Portuguese-Speaking World*, University of Minnesota Press, 2002.
· Vieira, Joaquim et al., *Fotobiografia de Fernando Pessoa*, Companhia das Letras, 2011.

— 참고 사이트

· 마리우 수아르스 재단 Fundação Mário Soares http://www.fmsoares.pt/aeb/
· 시립 아카이브 소피아 드 멜루 브라이너 Arquivo Municipal Sophia de Mello Breyner http://arquivo.cm-gaia.pt/
· 온라인 저널 '페소아 낯설게 하기 Estranhar Pessoa' http://estranharpessoa.com/revista
· 페르난두 페소아 아카이브 http://arquivopessoa.net/textos
(본문에 인용한 페소아의 시는 페르난두 페소아 아카이브를 참조하였다.)
· 페르난두 페소아의 집 http://casafernandopessoa.cm-lisboa.pt
· 포르투갈 국립도서관 페소아 아카이브 http://purl.pt/1000/1/index.html

— 사진 크레디트

016 photoshooter2015 / Shutterstock.com | 031 301 리스본 시청(LISBOA Câmara Municipal) 제공 | 035 042 047 065 099 335 Manuela Nogueira 소장 | 069 Digitalization: 『Fotobiografia de Fernando Pessoa』 | 083 Jack Metzger | 122 Digitalization: 『Fotobiografia de Fernando Pessoa』 | 129 MonoChrome_PT / Shutterstock.com | 173 Maria da Graça Queiroz 소장 | 197 Lijealso | 225 George Grantham Bain Collection(USLibrary of Congress) | 228 ondasderuido | 229 tm | 232 Priscila Roque | 249 DS_93 / Shutterstock.com | 269 Claudio Stocco / Shutterstock.com | 296 Youcef63 | 302 Andrisk / Shutterstock.com

* 수록 허락을 받지 못한 일부 사진은 저작권자가 확인되는 대로 허락을 받고 사용료를 지불하겠습니다.

클래식 클라우드 004

페소아

1판 1쇄 발행 2018년 6월 26일
1판 3쇄 발행 2020년 8월 30일

지은이 김한민
펴낸이 김영곤
펴낸곳 아르테

문학사업본부 이사 신승철
클래식클라우드팀 팀장 이소영
책임편집 박민주 클래식클라우드팀 임정우 김슬기 오수미
영업본부 이사 안형태
영업본부 본부장 한충희 영업 김한성 이광호
제작 이영민 권경민

출판등록 2000년 5월 6일 제406-2003-061호
주소 (10881) 경기도 파주시 회동길 201(문발동)
대표전화 031-955-2100 팩스 031-955-2151

ISBN 978-89-509-7597-5 04000
ISBN 978-89-509-7413-8 (세트)
아르테는 (주)북이십일의 문학·교양 브랜드입니다.

(주)북이십일 경계를 허무는 콘텐츠 리더

네이버오디오클립/팟캐스트 **[클래식 클라우드 – 책보다 여행]**, 유튜브 **[클래식클라우드]**를 검색하세요.
네이버포스트 post.naver.com/classic_cloud
페이스북 www.facebook.com/21classiccloud
인스타그램 www.instagram.com/classic_cloud21
유튜브 youtube.com/c/classiccloud21d